Le régime Women's Health

27 JOURS POUR SCULPTER VOTRE CORPS
DEVENEZ PLUS SEXY QUE JAMAIS ET RESTEZ-LE !

STEPHEN PERRINE
LEAH FLICKINGER
et les éditeurs de ***Women's Health***

hachette
FORME

Les informations réunies dans cet ouvrage doivent compléter et non remplacer un suivi médical et/ou les enseignements d'un professeur de musculation agréé. Toute forme d'exercices physiques présente des risques. L'éditeur et les auteurs conseillent aux lecteurs de prendre toutes les précautions et toutes les mesures de sécurité nécessaires, et de bien respecter leurs limites physiques. Avant de pratiquer les exercices de ce livre, assurez-vous de la qualité et du bon état de votre équipement ; ne prenez pas de risques au-delà de vos aptitudes, de votre condition physique et de votre niveau d'entraînement. Les programmes de régime et d'exercices physiques proposés ici ne visent pas à se substituer aux prescriptions d'un médecin. Avant de débuter le régime et le programme de remise en forme Women's Health, parlez-en à votre médecin.

Les références faites à des entreprises, organisations ou autorités dans ce livre n'impliquent aucune prise de position de la part des auteurs ou de l'éditeur. Celles-ci ne signifient pas non plus que lesdites entreprises, organisations ou autorités cautionnent cet ouvrage, ses auteurs ou l'éditeur. Les adresses Internet mentionnées dans ce livre ont été vérifiées au moment de la mise sous presse.

Édition originale publiée aux États-Unis d'Amérique par Rodale Inc. en janvier 2011 sous le titre *The Women's Health® Diet: 27 Days to Sculpted ABS, Hotter Curves & A Sexier, Healthier You!*

Conception graphique : direction artistique du département Édition sous licence de *Men's Health* et de *Women's Health* ; Mark Michaelson, Elizabeth Neal, Laura White et Mike Smith, avec George Karabotsos

Photographies intérieures : Mitch Mandell /
Coiffure et maquillage : Colleen Kobrick

Photographie de couverture : Beth Bischoff

Édition française

Traduction : Anne Confuron

Révision : Anne Fragonard-Le Guen

Relecture : Paula Lemaire

Mise en page : Patrick Leleux PAO

Fabrication : Amélie Latsch

Partenariats : Sophie Morier (smorier@hachette-livre.fr)

Achevé d'imprimer en janvier 2014 par Rodesa (Espagne)

Pour l'éditeur, le principe est d'utiliser des papiers composés de fibres naturelles, renouvelables, recyclables et fabriquées à partir de bois issus de forêts qui adoptent un système d'aménagement durable. L'éditeur attend également de ses fournisseurs de papier qu'ils s'inscrivent dans une démarche de certification environnementale reconnue.

Dépôt légal : février 2014
23-39-8675-01-3
ISBN : 978-2-01-238675-4

Pour Jennifer

SOMMAIRE

AVANT-PROPOS

Si vous êtes déjà lectrice de *Women's Health*, vous savez que toute la rédaction et moi-même avons à cœur d'aider les femmes à se sentir pleinement en forme, à perdre du poids et à se nourrir de la meilleure façon possible. Tous les mois, nous passons les dernières revues spécialisées au crible, nous interrogeons de nombreux experts et, surtout, nous nous portons volontaires pour tester leurs recommandations – à la salle de sport, dans la cuisine et même au bureau. Car notre tâche, notre mission, consiste à vous transmettre les conseils les plus pertinents, les plus pratiques, afin que vous vous sentiez au mieux de votre forme. Les modes et les astuces ne nous intéressent pas, elles peuvent fonctionner sur le court terme, mais risquent de vous mener à l'échec à longue échéance. Ce sont les résultats qui nous importent. Et au cours de ces dix dernières années, nous avons pu réunir bon nombre de connaissances précieuses concernant la perte de poids et la remise en forme.

Tout d'abord, se priver de nourriture ne sert à rien : il existe suffisamment de bons aliments qui, s'ils sont consommés au bon moment, peuvent transformer le corps, le rendre mince et capable de lutter contre les graisses. Plutôt que de compter les calories, mieux vaut respecter sept règles simples en matière d'alimentation, que nous désignerons dans ce livre sous le nom de « secrets minceur ».

De même, les séances d'entraînement exténuantes sont plus décourageantes que stimulantes, alors pourquoi s'y astreindre quand il suffit de pratiquer une activité physique trois fois par semaine pendant une demi-heure pour se débarrasser de la graisse et se sculpter corps ferme et tonique ?

Enfin, se limiter à une alimentation fade et ennuyeuse est tout bonnement inutile : vous pouvez tout à fait manger dans vos restaurants préférés et rester mince, à condition de choisir votre menu parmi les 250 meilleurs aliments pour les femmes.

Le régime *Women's Health* synthétise nos recherches et notre expérience, et les condense dans un programme simple à suivre parce que nous savons combien il est difficile pour une femme de se dégager du temps pour elle : entre travail, famille et obligations diverses et variées, il reste à peine le temps d'aller faire les courses et encore moins de se lancer dans un programme de remise en forme. Au-delà de toute autre considération, le régime *Women's Health* se veut pragmatique et cherche à vous offrir des résultats concrets. C'est pour cette raison que nous avons commencé par tester nos propositions auprès d'un groupe de femmes aux objectifs variés. Certaines voulaient perdre du poids, d'autres raffermir leur corps ou encore retrouver un ventre plat... mais le fait que chacune d'entre elles ait pu atteindre l'objectif qu'elle s'était fixé témoigne de la fiabilité et de la polyvalence de ce programme. Leurs histoires sont à découvrir dans les pages qui suivent.

Je suis heureuse et fière de vous présenter le régime *Women's Health*. C'est le guide qu'il vous faut pour vous façonner le corps dont vous avez toujours rêvé. Parce qu'après tout, l'important, c'est d'être soi-même.

Michele Promaulayko
Rédactrice en chef de
Women's Health

REMERCIEMENTS

Tout a commencé avec la corvée de poubelles, un jour d'été de 1991. Je triais les papiers et journaux à recycler quand je suis tombé sur une offre d'emploi émise par un nouveau magazine, *Men's Health*, qui serait bientôt suivi par une autre publication, *Women's Health*. Je me suis rendu à Emmaus, en Pennsylvanie, pour passer un entretien d'embauche. Ma famille m'accompagnait dans mon déplacement.

Je n'ai pas eu le poste.

Heureusement, peu de temps après, un poste s'est libéré au sein du magazine et, depuis lors, j'ai la chance de travailler avec la plus grande équipe de journalistes, d'éditeurs et de professionnels de la santé qu'il m'ait été donné de rencontrer, à savoir :

Maria Rodale et la famille Rodale, qui unissent leurs efforts depuis plus de soixante ans pour nous faire prendre conscience de la relation entre notre santé et notre environnement et qui, par le biais de cet ouvrage, aideront les lectrices à envisager un avenir plus sain ;

David Zinczenko, dont le soutien, les encouragements et l'élégance dans les moments de pression ont rendu possible mes initiatives et celles de beaucoup d'autres chez Rodale Inc ;

Michele Promaulayko, dont la direction a permis à *Women's Health* de devenir une extraordinaire aventure ;

Leah Flickinger, avec laquelle j'ai co-écrit ce livre ;

George Karabotsos, Debbie McHugh, Laura White, Mark Michaelson, Mike Smith, Theresa Dougherty, Ruth David Konigsberg, Ursula Cary, Mike Zimmerman et le pôle édition chez *Men's Health* ;

les éditeurs des magazines *Men's Health* et *Women's Health*, en particulier Adam Bornstein et Adam Campbell, pour leurs compétences, Clint Carter, pour ses connaissances en matière de nutrition, Bill Phillips et Steve Borkowski, pour leur soutien au niveau du site Internet et du marketing, et enfin Lisa Bain et Peter Moore, pour leur calme et leur professionnalisme ;

l'équipe du magazine *Best Life*, en particulier Heather Hurlock dont la contribution à cet ouvrage a été très précieuse ;

Chris Krogermeier, Beth Lamb, Erin Williams et l'équipe de Rodale Books ;

Fotoulla Euripidou, Meridith Lampert et Philavong Chanda, pour leur parti pris de ne s'en tenir qu'aux faits avérés ;

Allison Falkenberry, Agnes Hansdorfer, Brett LeVecchio, Erin Clinton et Allison Keane qui m'ont aidé à faire connaître partout dans le monde le régime *Women's Health* ;

Elaine Kaufman, pour sa sagesse et ses encouragements ;

sans oublier mes filles Dominique, Anaïs et Zoë, sans lesquelles j'aurais beaucoup plus d'argent mais beaucoup moins de bonheur.

INTRODUCTION

GAGNER LA BATAILLE CONTRE LA GRAISSE

Il est temps de retrouver le contrôle de votre poids avec les secrets minceur de *Women's Health*.

Au sein de votre organisme, au moment précis où vous lisez ces lignes, une bataille fait rage, une bataille qui oppose les cellules : celles qui fabriquent les muscles et celles qui fabriquent les graisses.

D'un côté (le bon côté), il y a les muscles. Considérez-les comme vos amis les plus proches, ceux qui vous mettent le plus en valeur.

Contrairement à ce que vous pourriez penser, les muscles ne rendent pas le corps gros et corpulent, au contraire des graisses. Les graisses, c'est comme l'ami-ennemi passif et agressif qui dit toujours « non » même lorsqu'un bourrelet apparaît au-dessus de la ceinture de votre pantalon. Les muscles, eux, aident à conserver un ventre plat et des fesses fermes.

La graisse déteste les muscles ; et c'est un sentiment réciproque. La graisse veut se débarrasser des muscles et donne plus d'importance aux gâteaux et aux aspirateurs d'énergie qui se trouvent dans votre organisme. Les muscles cherchent à se débarrasser de la graisse, et peuvent brûler toutes les calories que vous absorbez et vous aider à rester mince et éblouissante.

Entre les deux, le choix est vite fait. Mais dans cette bataille, la graisse disposera toujours d'un avantage... de poids. Les muscles ont donc besoin de votre coopération pour gagner.

Le régime *Women's Health* va vous montrer comment mener cette bataille, construire de jolis muscles et brûler les graisses tout en mangeant les meilleurs aliments du monde, et sans jamais avoir faim. Ce combat vous rendra plus forte, plus attirante, plus mince et en meilleure santé. Et les effets commenceront à se faire sentir dès vous avalerez votre première bouchée.

Êtes-vous prête ?

Se sentir mieux, très vite

La première fois que vous avez eu ce livre en mains, le corps parfaitement galbé de la femme qui figure en couverture vous a paru inaccessible, n'est-ce pas ?

Pourtant c'est à votre portée. *Le régime Women's Health* propose un programme qui, grâce à ses nombreux conseils en matière de nutrition et de santé, vous permettra de transformer rapidement et facilement votre corps – ou, plus exactement, d'aider votre corps à se transformer lui-même. C'est un programme complet

CONSEILS

10 CONSEILS POUR FAIRE LA DIFFÉRENCE EN 10 SECONDES

1 Finissez votre lait. Vous pensez faire le plein d'énergie avec vos céréales du matin ? Pourtant, jusqu'à 40 % des vitamines qui se trouvent dans les céréales se dissolvent dans le lait. Si vous ne le terminez pas, vous laissez tous les nutriments au fond de votre bol...

2 Buvez glacé. Avant et pendant l'exercice physique, pensez à boire quelques verres d'eau glacée. Le froid améliore l'endurance, oblige votre organisme à dépenser des calories pour se réchauffer et stimule le métabolisme.

3 Plus haut, bon sang ! Exprimer ses émotions en soulevant des poids vous donne jusqu'à 25 % de force en plus. (Évidemment, cela augmente aussi le risque de vous faire mettre à la porte... Pour éviter d'en arriver là, demandez à un entraîneur ou à un ami de vous stimuler verbalement. Les encouragements, qu'ils viennent de vous ou d'une aide extérieure, vous permettront de soulever 5 à 8 % de poids supplémentaires.

4 Mettez-vous au défi. Pariez avec un collègue que vous êtes capable de respecter votre programme d'entraînement pendant six mois : des études montrent que, dans 97 % des cas, ceux qui le font réussissent leur pari. Une autre solution consiste à planifier vos séances d'entraînement et à déposer 2 euros dans une tirelire chaque fois que vous en terminez une. Cet argent mis de côté vous permettra, plus tard, de vous offrir un petit plaisir.

5 Choisissez le rouge. Le chou rouge contient 15 fois plus de bêta-carotène (puissant antiride) que le chou vert. De même, le poivron rouge renferme jusqu'à neuf fois plus de vitamine C que le poivron vert.

6 L'asperge contre la gueule de bois. Pour atténuer les désagréments d'une gueule de bois, rien n'égale les asperges. Des chercheurs sud-coréens ont en effet exposé un groupe de cellules hépatiques humaines à de l'extrait d'asperge et ont pu constater que ce dernier entraînait la suppression des radicaux libres et multipliait par deux ou plus les effets des deux enzymes responsables de la métabolisation de l'alcool.

7 Écoutez vos pieds. Pendant votre jogging, si vous entendez vos pieds martelez le sol, c'est que vous ne courez pas correctement. Pour éviter de vousblesser, gardez vos pieds près du sol et adoptez une foulée rapide.

8 Au pain blanc, préférez le pain complet et le seigle. Le pain complet contient davantage de fibres et de minéraux que le pain blanc, et il est moins calorique. Par ailleurs, il a été montré par des chercheurs suédois que, huit heures après la consommation de seigle, les personnes qui en avaient mangé ressentaient moins la faim que celles qui avaient pris du pain blanc, grâce à la teneur en fibres élevée du seigle.

9 Trichez avec un haltère. Prenez un haltère dans une main et soulevez le autant de fois que vous le pouvez. Quand vous êtes à bout de forces, servez-vous de votre main libre pour accompagner votre bras et soulever le poids une dernière fois. Puis dégagez votre main et abaissez lentement le poids. Travailler, comme ceci, sur la phase négative des mouvements permet en effet d'optimiser vos exercices de musculation.

10 Séchez-vous de la tête aux pieds. Pour éviter d'attraper froid en sortant de la douche, séchez-vous en commençant par la tête et la nuque.

pour le corps et l'esprit, qui a pour but de vous faire entrer dans la plus belle phase de votre vie, celle où vous vous sentirez la plus en forme, la plus mince et la plus heureuse ; et ce pendant toutes les années à venir.

Il existe deux types de femmes dans le monde : d'abord, celles qui sont au-dessus de tout, dont les cheveux sont toujours impeccables, les vêtements toujours tendance et la voiture rutilante. Un cadeau pour le prochain anniversaire de leur mari ou de leur fiancé est déjà emballé et caché entre deux pulls dans leur dressing méticuleusement rangé. Ces femmes-là n'ont pas de problème pour rester minces parce que leur réfrigérateur est aussi bien organisé que leurs armoires, et leurs séances d'entraînement sont savamment planifiées et notées dans leur agenda, entre leurs groupes de lecture et leurs galas de bienfaisance. On les croise toujours aux même endroits : les grands événements sportifs, les villas de bord de mer ou les pages des magazines en papier glacé. Mais ces femmes-là sont des exceptions. La plupart d'entre nous ne feront pas la une des magazines aux côtés de top-modèles ou d'athlètes. Nous n'avons pas d'entraîneur personnel, de chef cuisinier à domicile ni de contrat publicitaire juteux. Nous ne sommes que de simples mortelles, qui travaillent dur et apprécient à leurs juste valeur leurs rares moments de loisirs. Nous sommes passées maîtres dans l'art de maintenir l'équilibre entre nos corvées, nos obligations, nos millions de petits drames quotidiens mais, pour ce qui est de trouver des repères fiables en matière de nutrition et de santé quand nous sommes bombardées de tous côtés par des informations toutes plus tortueuses et complexes que l'intrigue de *Twilight*, nous pouvons difficilement nous en sortir par nous-mêmes.

Conseil n° 11

Goûtez l'avoine. Flocons, farine ou son d'avoine... choisissez ce que vous préférez. Car l'avoine est une source de vitamines B et E, de minéraux, de matières grasses saines et d'antioxydants. Ses fibres participent au maintien d'un poids optimal et aident à maîtriser la glycémie, tout en réduisant le cholestérol.

N'importe qu'elle femme « normale » qui désire se sentir mieux, aussi bien physiquement que mentalement, a besoin d'un coup de pouce, de quelques conseils bienveillants – comme ceux que lui prodiguerait une grande sœur pour l'aider dans cette entreprise.

C'est pour cette raison que nous avons créé le régime *Women's Health*. Depuis presque dix ans, les femmes qui aspirent à un mieux-être dans leur corps et dans leur vie se tournent vers *Women's Health*, la référence en matière d'informations relatives à la santé, la nutrition et l'équilibre alimentaire. De son premier numéro, jusqu'à sa consécration avec ses dix éditions internationales et ses 8 millions de lectrices à travers le monde, le magazine *Women's Health* s'est employé à réunir, analyser, étudier et affiner les recherches menées dans ces domaines. Chaque conseil que nous proposons est vérifié.

Dans notre *Energy Center* – notre propre centre de fitness –, nous testons le matériel, les exercices, les techniques et les stratégies destinées à vous faire retrouver la ligne. Dans notre bibliothèque – la plus grande bibliothèque médicale privée au monde –, nous disposons d'une base de données qui repère et trie toutes les études publiées dans les journaux scientifiques à travers le monde. Au *Rodale Institute* – la ferme expérimentale de près de 135 hectares gérée par notre maison mère, Rodale Inc –, nous ingénions à dénicher les aliments les plus sains de la planète et cherchons les meilleurs moyens de les cultiver, de les récolter et de les consommer.

CONSEIL N° 12

Pas d'échappatoire. Une étude britannique révèle qu'il y a 61 % de chance et de manquer une séance d'entraînement, si vous avez déjà fait l'impasse sur la précèdente. Réfléchissez-y à deux fois quand vous sentez votre motivation faiblir avant d'aller vous entraîner...

Enfin, dans la cuisine qui nous sert de laboratoire et dans les cafétérias de notre entreprise, nous cuisinons et goûtons ces aliments en utilisant des recettes élaborées et perfectionnées au cours de nos années de recherche.

Il en ressort notamment qu'une activité physique régulière et une alimentation équilibrée constituent la base de toutes les améliorations qu'une femme peut espérer apporter à son style de vie, que ce soit sur le plan physique, professionnel (une étude réalisée à l'Université de New York démontre que le surpoids altère notre capacité à travailler de manière performante) ou même personnel (les nutriments que l'on retrouve dans le régime alimentaire de *Women's Health*, comme l'acide folique et les acides gras oméga-3, sont connus pour influer sur l'intelligence, l'humeur et même la libido). De même, nous avons sondé toutes les sources fiables d'information pour trouver une solution à chaque problème auquel est confrontée la femme moderne : par exemple, l'application sur le visage de deux aspirines dissoutes dans 3 cuillerées à soupe de tonique pour le visage pour se débarrasser de boutons ; une meilleure hydratation pour réaliser davantage d'abdominaux ; éteindre la télé avant de manger pour consommer moins... C'est ce type de recherches qui a servi à élaborer les secrets minceur, le point de départ du régime *Women's Health,* et qui a inspiré les conseils que nous vous proposons tout au long de ces pages.

CONSEIL N° 13

Une galipette par jour éloigne le médecin pour toujours !

D'après une étude réalisée à l'université de Wilkes, les personnes qui ont des relations sexuelles une ou deux fois par semaine ont un système immunitaire plus fort que ceux qui en ont moins régulièrement.

C'est pour cela que vous pouvez nous faire confiance lorsque nous déclarons que la distance qui vous sépare de votre objectif est plus courte que vous le pensez.

Un programme extraordinaire pour des femmes ordinaires

Tous les 10 ans, la capacité d'une femme à brûler les calories diminue d'environ 5 %. Même si vous semblez destinée à prendre du poids en vieillissant, renverser cette tendance ne nécessite pas un changement aussi drastique que vous pourriez l'imaginer. Des scientifiques de l'USDA (département de l'Agriculture) aux États-Unis ont étudié les habitudes alimentaires de 8 837 adultes et ont découvert que sur une journée ordinaire, les adultes en surpoids absorbaient à peine 100 calories de plus que leurs homologues d'un poids normal, soit l'équivalent d'un biscuit.

100 calories seulement ? Alors pourquoi cela semble-t-il si dur, pour la plupart d'entre nous, d'avoir le corps dont nous rêvons ? Pourquoi nous sentons-nous à des années-lumière des mannequins présentées en couverture des magazines ?

Parce que nous vivons dans un monde de « mauvais » : mauvais conseils, mauvais choix, et, surtout, mauvaise alimentation (y compris bon nombre de produits commercialisés sous l'appellation « aliments diététiques »). Faire confiance aux fabricants alimentaires pour veiller sur notre forme physique est une aberration. Ainsi en France, près de 20 millions de personnes (plus de 30 % de la population) seraient en surpoids, parmi elles 6 millions définies comme obèses. Et l'obésité infantile aurait doublé ces dix dernières années. Les statistiques sont encore plus accablantes dans des pays comme les États-Unis. Tout cela pour simplement 100 calories par jour. Aujourd'hui, et hier, et le jour d'avant... Alors, devinez ! Demain est un nouveau jour qui commence...

CONSEIL N° 14

Optez pour le foncé. Dans presque tous les cas, plus la couleur d'un haricot ou d'un légume est sombre, plus il va contenir de nutriments. Les haricots noirs l'emportent ainsi sur les haricots blancs et le brocoli surpasse le chou-fleur.

Vous reconstruire... en mieux !

Si vous avez déjà essayé des régimes et tenté de suivre des programmes de remise en forme, vous avez sans doute remarqué que presque tous présentent un sérieux problème : ils évoquent le sacrifice et parlent d'abandon. Qui aime ça ?

Le régime *Women's Health* est différent sur plusieurs plans :

IL S'AGIT DE VIVRE VOTRE VIE AU MIEUX. L'un des aspects les plus agréables du régime *Women's Health*, c'est que vous pouvez tricher autant de fois que vous le voulez. Les glaces ? Oui. Les nachos ? Oui, aussi. Se faire livrer une pizza ? Et pourquoi pas ! Vous pouvez vous faire plaisir chaque fois que vous en avez envie, mais à une condition : vous n'êtes autorisée à satisfaire vos envies que pour LE MEILLEUR, à savoir une version plus goûteuse, plus équilibrée et plus saine de vos aliments préférés – y compris ceux des fast-foods (les meilleurs aliments pour tous les jours se trouvent au chapitre 10). Un régime apparaît beaucoup plus facile lorsqu'on découvre que l'on peut commander un hamburger tout en économisant 800 calories et augmenter son apport en protéines par de la musculation en choisissant simplement le meilleur du meilleur.

CONSEIL N° 15

Évitez le carton. Utiliser des assiettes en carton et des couverts en plastique aurait tendance à faire considérer la nourriture comme une simple collation, alors que la même nourriture servie dans de « vraies » assiettes serait davantage perçue comme un repas complet. Résultat : ceux qui mangent dans des assiettes en carton sont plus susceptibles de se resservir ou de manger quelque chose en plus.

IL S'AGIT DE TRAVAILLER AVEC VOTRE CORPS ET NON CONTRE LUI. Les découvertes scientifiques des dernières années montrent que dès lors qu'il s'agit de s'alimenter, tout est dans le timing. En effet, votre organisme passe chaque jour par différentes étapes pour brûler les graisses, augmenter la masse musculaire, s'affiner et se fortifier – il a juste besoin du bon carburant au bon moment. C'est la raison pour laquelle nous recommandons de consommer la majorité des calories pendant la première moitié de la journée. En connaissant simplement l'heure propice pour vous mettre à table, vous préparez votre corps à prendre du muscle et perdre du poids en un temps record.

IL S'AGIT DE MANGER PLUS, PAS MOINS. Davantage de bonnes choses, c'est ce dont votre organisme a besoin. Et c'est un vrai défi que de lui donner tout ce qui lui est nécessaire. La nourriture est le carburant qui va brûler les graisses et permettre de se façonner des muscles fins et forts : c'est la philosophie qui étaie le programme de nutrition de *Women's Health*. Il repose sur 8 groupes d'aliments qui vous aideront à mincir rapidement. Avec notre programme, vous allez manger jusqu'à 6 fois par jour : 3 repas, quelques collations et même du dessert.

CONSEIL N° 16

Préservez vos os. Des recherches ont montré que les oméga-3 contenus dans le saumon stimulent la densité osseuse. La prochaine fois que vous préparez un barbecue, échangez les côtes de bœuf contre des pavés de saumon.

IL S'AGIT DE DEVENIR PLUS FORTE. Trop de régimes alimentaires visent à réduire le poids par tous les moyens possibles. Avec le régime *Women's Health*, il s'agit d'amener le corps au meilleur de sa forme. Vous découvrirez plus loin les détails de la bataille qui fait rage dans votre organisme, entre la graisse et les muscles. Celui qui gagnera ce combat déterminera non seulement ce à quoi va ressembler votre corps, mais aussi combien de temps il continuera à fonctionner au mieux.

IL S'AGIT DE S'AMUSER. Le programme accéléré de remise en forme de *Women's Health* (voir chapitre 8) est incroyablement efficace et commence avec 3 séances de musculation de 30 minutes chaque semaine. Il ne s'agit pas de sueur ni de sacrifice, vous êtes plutôt invitée à vous amuser. Évidemment, il y a quand même du travail à fournir, mais une fois que vous aurez compris les principes physiologiques de la gestion du stress et de la récupération active – qu'il s'agisse pour vous d'aller promener votre chien, de faire du roller dans le parc, de dévaler des pentes enneigées ou de sauter dans les vagues – vous verrez combien il est déterminant de s'amuser pour atteindre vos objectifs forme.

Tenez-vous prête à changer de vie

En tant que rédacteurs du magazine *Women's Health*, nous avons la chance de faire partie de la meilleure équipe éditoriale qui existe dans le domaine de la santé et du bien-être. Mais, qui plus est, nous sommes la preuve vivante que les conseils que nous vous prodiguons fonctionnent.

> **CONSEIL N° 17**
>
> **Taisez-vous et mangez.**
> Plus il y a de bruit autour de vous pendant le repas, plus ce que vous mangez vous semblera manquer de sucre ou de sel. Pour éviter d'ajouter des substances nocives à vos aliments, préférez les endroits calmes pour prendre vos repas.

Vous pensez probablement que, pour nous, garder la ligne est chose facile : après tout, nous passons nos journées à examiner toutes les études récentes relatives aux régimes alimentaires, à rencontrer pléthore d'experts en nutrition, à essayer le matériel dernier cri et à tester les meilleurs aliments possibles. Il ne serait pas aberrant de penser que, pendant nos réunions, nous grignotons des morceaux de chou frisé et sirotons du jus de concombre et que, grâce à toutes ces saines habitudes, nous affichons une belle confiance en nous aux réunions d'anciens élèves et ne possédons que des vêtements d'une seule et même taille qui, sur nous, tombent à merveille.

Le fait est pourtant qu'il n'y a pas un seul rédacteur au sein de l'équipe qui n'ait pas lutté contre son corps à un moment donné.

Une fixation sur des fesses trop flasques ou des kilos en trop après une grossesse : nous avons toutes connu ce genre de problèmes.

Mais il se produit quelque chose d'étonnant pour ceux qui travaillent avec nous : ils suivent les conseils que nous publions dans chaque numéro, qu'il s'agisse de s'entretenir, de se nourrir correctement ou encore de gérer le stress. Et ces conseils peuvent transformer une femme restée 4 ans sans faire de sport après une grossesse en une triathlète qui voit ses abdominaux pour la première fois de sa vie. Ou faire qu'un rédacteur troque ses aliments diététiques industriels pour de la nourriture naturelle et biologique, y gagnant, au passage, une énergie débordante et une peau éclatante.

La philosophie derrière *Women's Health* a littéralement changé nos vies, pour le meilleur, et celle de millions d'autres femmes. Aujourd'hui, c'est votre tour.

La plupart des régimes alimentaires n'ont rien d'amusant, car brûler des calories en mangeant moins rend plutôt triste, mais l'approche adoptée par le régime *Women's Health* est tout à fait différente : au lieu de vous priver de nourriture, *vous allez manger davantage et vous n'aurez pas faim.* Au lieu de vous imposer de longues heures d'entraînement, *vous apprendrez comment brûler les graisses de façon efficace et vous passerez moins de temps à faire des exercices.* Et au lieu de perdre du poids pour tout reprendre une fois le « régime » terminé, *vous mettrez en place des changements permanents dans votre vie qui vous permettront de demeurer en forme.*

Le résultat final ? Vous serez plus mince, en meilleure santé, et vous aurez plus que jamais confiance en vous.

Laissez *Women's Health : le régime* changer votre vie et vous ne le regretterez pas !

LE BON DÉPART

TOUR D'HORIZON DES PRINCIPES DE BASE DU RÉGIME *WOMEN'S HEALTH*

COMMENT MINCIR VITE ET BIEN :

LE PROGRAMME DE NUTRITION *WOMEN'S HEALTH*

QUE MANGER. Le régime *Women's Health* repose sur 8 groupes d'aliments indispensables, c'est-à-dire des aliments scientifiquement reconnus pour vous aider à mincir rapidement.

Céréales riches en fibres
Avocats, huiles
et autres graisses saines
Épinards et autres légumes verts
Dinde et autres viandes maigres

Légumineuses
Œufs et produits laitiers
Pommes et autres fruits
Noix et graines

+ Protéines de qualité, acide folique pour la bonne humeur, oméga-3 pour renforcer l'activité cérébrale et glucides riches en fibres comme les fruits et les légumes

– Glucides raffinés, sel, sirop de glucose à haute teneur en fructose et autres édulcorants et acides trans

QUELLE QUANTITÉ MANGER. Au lieu de compter les calories ou de vous focaliser sur la taille des portions, préparez votre assiette avec des aliments riches en nutriments et en fibres ; soyez attentive aux signaux de votre corps et mangez jusqu'à satiété. Vous pouvez calculer les portions dans la paume de votre main. Voici comment :

VIANDES : la taille de votre paume
LÉGUMES ET FRUITS : la taille d'un poing serré
HUILES ET AUTRES GRAISSES SAINES : une cuillerée à café de la taille de l'extrémité de votre pouce en partant de l'articulation
LÉGUMINEUSES : tout ce qui tient dans la paume de votre main
CÉRÉALES : la taille d'un poing serré
PRODUITS LAITIERS : la taille de votre paume

5 REPAS

CALORIES PAR REPAS (**+ BOISSONS/DESSERT** 100 à 200)

PETIT DÉJEUNER	COLLATION	DÉJEUNER	COLLATION	DÎNER
500 à 600	150 à 200	300 à 400	150 à 200	300 à 400

Avec le régime *Women's Health*, il s'agit de manger davantage et non de diminuer les quantités. En suivant nos secrets minceur, vous ferez le plein des nutriments nécessaires pour entretenir votre métabolisme, vous vous débarrasserez de vos poignées d'amour et vous sculpterez un corps fin et musclé pour longtemps. Voici un bref aperçu de votre programme de nutrition et de remise en forme.

PROGRAMME ACCÉLÉRÉ DE REMISE EN FORME

Il vous permettra d'accélérer votre perte de poids. C'est un nouvel entraînement révolutionnaire qui repose sur le temps, et non sur des séries ennuyeuses. Vous passerez vite d'un exercice à un autre en faisant autant de répétitions que possible en 30 secondes, puis reprendrez votre souffle pendant 15 secondes avant d'entreprendre l'exercice suivant.

SÉANCES D'ENTRAÎNEMENT HEBDOMADAIRES

DURÉE DES EXERCICES EN MINUTES

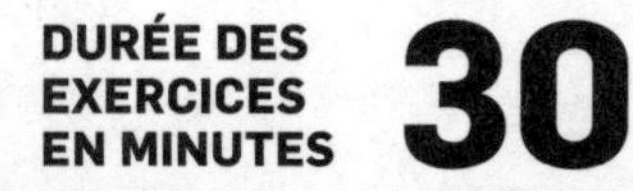

ACTIVITÉS SUPPLÉMENTAIRES POUR BRÛLER LES GRAISSES : choisissez parmi une large palette d'activités : randonnée, partie de tennis, jouer à chat avec vos enfants. Une séance par semaine pour « jouer » fait obligatoirement partie de votre nouveau programme d'entraînement.

LES SECRETS MINCEUR

SECRET N° 1 : je mangerai des protéines à chaque repas et à chaque collation. (Une petite quantité peut même rendre le moindre dessert meilleur pour la santé.)

SECRET N° 2 : je ne prendrai jamais le pire des petits déjeuners. (Le pire étant de n'en prendre aucun.)

SECRET N° 3 : je mangerai avant et après mes séances d'entraînement. (Nourrissez bien votre organisme et vous brûlerez les graisses.)

SECRET N° 4 : j'en mangerai si cela pousse sur un arbre. (Ajoutez à votre régime autant de fruits, de légumes, de noix et de haricots que vous pouvez en consommer.)

SECRET N° 5 : je deviendrai une spécialiste des salades. (Les vitamines B des légumes verts à feuilles ont un impact direct sur la graisse abdominale.)

SECRET N° 6 : je ne boirai pas d'eau sucrée. (Soyez attentive aux calories de vos boissons.)

SECRET N° 7 : je suivrai les secrets minceur 80 % du temps. (le régime *Women's Health:* vous autorise à tricher quand vous voulez.)

1

PLUS MINCE. PLUS FORTE. PLUS SEXY

Appropriez-vous ces trois mots grâce au régime *Women's Health.*

Il est temps de transformer votre corps. Vous avez peut-être, comme beaucoup de femmes, l'impression d'être constamment en guerre contre votre poids. Ou bien vous êtes coincée dans un régime et un entraînement qui ne fonctionnent plus. Quelle que soit votre motivation, *Women's Health : le régime* est là pour vous aider à atteindre votre objectif.

La première étape, la plus facile, pour obtenir le corps dont vous avez toujours rêvé est de changer votre façon de concevoir la nourriture. Megan Tretter, qui a perdu 12,5 kg en 6 semaines et tonifié son corps en suivant les conseils du régime *Women's Health,* témoigne : « Je ne dirais pas qu'il s'agit d'un régime, il s'agit davantage d'un changement d'attitude. Au lieu de voir la nourriture comme un plaisir coupable ou une pénitence, je la considère aujourd'hui comme un carburant. »

CONSEIL N° 18

Tractions.
D'après une étude canadienne, les tractions seraient un bon indicateur pour savoir si vous faites suffisamment d'exercice aujourd'hui pour éviter une accumulation de graisse plus tard. Les chercheurs ont découvert que les gens qui obtiennent de mauvais résultats dans un test de traction ont 78 % de chances de grossir de 10 kilos dans les 20 ans à venir.

Car à l'évidence, il y a quelque chose qui ne fonctionne pas dans notre rapport à la nourriture. Considérons les chiffres : d'après la sixième édition de l'enquête trisannuelle ObÉpi-Roche menée auprès de 25 000 adultes de plus de 18 ans, l'obésité touche, en 2012, 15 % de la population adulte en France, ce qui correspond à un peu plus de 6,9 millions d'obèses, soit environ 3,3 millions de plus qu'en 1997 (l'obésité étant définie à partir d'un indice de masse corporelle supérieur à 30).

L'obésité est devenue une menace pour la santé publique, les coûts des soins liés au surpoids (problèmes cardiovasculaires, diabète...) augmentant régulièrement. Et le problème n'est pas spécifique aux pays européens ; les pays nord-américains ont été atteints par ce fléau avant nous. D'après certaines estimations, d'ici 2030, près de 2 milliards de personnes autour du globe seront en surpoids ou obèses, et parmi eux, 50 % des Américains.

Vous imaginez sans doute qu'il suffit de cesser de consommer des barres chocolatées et de faire un jogging régulièrement pour maigrir. Pas tout à fait. En effet, vous connaissez certainement des gens qui font attention à ce qu'ils mangent, s'astreignent à pratiquer des séances d'exercice, suivent même des régimes stricts, et qui pourtant conti-

Elle a perdu 4,5 kg en 27 jours

RÉUSSITES

« Je veux continuer ! »

ERICA TYLER, 37 ans, Poughkeepsie, NY

POIDS DE DÉPART 119 KG / POIDS APRÈS 6 SEMAINES 112 KG / TAILLE 1,76 M

Pour Erica Tyler, le mot « régime » a toujours été synonyme de privation. En découvrant le régime *Women's Health*, elle a noté que la perte de poids pouvait être rapide et amusante.

Perdre du poids de manière automatique

Erica a d'abord douté que *Women's Health : le régime* pût être aussi facile qu'il semblait. Mais elle a remarqué qu'en suivant les secrets minceur, elle pouvait perdre du poids en continuant de manger ce qui lui plaisait et sans jamais avoir faim. De fait, le programme a été si efficace qu'elle a perdu 4,5 kg en 27 jours. « Au début, j'avais peur de tricher, explique-t-elle. Maintenant, je respecte la règle des 80 %. Si je suis trop rigide, je risque d'abandonner. » Elle ajoute que le fait d'avoir la liste des aliments pour tous les jours l'aide à toujours trouver la meilleure version de ce qu'elle aime.

Profiter de la vie en appréciant la nourriture

En 27 jours, Erica est parvenue à modifier ses habitudes alimentaires.

Deux éléments ont eu une importance cruciale : les protéines et le petit déjeuner. « La règle des protéines me maintient en forme toute la journée, explique-t-elle. Et en commençant la journée par un petit déjeuner sain et substantiel, je ne me sens plus affamée à 10 heures, mais au contraire, d'attaque et optimiste.

Se sentir et vivre au mieux de sa forme

Erica considère le régime *Women's Health* comme un « changement de style de vie » plutôt que comme un « régime » « Il s'agit de manger une nourriture saine pour perdre du poids durablement. [...] J'ai enfin senti que j'avais les outils pour atteindre mon objectif de poids. »

nuent d'accumuler les kilos... Preuve s'il en est que s'affamer pour rester mince, passer son temps dans une salle de sport, toutes ces philosophies que l'on nous a enseignées en nous disant que nous devions les adopter pour perdre du poids, ne suffisent pas. Certains vous diront que tout est question de volonté, mais ce n'est pas tout à fait exact. La plupart des régimes sont conçus pour réussir à court terme, mais échouent à long terme. Le régime *Women's Health* a été créé pour changer cette image du régime et vous aider à transformer votre corps en une machine qui brûle les graisses durablement. En 6 semaines seulement, vous pouvez perdre jusqu'à 6,5 kg ou plus tout en vous tonifiant et en vous sculptant un corps de rêve. Pour initier ce changement, nul besoin non plus de transformer radicalement votre vie : *le régime Women's Health* a été conçu en pensant à vous, à votre corps, et à votre emploi du temps.

CONSEIL N° 19

Vérifiez où en est votre ego.
Des chercheurs de l'Université du Texas ont mis en évidence que ceux qui faisaient de l'exercice pour améliorer leur apparence souffraient d'un manque d'estime de soi. Si vous voulez vous rappeler pour quelle raison il est important de rester en forme, accrochez une photo de famille sur le mur de la pièce où vous faites vos exercices.

Ce programme repose sur 7 piliers que nous avons appelés « secrets minceur. » Il s'agit de 7 étapes faciles à suivre qui vous aideront à choisir les aliments bons pour votre organisme sans devoir faire de sacrifices. (Secret minceur n° 2 : « je ne prendrai jamais le pire des petits déjeuners ». C'est tout ce que vous avez besoin de faire pour commencer à remodeler votre corps.) En suivant les secrets minceur, la perte de poids est non seulement facile, elle est aussi automatique.

Vous élaborerez aussi vos repas grâce au programme de nutrition de *Women's Health* – un groupe de 8 aliments indispensables pour mincir sainement et rapidement tout en renforçant votre apport d'énergie et en améliorant votre humeur. Ces aliments sont présentés au chapitre 7. Pour que les choses soient encore plus simples, nous avons complété notre guide avec des recettes à base d'aliments

Megan a perdu 12,5 kg en 6 semaines !

RÉUSSITES

« Je suis vraiment heureuse ! »

MEGAN TRETTER, 40 ans, Missoula, Montana

POIDS DE DÉPART 127 KG / POIDS APRÈS 6 SEMAINES 114 KG / TAILLE 1,82 M

Megan Tretter cherchait quelque chose de différent après plusieurs régimes peu concluants. Déjà lectrice assidue de *Women's Health,* elle a décidé d'essayer notre programme sachant que les informations fournies étaient dignes de confiance.

Faire le premier pas

Megan voulait un régime simple. Au départ, elle s'est inquiétée d'avoir à changer ses habitudes alimentaires, mais a vite découvert que le programme était non seulement facile à respecter, mais que c'était même la partie qu'elle préférait. « J'ai vraiment aimé la partie consacrée à la nourriture, a-t-elle expliqué. Je ne dirais pas qu'il s'agit d'un régime, mais plutôt d'un changement d'attitude alimentaire. Plutôt que de voir la nourriture comme un plaisir coupable ou une pénitence, je la considère maintenant comme un carburant. Les repas sont beaucoup moins stressants. »

Nourrir une famille en bonne santé

Le mari et les 2 enfants de Megan ont partagé avec elle ses nouvelles habitudes alimentaires. Cela a stimulé leur énergie et leur a permis de devenir plus actifs eux aussi. « Ma fille adore ça, a expliqué Megan. Je suis vraiment ravie. »

Franchir de nouvelles étapes

Tandis que les kilos disparaissaient, Megan a découvert que son corps disposait de nouvelles capacités. Bien qu'elle se qualifie de débutante, elle remarque qu'elle a perdu suffisamment de poids pour commencer à courir. C'est cette réussite qui s'est trouvée à la base de son objectif actuel : courir un semi-marathon.

qui brûlent les graisses, et une liste d'aliments excellents pour les femmes. Goûtez ceux que vous voulez à n'importe quel moment, et vous verrez les kilos disparaître.

De plus en plus de femmes découvrent que le régime *Women's Health* fonctionne réellement. Voyons plutôt l'histoire de Marlyn Stewart, qui nous a aidé à tester nos propositions. À 33 ans, elle pesait près de 80 kg pour 1,65 m. Elle avait essayé régime sur régime pour se débarrasser de ses kilos en trop, sans jamais vraiment réussir. Mais lorsqu'elle a découvert le régime *Women's Health*, tout a changé.

CONSEIL N° 20

Dépensez-vous sans compter. Une bonne séance de sport en chambre fait dépenser environ 200 calories et double votre rythme cardiaque. 2 fois par semaine ? Et ce sont près de 3 kg qui disparaissent par an.

Aucun des nombreux régimes que Marlyn avait essayés ne l'avait motivée. Elle avait perdu un peu de poids mais l'avait repris presque aussitôt. Avec les menus, les recommandations et les suggestions d'aliments qu'elle a trouvés dans *Women's Health : le régime*, elle avait toujours l'impression d'avoir quelqu'un près d'elle. « C'était comme si quelqu'un me guidait. » Qui plus est, non seulement Marlyn a perdu du poids et s'est sentie moins ballonnée, mais son corps a également réagi de manière surprenante. « Mes cheveux, ma peau et mes ongles allaient mieux et mes abdominaux se sont renforcés. »

En associant de nouvelles habitudes alimentaires, plus saines, à des exercices réguliers, elle a vu son corps devenir plus ferme et plus séduisant. Marlyn a aussi profité d'un heureux changement : en proie à des sautes d'humeur au moment de ses menstruations, elle a vu les symptômes s'atténuer de manière notoire. « J'avais davantage d'énergie, je me sentais moins stressée et plus heureuse. » Ses amis aussi ont remarqué les changements. « Ils voulaient savoir ce que je faisais pour avoir l'air aussi bien dans ma peau. »

Est-il possible qu'un programme alimentaire et de remise en forme puisse générer un changement total dans votre esprit et dans votre corps ? Absolument. Et vous noterez aussi les effets incroyables que cela procure. Voici un aperçu des différents changements que *Women's Health : le régime* provoquera dans votre vie.

Vous mangerez sans vous priver et sans connaître la sensation de faim

Voici un fait avéré qui concerne la plupart des régimes : ils vous prédisposent à l'échec. Si vous avez jamais essayé de suivre un régime, vous savez de quoi nous parlons. Ces programmes sont centrés sur les « bons » et les « mauvais » aliments, le comptage des calories et la réduction, voire l'éradication de groupes entiers d'aliments. Or vous ne pouvez pas totalement priver votre organisme de quelque chose : tôt ou tard, la privation risque de vous conduire à craquer et à manger n'importe quoi.

Il n'est pas question de restriction dans *Women's Health : le régime*. Vous allez au contraire répartir votre alimentation quotidienne sur 5 repas et collations organisés autour de 8 groupes d'aliments, chacun étant conçu pour vous mener rapidement au succès. Vous retrouverez ces aliments indispensables au chapitre 7. En suivant la bonne combinaison des aliments, en remplissant votre ventre de fibres, de protéines et d'autres nutriments essentiels, vous finirez par manger plus tout en consommant moins de calories, ce qui est la formule idéale pour perdre du poids.

Elle a d'ailleurs été éprouvée à maintes reprises : par exemple en 2007, dans le cadre d'une étude publiée par l'*American Journal of Clinical Nutrition,* des chercheurs ont comparé la perte de poids au sein de deux groupes : un groupe devait consommer un grand nombre d'aliments complets (comme ceux que l'on trouve dans le programme *Women's Health*), tandis que l'autre avait pour consigne d'adopter un régime pauvre en matières grasses. Résultat : les participants au premier groupe ont consommé 25 % de nourriture en plus mais ont pourtant perdu 2 kg de plus que ceux du deuxième groupe. Comment ? Ils consommaient moins de calories mais se sentaient rassasiés, du fait de la teneur élevée en nutriments et en eau des aliments.

CONSEIL N° 21

Pensez avant de manger. Des chercheurs britanniques ont découvert que les personnes qui passaient en revue leurs repas précédents avant de manger absorbaient 30 % de calories en moins par rapport à ceux qui ne le faisaient pas. En vous souvenant simplement de ce que vous avez déjà mangé, vous êtes moins susceptible de faire des excès.

En suivant le régime *Women's Health*, vous remplacez les calories inutiles par des calories nourrissantes. En effet, 5 groupes d'aliments – les bonbons et les desserts, les boissons non alcoolisées, les boissons aux fruits, les biscuits salés et l'alcool – représentent 30 % de nos calories alors qu'ils ont un apport nutritif restreint.

Pour perdre du poids à coup sûr, il faut donc manger plus, à condition de privilégier les aliments riches en nutriments mais pauvres en calories inutiles et en ingrédients qui favorisent la graisse. Avec le régime *Women's Health*, vous nourrissez votre organisme avec les meilleurs aliments possibles. Et si vous avez besoin de faire une pause ? Eh bien, trichez à volonté, mais faites-le avec de bons aliments. Grâce à notre liste des aliments pour tous les jours (que vous trouverez au chapitre 10), vous pouvez personnaliser ce programme et l'adapter à vos goûts, à vos objectifs et à votre vie.

Vous éliminerez les graisses et vous sculpterez un corps de rêve

La plupart des régimes minceur restreignent les calories, ce qui constitue le meilleur moyen de perdre du poids à court terme... pour mieux le reprendre ensuite, et souvent pour longtemps.

Elle a perdu plus de 8 kg en 6 semaines !

« J'ai remarqué une perte de poids immédiate »

FARAH LEDFORD, 30 ans, Toronto, Ontario, Canada

POIDS DE DÉPART 81,5 KG / POIDS APRÈS 6 SEMAINES 73,5 KG / TAILLE 1,60 M

Le régime *Women's Health* a donné à Farah Ledford un cadre qui lui a permis d'adapter son projet minceur en fonction de son style de vie. « J'ai remarqué une perte de poids immédiate et une amélioration au niveau de ma posture. Je me suis sentie plus motivée, ma concentration était renforcée. »

S'autoriser à se faire plaisir et continuer à maigrir

Farah a beaucoup apprécié qu'on ne lui demande pas de suivi d'information. C'était une chose qui l'avait perdue lorsqu'elle avait essayé d'autres régimes. « Le suivi peut être une distraction et me rend nerveuse quant à mes résultats. » Plus important encore, Farah était ravie de ne pas devoir être à 100 % appliquée dans sa recherche de la réussite.
« J'adore la règle du 80 %. Cela me permet de faire une petite entorse sans que cela mette tout le régime en danger. »
En ajoutant le programme accéléré à ses exercices préférés, Farah s'est découvert un corps plus mince et plus tonique, et souffrait moins de ses légères douleurs aux genoux dues à l'arthrose.

Être concentrée, avoir confiance en soi et se sentir bien

L'objectif minceur de Farah est de perdre 22 kg, elle est maintenant sur la bonne voie. Les changements visibles sur son corps l'ont rendue plus confiante quant à son apparence. Farah confie qu'elle est non seulement plus intéressée par le sexe mais que son corps, en pleine forme, comme renouvelé, semble plus vivant et plus sensuel.
Ses amis et les membres de sa famille ont remarqué un changement dans sa façon d'être et l'ont félicitée pour sa nouvelle silhouette.

Vous avez déjà entendu l'expression « régime yo-yo », mais vous ignorez probablement ce qui déclenche l'effet yo-yo. Tout vient de l'évolution de l'Homme : lorsque nos ancêtres avaient du mal à trouver de la nourriture – du fait d'une sécheresse prolongée, d'une période glaciaire ou d'une pénurie d'arcs et de flèches dans les échoppes du Néandertal –, leurs corps devaient pouvoir surmonter les moments difficiles en utilisant la masse corporelle stockée, pour que les organes vitaux continuent de fonctionner. Or ce sont les muscles qu'un organisme affamé brûle en premier.

En effet, ceux-ci brûlent beaucoup de calories – environ 6 calories par jour et par kilo. Les graisses, en revanche, ne brûlent que 2 calories par jour. Donc si votre corps est affamé et a besoin de consommer des calories, c'est dans les muscles qu'il puisera. Dans le même temps, il fera tout ce qu'il peut pour s'accrocher à la graisse, peu consommatrice de calories. En diminuant l'apport calorique lors d'un régime, certes vous perdez de la graisse, mais vous perdez aussi de la masse musculaire. Et ce faisant, vous perdez aussi le pouvoir « brûle-graisse » des muscles. Une étude publiée dans le *Journal of Applied Physiology* a révélé que la restriction de calories (diminution de l'apport calorique de 16 à 20 %) fait perdre de la masse osseuse, de la masse musculaire et de la force physique.

CONSEIL N° 22

Ne surchargez pas votre assiette. Lorsque vous vous servez à un buffet, laissez des espaces entre les aliments que vous choisissez. Vous consommerez jusqu'à 20 % de calories en moins que si vous remplissez votre assiette.

C'est exactement ce qui se produit lors d'un régime classique. Dès qu'on l'arrête, on retourne à ses anciennes habitudes alimentaires mais, cette fois, sans cette capacité précieuse à brûler les calories qui nous venait de notre masse musculaire alors plus importante. Plus le régime est restrictif, plus on perd de muscle, et la graisse s'installe pour longtemps.

Avec le régime *Women's Health* il n'est pas question de vous affamer, de supprimer vos aliments préférés ou de perdre du muscle. Si

Elle a perdu presque 7 kg en 6 semaines !

RÉUSSITES

« C'est vraiment incroyable ! »

MARLYN STEWART, 33 ans, Houston, Texas

POIDS DE DÉPART 79 KG / POIDS APRÈS 6 SEMAINES 72,5 KG / TAILLE 1,65 M

Marlyn Stewart avait essayé tous les régimes possibles. Mais l'aiguille de sa balance n'avait jamais bougé – du moins de façon permanente. Désespérée, elle a essayé le régime *Women's Health*. « Ma vie a changé. »

Une transformation totale du corps

Marlyn était prête à un changement et se préparait à faire preuve de rigueur mais garder le rythme ne fut pas un problème. « Il y avait toujours quelque chose de nouveau, de nouvelles recettes, de nouveaux exercices, alors je ne m'ennuyais jamais. » Lorsque son poids a commencé à diminuer, elle s'est sentie très heureuse et mieux dans sa peau. « Avant j'étais tout le temps ballonnée. Maintenant, je ne suis pas aussi molle et j'ai des abdominaux plus fermes. » D'autres avantages ? Les cheveux de Marlyn sont devenus plus brillants, ses ongles ont poussé et même son acné s'est estompée. Les symptômes du syndrome prémenstruel ont également diminué et elle a davantage d'énergie. « Je ne suis plus aussi stressée et je n'ai plus ce besoin impérieux de manger du chocolat. »

Conseils personnels

« Tous mes amis ont remarqué que j'étais plus heureuse et plus mince. Ils voulaient savoir ce qui était à l'origine de ce changement. Ils pensaient que je prenais des médicaments. » Elle leur a donné une copie du programme et ils ont commencé à voir eux aussi des résultats. La mère de Marlyn a même pris le train en marche et s'est débarrassée de 7 kg, et de son psoriasis chronique.
Mais ce que Marlyn a surtout apprécié ce sont les propositions de menus. « Les aliments étaient associés de différentes manières et je n'y aurais pas pensé moi-même. »

vous intégrez le programme accéléré de remise en forme de *Women's Health* dans votre projet minceur, vous développez vos muscles et brûlez encore plus de calories !

Vous aurez davantage d'énergie et constaterez des résultats rapides

Une étude récente révèle que dès lors qu'il s'agit de manger – avec pour objectif de se débarrasser des graisses et de se muscler –, le moment choisi pour le repas est aussi important que son contenu. Avec le régime *Women's Health*, vous donnerez à votre organisme le carburant dont il a besoin au moment où il en a le plus besoin, c'est-à-dire le matin, mais aussi avant et après vos exercices physiques.

D'après une étude, le risque d'obésité augmente de 450 % si vous sautez régulièrement le petit déjeuner. Alors qu'en consommant un repas riche en protéines le matin, vous redonnerez à votre corps le carburant perdu en dormant et le mènerez dans une zone où il va brûler les graisses et favoriser le développement des muscles. En 2008, une étude réalisée à l'Université du Commonwealth de Virginie a révélé que les gens qui prenaient un petit déjeuner copieux et riche en protéines perdaient plus de poids que ceux qui se contentaient de petits déjeuners plus succincts avec moins de protéines. Malheureusement, notre industrie alimentaire nous a conditionnées pour que nous consommions des glucides raffinés le matin, ce qui est l'exact

CONSEIL N° 23

Parier sur vous même.
Quand vous ressentez une envie de manger, imaginez-vous mince. Au lieu de grignoter, mettez quelques pièces dans une tirelire chaque fois que vous avez envie d'une collation. En voyant s'amonceler l'argent, vous vous souviendrez que vous pouvez maîtriser vos envies. Lorsque vous aurez mis suffisamment de côté, profitez-en pour vous faire plaisir avec quelque chose qui ne se mange pas.

opposé de ce dont nous avons besoin. Le régime *Women's Health* vous indiquera comment trouver les protéines dont vous avez besoin pour nourrir votre organisme et brûler les graisses de jour comme de nuit.

Vous pourrez même développer vos muscles en prévoyant vos repas en fonction de vos exercices. Des chercheurs hollandais et britanniques ont mis en évidence que manger avant les exercices active la croissance musculaire et aide le corps à devenir plus fort et à brûler les graisses de manière plus efficace. En outre, des études indépendantes réalisées par des scientifiques finlandais et britanniques ont démontré qu'absorber un mélange équilibré de protéines et de glucides avant et après les exercices accélère la récupération et diminue les douleurs liées à une séance d'entraînement intensive.

CONSEIL N° 24

Adoptez le gingembre. Deux grammes de gingembre moulu par jour peuvent réduire la douleur et favoriser une nouvelle croissance musculaire.

Vous protégerez votre organisme des microbes sans médicaments

L'acide folique est essentiel pour avoir un cerveau et un corps en parfaite santé tout au long de la vie. D'après une étude parue dans l'*American Journal of Clinical Nutrition*, les personnes dont le taux d'acide folique est faible présentent un risque plus important de troubles cognitifs et de démence. Une autre étude parue dans *Psychotherapy and Psychosomatics* montre que les personnes déprimées ont une carence en acide folique. Et le cerveau n'est pas le seul à souffrir : une carence en acide folique provoque un ralentissement du renouvellement des cellules (notamment des cellules sanguines, de l'intestin, du foie, de la peau) et peut entraîner anémie, troubles digestifs et des muqueuses... Cette carence est également impliquée dans la plupart des grandes maladies de notre temps et augmente le risque d'obésité, d'AVC, de cardiopathies, de troubles cognitifs, d'Alzheimer et même de cancer.

L'acide folique que nous consommons est apporté essentiellement par les légumes verts et les fruits, mais également par les fromages, les œufs, le foie et ses dérivés (pâtés), les graines et leurs dérivés. Même une consommation régulière d'aliments à faible teneur en acide folique, comme le pain ou la pomme de terre, peut contribuer à l'apport global. Le régime *Women's Health* vous propose de consommer de nombreux légumes verts qui réduisent la fatigue, augmentent l'énergie et aident à combattre la dépression.

Grâce au régime *Women's Health*, vous allez également augmenter votre consommation d'acides gras oméga-3, des graisses saines qui peuvent réduire le risque de maladie cardiovasculaire, d'AVC, d'arthrite et d'asthme. Ces nutriments sont essentiels pour améliorer l'humeur et vous garantir une bonne santé cérébrale. Des recherches suggèrent que les personnes qui suivent un régime alimentaire riche en oméga-3 vivent plus longtemps et ont moins de graisse abdominale que les autres. Ne vous inquiétez pas si vous n'êtes pas friande de poisson et fruits de mer : on peut trouver des oméga-3 dans quantité d'autres aliments, par exemple dans les noix et les kiwis.

Non seulement les aliments que vous trouverez dans le régime *Women's Health* sont plus sains pour vous, mais ils sont également plus savoureux. Pourquoi ? Parce que nos papilles gustatives ont évolué : elles réclament de la saveur, et les aliments la gagne à partir des nutriments. L'acidité des baies provient de la grande quantité de vitamines qu'elles contiennent, la graisse des poissons fournit de bons oméga-3 et la douce amertume du chocolat comporte une dose d'antioxydants.

Vous stimulerez votre vie sexuelle

Une étude menée auprès de 1 210 personnes de poids et de tailles différents a montré que les personnes obèses étaient 25 fois plus susceptibles d'exprimer une insatisfaction sexuelle que les personnes affichant un poids normal. Pire encore, une alimentation riche en graisses saturées réduit la libido en diminuant les hormones sexuelles. Le régime *Women's Health* est là pour renverser cette tendance. Plusieurs études démontrent qu'en ne perdant que 10 % de son poids, on peut déjà ressentir une augmentation du plaisir sexuel. Avec le régime *Women's Health*, vous serez et vous vous sentirez plus séduisante.

Même celles d'entre nous qui n'ont pas besoin de perdre beaucoup de kilos verront leur vie sexuelle s'améliorer grâce au programme accéléré de remise en forme de *Women's Health*. D'après des recherches effectuées à l'Université du Texas à Austin, l'exercice augmente la libido de près de 150 % en activant le système nerveux central et en préparant le corps à l'excitation. De plus, bon nombre des facteurs qui causent des troubles de l'érection chez les hommes – l'hypertension, un taux élevé de cholestérol – peuvent également conduire à des troubles sexuels chez la femme. C'est pourquoi une bonne santé cardiovasculaire est primordiale pour mener une vie sexuelle épanouie.

CONSEIL N° 25

Musclez vos bras. Vous voulez des bras galbés et toniques ? Cessez de vous focaliser sur vos biceps. Les triceps – ces muscles qui se trouvent à l'arrière de vos bras – constituent 70 % de la musculature de votre bras. Concentrez-vous sur eux pour perdre vos bras mous.

Comment ne pas adhérer à un programme qui permet de manger les aliments que vous aimez – mais dans une version plus saine – et qui s'attache à vous rendre plus forte, plus heureuse et en meilleur santé ? Il est temps de vous y mettre ! Votre nouveau corps vous attend.

2

ÊTES-VOUS EN FORME ?

Évaluez votre forme physique grâce à *Women's Health,* et prenez conscience des atouts et des faiblesses de votre corps.

Laissez-nous deviner : vous êtes aux anges quand vous finissez vos 3 séances de cardio et, devant la télé, vous faites quelques redressements assis, une paire de fentes et des mouvements de bras bien maîtrisés, on se trompe ? Vous avez un programme d'entraînement bien défini et vous vous y tenez.

Beaucoup d'entre nous, une fois qu'elles ont trouvé un entraînement qui leur convient, hésitent à en changer. Mais au fil du temps, se borner aux mêmes exercices, surtout cardio, ne stimule pas suffisamment le corps pour le changer réellement. En réalité, il s'agit d'un aller simple au pays des résultats limités, le « palier » tant redouté.

De plus, adopter un entraînement routinier ne suffit pas à compenser ce que nous faisons subir à notre corps au quotidien : de longues heures devant l'ordinateur, d'interminables trajets coincée derrière le volant ou assise dans le métro – jour après jour, semaine après semaine, à imposer des rituels à votre corps qui n'a pas été bâti pour cela. Au fil du temps, tandis que vous restez enfermée dans de mauvaises positions, certains muscles raccourcissent et se contractent, d'autres s'étirent et s'affaiblissent, et l'alignement naturel de votre corps en souffre. Même si vous parvenez à vous entraîner régulièrement, votre programme ne va pas forcément réparer ce qui s'est lentement et inexorablement cassé.

CONSEIL N° 26

Occupez votre bouche.
Mâchez du chewing-gum lorsque vous préparez à manger, ou lorsque vous êtes entourée d'aliments que vous ne devriez pas manger.

Tout cela s'explique parce que presque toutes celles qui fréquentent les salles de sport ou font des exercices à la maison commettent l'erreur la plus élémentaire en matière d'exercice : la mauvaise position. La plupart ne savent pas comment réaliser correctement les exercices de base, et même les conseils reçus en salle de sport ne donnent pas nécessairement tous les outils pour que l'entraînement fasse une vraie différence. Une mauvaise technique explique en premier lieu pourquoi tant d'adeptes des salles de sport luttent pour obtenir des changements durables au niveau corporel. On ne peut pas se débarrasser de sa graisse superflue sans avoir identifié ses points faibles, choisi les bons exercices et sans les effectuer correctement jour après jour.

Cet ouvrage est là pour vous aider dans cette démarche. Une fois que vous saurez comment identifier vos points faibles et améliorer votre façon de bouger, vous obtiendrez plus de vos entraînements. En un rien de temps, le mot « palier » appartiendra au passé.

En effet, lorsque vous réalisez mal un exercice ou quand vous vous concentrez sur une ou deux parties du corps au détriment des autres, cela met tout le corps en position d'échec. Un mauvais mouvement se transforme en 10 mauvais mouvements. Multipliez par 3 séries 3 fois par semaine et ce sont 90 mouvements de douleur qui génèrent un déséquilibre. Et ainsi de suite... Si vous réalisez mal les exercices ou si vous avez une faiblesse cachée, non seulement vos résultats seront limités, mais en plus vous aurez mal. Une étude réalisée sur une durée de 27 ans concernant les blessures liées au sport a révélé que presque 70 % des blessures étaient soit des entorses et des foulures, soit des blessures au niveau des tissus mous provoquées par une mauvaise position lors des exercices.

CONSEIL N° 27

Découvrez le lin. Saupoudrez des graines de lin moulues sur vos céréales, crêpes, yaourts. C'est un moyen facile de consommer davantage de fibres et d'acides gras oméga-3. Vous n'êtes pas une adepte du lin ? Essayez les graines de courges ou de tournesol, 2 autres sources importantes de graisses saines et de fibres.

Et même si vous effectuez correctement les mouvements, cela ne fait pas tout, car beaucoup de programmes d'exercices se concentrent sur les résultats obtenus plutôt que sur leur impact au niveau de la santé. Par exemple, des recherches ont mis en évidence que les gens qui pratiquent la musculation ont plus de chances d'avoir des douleurs aux épaules ou d'autres lésions sur les parties supérieures du corps que ceux qui n'en font pas. La raison ? De mauvais programmes d'entraînement, qui insistent trop sur le thorax et les biceps et sous-estiment les muscles qui protègent les épaules. Et cela n'arrive pas qu'aux hommes, qui ont tendance à travailler davantage la musculation de leurs bras. Un entraînement trop intensif risque de provoquer des déchirures musculaires qui, même si elles sont superficielles, peuvent vous immobiliser un long moment.

Cela ne signifie pas qu'il ne faut pas faire d'exercice : les bénéfices dépassent largement le risque de blessure, mais, selon une étude récente, 64 % des adultes actifs âgés de moins de 45 ans souffrent de douleurs articulaires causées par une erreur de compréhension dans l'utilisation des haltères.

Imaginons maintenant que vous réalisiez correctement chaque exercice que vous faites. Votre corps n'est pas différent d'une machine et plus vos mouvements sont effectués correctement, plus vos exercices seront efficaces.

> **CONSEIL N° 28**
>
> **Mélangez les phytonutriments.** Nous avons tendance à consommer trop souvent les mêmes aliments. Or de petits changements alimentaires peuvent accroître par exemple la consommation de phytonutriments comme la lutéine et le bêta-carotène : consommez des épinards à la place du chou frisé, des framboises à la place des fraises, et des patates douces au lieu de carottes.

La première étape consiste à descendre du tapis de course et à entamer un entraînement de musculation, en réalisant chaque exercice comme il se doit. Des études ont, par exemple, mis en évidence qu'un changement de technique au développé couché augmente immédiatement le poids soulevé, jusqu'à 10 %. Ce sont 10 % supplémentaires au niveau de la combustion des graisses. Et des exercices mieux exécutés réduisent considérablement l'incidence des tensions musculaires et augmentent le nombre de mouvements que l'on peut répéter à chaque série.

Mais rien de tout cela n'est possible sans une évaluation sérieuse mettant en avant les zones du corps qui ont le plus besoin de travailler. Vous pouvez le faire avec l'aide d'un bon entraîneur ou bien vous tester vous-même et corriger vos mouvements. C'est pour cela que nous avons conçu ce test simple mais complet qui vous mettra sur la bonne voie. S'il existe des milliers d'exercices différents, seuls quelques mouvements sont à la base de tous. Cinq mouvements principaux ont été identifiés pour vous aider à estimer le travail que vous avez à faire. Non seulement la maîtrise de ces exercices vous conduira vers vos objectifs, mais vous corrigerez aussi les points faibles et les déséquilibres qui provoquent douleurs et courbatures. Travailler les muscles que vous ne pouvez pas voir – comme ceux qui sont au milieu du corps, dans les hanches, dans les épaules – peut s'avérer difficile, mais ciblez bien ces zones et c'est votre corps tout entier qui en bénéficiera. Votre posture s'améliorera, vous paraîtrez plus grande et plus mince que jamais. Vous serez plus efficace dans vos exercices, sans ressentir de tiraillements, et vous obtiendrez des résultats plus rapides et plus spectaculaires.

Les tests qui sont présentés dans ce chapitre vont définir votre niveau de base. Peu importe les résultats, ne vous découragez pas. Les exercices que vous pratiquerez dans le programme accéléré de remise en forme *Women's Health* – qui sera détaillé dans le chapitre 8 – sont conçus pour cibler tous les mouvements et tous les muscles de votre corps et améliorer chaque point faible que vous aurez identifié grâce à ces tests. Que vous ayez des abdominaux faibles, une stabilité moyenne au niveau des épaules, ou que vous manquiez de mobilité dans le bas du corps, les exercices du programme viendront à votre secours. Au bout de 6 semaines, revenez à cette évaluation initiale et testez de nouveau vos aptitudes. Ne soyez pas surprise si vous passez alors les tests haut la main et si votre corps est plus mince et plus séduisant que jamais.

CONSEIL N° 29

Favorisez le sommeil.
Les personnes au régime dormant 8 heures et demie par nuit ont perdu davantage de graisse. Celles ne dormant que 5 heures et demie par nuitont perdu davantage de muscles.

Évaluer sa forme grâce à *Women's Health*

Ces 5 exercices tout simples vous révéleront quelles parties de votre corps ont besoin d'être tonifiées. Effectuez les mouvements et regardez-vous dans la glace (ou bien demandez à une amie de vous observer). Servez-vous du guide ci-dessous pour évaluer vos performances et identifier vos points faibles.

Squat (flexion)

LE MOUVEMENT : tenez-vous bien droite, les pieds écartés à la largeur des épaules, les bras tendus vers l'avant. Baissez-vous autant que vous le pouvez en poussant les hanches vers l'arrière et en pliant les genoux. Faites une pause puis revenez à votre position de départ.

VUE DE FACE

ÉVALUEZ VOTRE FORME : tandis que vous vous baissez, que font vos genoux ? Vos hanches, genoux et pieds doivent être parfaitement alignés. Si vos genoux commencent à céder et à se rapprocher l'un de l'autre, vous courez le risque de vous blesser. Cela peut aller de la simple usure normale qui laissera les articulations endolories à la grave lésion ligamentaire, voire au déchirement du ligament croisé antérieur ou du ménisque.

VOS POINTS FAIBLES : vos hanches et vos ischio-jambiers latéraux contrôlent le mouvement des membres inférieurs et maintiennent la bonne position des genoux de manière à ce que vous ne vous blessiez pas au niveau des ligaments. Vous pouvez améliorer votre forme et empêcher vos genoux de céder en renforçant vos fessiers et vos ischio-jambiers avec des exercices comme le soulevé de terre jambes tendues (voir p.186).

Squat (flexion)

VUE DE PROFIL

ÉVALUEZ VOTRE FORME : tandis que vous vous accroupissez, que fait votre buste ? Il doit normalement rester droit sans basculer vers l'avant.

VOS POINTS FAIBLES : si le buste a tendance à basculer vers l'avant, cela peut indiquer une faiblesse au milieu du dos, ce qui peut générer une douleur dans le cou, les épaules ou le bas du dos. Remédiez à ce défaut en renforçant le haut du dos par des exercices de rowing (voir p. 195) et de planche et rowing (voir p. 187), et faites des exercices avec des rouleaux en mousse que vous passerez le long de la partie supérieure de votre dos.

ÉVALUEZ VOTRE FORME : lorsque vous fléchissez les jambes, jusqu'où pouvez-vous descendre sans arrondir le bas du dos ? Vous devriez pouvoir vous accroupir jusqu'à ce que vos cuisses soient parallèles au sol. Lorsque vous vous accroupissez avec une résistance supplémentaire, vous devriez pouvoir abaisser vos hanches en dessous de vos genoux. C'est ce qui les protège, en réalité.

VOS POINTS FAIBLES : si vous ne parvenez pas à positionner vos hanches en dessous des genoux sans arrondir le bas du dos, vous avez besoin d'améliorer la mobilité de vos hanches et votre force, d'une façon générale. Au fil du temps, une faiblesse générale pourrait générer une douleur dans le bas du dos. Tonifiez-vous en faisant des exercices comme celui de la p. 183 où vous devez replier chaque genou au niveau de la poitrine en vous maintenant sur vos bras tendus, et assouplissez vos hanches avec un rouleau en mousse (voir les exercices sur womenshealthmag. com/fitness/workout-recovery-tips).

ÉVALUEZ VOTRE FORME : lorsque vous vous accroupissez, où votre poids s'équilibre-t-il ? Il doit être au niveau du milieu des pieds ou sur les talons.

VOS POINTS FAIBLES : si vos talons se soulèvent, vos quadriceps sont trop forts par rapport à vos fessiers et à vos ischio-jambiers. Un dos peu musclé peut générer des douleurs lombaires ou à l'avant des genoux. Lorsque vous commencez à faire les accroupissements du programme, placez un banc à hauteur du genou à environ 5 cm derrière vous puis accroupissez-vous jusqu'à ce que vous puissiez vous asseoir. Cela familiarisera votre corps au niveau de la sensation qui va de pair avec le mouvement que vous faites pour pousser les hanches vers l'arrière. Renforcez vos fessiers et vos ischio-jambiers avec des haltères (voir p. 186). Cette astuce vous permettra d'apprendre à repousser les hanches.

Fentes

LE MOUVEMENT : tenez-vous droite, les pieds écartés à la largeur des hanches, et posez les mains sur les hanches. Faites un grand pas en avant avec la jambe gauche et baissez lentement votre corps jusqu'à ce que votre genou avant soit plié d'au moins 90 degrés (la jambe arrière fléchie). Maintenez la position puis reprenez la position initiale le plus rapidement possible. Répétez avec la jambe droite.

VUE DE FACE

ÉVALUEZ VOTRE FORME : comment votre genou et votre pied s'alignent-ils quand vous vous baissez ? Lorsque vous êtes debout, votre pied, votre genou et votre hanche doivent être alignés.

VOS POINTS FAIBLES : si votre genou a tendance à rentrer vers l'intérieur, il se peut que vous ayez une faiblesse au niveau des muscles de la hanche. Des hanches faibles peuvent provoquer des douleurs lombaires, de la hanche ou du genou. Les mouvements de fentes font travailler les petits muscles de vos hanches que nos longues heures passées assise pendant la journée endolorissent. Pour tirer le meilleur parti de l'exercice, faites-le pieds nus. Cela améliore la stabilité en réveillant les récepteurs sensoriels de la plante des pieds. Plus vous êtes stable, plus il est facile de créer un bon alignement depuis les jambes jusqu'au bassin.

VUE DE PROFIL

ÉVALUEZ VOTRE FORME : votre buste bouge-t-il pendant l'exercice ? Pendant le mouvement, le buste doit être droit en montant et en descendant (perpendiculaire au sol).

VOS POINTS FAIBLES : si votre buste se penche vers l'avant ou le côté, vos fléchisseurs des hanches sont peut-être raides, ce qui peut provoquer une douleur lombaire ou au niveau du genou. Assouplissez-les avec l'étirement suivant : agenouillez-vous sur la jambe gauche, le pied droit sur le sol et le genou droit plié à 90 degrés. Posez les mains sur les hanches et poussez votre bassin vers l'avant de façon à sentir l'étirement du muscle fléchisseur de la hanche gauche ainsi que du quadriceps. Maintenez la position pendant 30 secondes puis répétez du côté droit.

ÉVALUEZ VOTRE FORME : lorsque vous faites les exercices de fentes, où se situe l'équilibre de votre poids ? Le poids du corps doit être au milieu du pied ou même du talon.

VOS POINTS FAIBLES : si votre talon se décolle du sol, vos quadriceps sont trop forts par rapport à vos fessiers et à vos ischio-jambiers. Un dos peu musclé peut générer des douleurs lombaires ou à l'avant des genoux. Lorsque vous réalisez cet exercice, regardez-vous dans une glace. Pensez à vous tenir droite et à descendre bien droite plutôt que de vous pencher en avant ou en arrière. Si cela ne marche pas, mettez un banc à hauteur de genou à quelques centimètres devant vous. Cela évitera que vos genoux ne partent vers l'avant lorsque vous faites l'exercice.

Pompes

LE MOUVEMENT : allongez-vous et placez vos mains sur le sol de manière à ce qu'elles soient légèrement plus écartées que la largeur de vos épaules. Redressez-vous sur les mains jusqu'à ce que votre corps forme une ligne droite depuis les épaules jusqu'aux chevilles. Le poids du corps doit donc reposer sur les mains et les orteils. Descendez en fléchissant les bras jusqu'à ce que votre poitrine touche presque le sol. Maintenez la position pendant quelques secondes puis reprenez la position de départ aussi rapidement que possible.

VUE DE PROFIL

ÉVALUEZ VOTRE FORME : votre buste bouge-t-il pendant l'exercice ? Il doit rester ferme et former une ligne droite depuis la tête jusqu'aux chevilles. Vos jambes doivent rester droites, votre ventre et vos fessiers bien contractés. La poitrine doit rester en position ouverte.

VOS POINTS FAIBLES : trop souvent, le bas du dos s'affaisse lorsque vous passez de la position basse à la position haute en faisant les mouvements de pompe. Cela signifie que vous avez des abdominaux ou des muscles fléchisseurs de la hanche trop faibles. Cela peut générer des douleurs dans le bas du dos. Essayez alors les pompes inclinées, comme celles proposées ci-dessous.

VUE DU DESSUS

ÉVALUEZ VOTRE FORME : vous aurez besoin d'une amie pour vous observer pendant l'exercice. Vos omoplates bougent-elles lorsque vous baissez votre corps ? Pendant l'exercice, vos omoplates doivent rester stables et ne pas saillir vers l'extérieur.

VOS POINTS FAIBLES : si vos omoplates saillent vers l'extérieur, vous avez un muscle dentelé antérieur faible. Ce muscle se situe sur la paroi latérale du thorax. Il est rattaché le long des côtes et permet de faire pivoter l'omoplate. Une faiblesse au niveau du muscle dentelé peut générer une douleur à l'épaule. Pour vous améliorer dans l'exercice et augmenter votre force, fixez une barre sur un repose-barres à hauteur des hanches et faites le mouvement les mains posées sur la barre. À mesure que vous vous améliorez, abaissez la barre vers le sol jusqu'à effectuer l'exercice directement sur le sol. Vous pouvez également essayer sur un escalier et descendre d'une marche quand votre force augmente.

Planche

LE MOUVEMENT : reprenez la position des pompes mais pliez les coudes et faites reposer le poids du corps sur les avant-bras au lieu des mains. Votre corps doit former une ligne droite depuis les épaules jusqu'aux chevilles. Contractez vos abdominaux comme si vous étiez sur le point d'être frappée au ventre. Maintenez cette position aussi longtemps que possible. Vous devriez être capable de maintenir la position pendant 60 secondes.

VUE DE PROFIL

ÉVALUEZ VOTRE FORME : lorsque vous êtes dans cette position, l'une des parties de votre corps bouge-t-elle ? Cet exercice mesure la force et l'endurance de vos muscles abdominaux et de votre buste. Votre corps doit être ferme et former une ligne droite depuis les épaules jusqu'aux chevilles, le ventre et les fessiers contractés, la cage thoracique ouverte.

VOS POINTS FAIBLES : si vous fléchissez d'une manière ou d'une autre, si les hanches se soulèvent ou s'affaissent par exemple, cela signifie que votre corps est faible, qu'il s'agisse de vos abdominaux, de vos fessiers ou de vos épaules. Pour parfaire l'alignement, mettez un bâton le long de votre dos de façon à ce qu'il se cale le long des fesses, dans le haut du dos et à l'arrière de la tête. Le meilleur moyen d'améliorer votre force ? Répétez cet exercice... Commencez par tenir 20 à 30 secondes et améliorez votre endurance à partir de là.

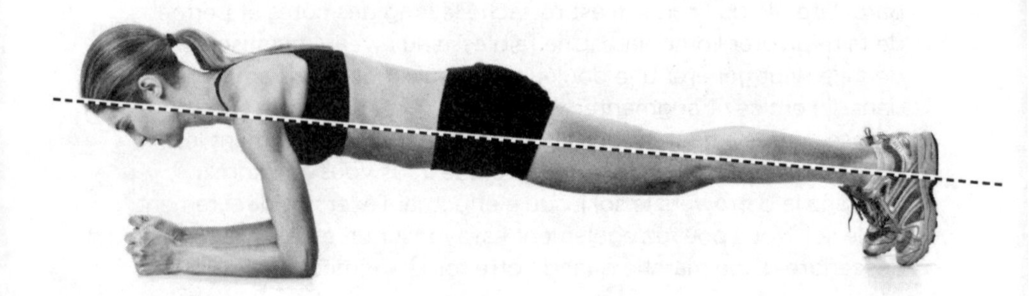

Planche latérale

LE MOUVEMENT : allongez-vous sur le côté gauche, les genoux tendus. Soutenez le haut de votre corps sur votre coude et votre avant-bras. Contractez bien vos abdominaux. Poussez les hanches vers le haut jusqu'à ce votre corps forme une ligne droite depuis les chevilles jusqu'aux épaules. Déterminez combien de temps vous pouvez maintenir la position. Votre objectif final devrait être de 30 secondes. Changez de côté et répétez l'exercice. Comparez votre position des deux côtés.

VUE DE PROFIL

ÉVALUEZ VOTRE FORME : Votre alignement est-il correct ? Votre corps doit être ferme, en ligne droite. Vos jambes doivent être maintenues droites, votre ventre et vos fessiers contractés, la cage thoracique ouverte.

VOS POINTS FAIBLES : si vos hanches s'affaissent ou partent vers l'arrière par rapport à vos pieds et à votre buste, cela signifie que vous avez une faiblesse au niveau des obliques et des muscles du buste. Renforcez-les avec les pompes en T, p. 193.

Améliorez votre posture

Avoir une bonne posture implique l'alignement équilibré des 3 courbes naturelles du dos - le cou, le haut du dos et le bas du dos. Or le stress quotidien modifie l'alignement du corps, et altère de jour en jour votre port de reine. Au fil du temps, une mauvaise posture a d'énormes incidences sur la colonne vertébrale, les épaules, les hanches et les genoux. Cela peut en réalité provoquer une cascade de faiblesses structurelles qui se traduisent par de graves problèmes comme des douleurs articulaires, une diminution de la souplesse et un affaiblissement musculaire. Tout cela limite la capacité du corps à brûler les graisses et à développer la masse musculaire.

Néanmoins tous ces problèmes peuvent être corrigés. Êtes-vous prête à vous redresser ? Servez-vous de ce guide pour vous assurer que votre maintien est parfait de la tête aux pieds.

Analyser votre alignement

Enfilez un vêtement moulant et prenez deux photos, l'une de face et l'autre de profil. Détendez vos muscles mais restez droite, les pieds écartés à la largeur des hanches. Comparez maintenant ces photos avec celles de droite pour diagnostiquer vos problèmes de posture. Notez la ligne en pointillé sur la photo de profil. Votre oreille, votre hanche et votre cheville sont-elles alignées ? Si vous remarquez un des problèmes suivants, ajoutez ces exercices à votre programme d'entraînement quotidien.

DIAGNOSTIC :

TÊTE EN AVANT

Votre menton dépasse votre poitrine et vos épaules sont en arrière.

SIÈGE DE LA DOULEUR : le cou

LE PROBLÈME : une raideur des muscles à l'arrière du cou

QUE FAIRE : étirez-vous en faisant des mouvements quotidiens au niveau de la tête : ne bougez que la tête, laissez tomber votre menton et étirez l'arrière du cou. Maintenez la position pendant 5 secondes. Répétez 10 fois.

LE PROBLÈME : faiblesse des muscles à l'avant du cou

QUE FAIRE : mobiliser le cou tous les jours. Allongez-vous sur le dos et soulevez légèrement la tête du sol. Maintenez la position pendant 5 secondes. Faites 2 ou 3 séries de 12 mouvements.

DIAGNOSTIC

ÉPAULES SURÉLEVÉES

Vos épaules ne sont pas alignées avec votre clavicule et ont tendance à remonter.

SIÈGE DE LA DOULEUR : le cou et les épaules

LE PROBLÈME : un muscle trapèze réduit (le muscle trapèze occupe toute la région supérieure du dos, jusqu'à la base du cou).

QUE FAIRE : effectuez des étirements du trapèze supérieur. Avec le bras derrière le dos, inclinez la tête du côté opposé jusqu'à ce que vous sentiez l'étirement au niveau du trapèze supérieur. Pressez légèrement avec l'autre main sur le muscle étiré. Maintenez la position pendant 30 secondes, répétez 3 fois.

LE PROBLÈME : un muscle dentelé antérieur faible (il s'agit du muscle juste sous les pectoraux, qui va des côtes supérieures jusqu'aux omoplates).

QUE FAIRE : faites travailler vos épaules en position assise sur une chaise. Asseyez-vous bien droite, les mains près des hanches, les paumes sur le siège, et conservez les bras tendus. Sans bouger les bras, poussez vers le bas de la chaise jusqu'à ce que vos hanches se soulèvent du siège et que votre buste s'élève. Maintenez la position pendant 5 secondes. Faites 2 ou 3 séries de 12 mouvements.

DIAGNOSTIC

BASCULEMENT ANTÉRIEUR DU BASSIN

Vous sortez le ventre et le bas de votre dos est cambré.

SIÈGE DE LA DOULEUR : le bas du dos (à cause de la voûte plus prononcée dans la colonne lombaire).

LE PROBLÈME : les fléchisseurs de la hanche sont contractés (ce sont les muscles qui vous permettent de soulever les cuisses vers l'abdomen).

QUE FAIRE : étirez les muscles de la hanche. Agenouillez-vous sur un genou et serrez vos muscles fessiers de ce même côté jusqu'à ce que vous sentiez le devant de la hanche s'étirer en douceur. Levez le bras du côté où vous êtes agenouillée et étirez-vous de l'autre côté. Maintenez cette position pendant 30 secondes et répétez 3 fois. Faites la même chose de l'autre côté.

LE PROBLÈME : des muscles fessiers faibles

QUE FAIRE : étendez-vous sur le dos avec les genoux pliés à environ 90 degrés. Contractez vos fessiers et soulevez les hanches jusqu'à ce que votre corps soit bien droit, des genoux jusqu'aux épaules. Maintenez la position pendant 5 secondes. Faites 2 ou 3 séries de 12 mouvements.

DIAGNOSTIC

ÉPAULES EN DEDANS

Vos épaules sont arrondies vers l'intérieur au lieu d'être alignées par rapport aux hanches et aux chevilles.

SIÈGE DE LA DOULEUR : le cou, les épaules ou le dos

LE PROBLÈME : des muscles pectoraux contractés

QUE FAIRE : essayez un étirement tout simple contre une porte. Placez les avant-bras sur chaque côté de l'embrasure d'une porte, les coudes pliés à 90 degrés. Avancez-vous jusqu'à ce que vous sentiez l'étirement au niveau de la poitrine et sur le devant des épaules. Maintenez la position pendant 30 secondes. Répétez encore 3 fois.

LE PROBLÈME : faiblesse dans les parties centrales et inférieures des trapèzes.

QUE FAIRE : allongée sur le ventre, placez vos bras de façon à former un angle à 90 degrés. Sans modifier l'angle du coude, levez les deux bras en tirant les épaules vers l'arrière et en serrant les omoplates. Maintenez la position pendant 5 secondes et faites 2 ou 3 séries de 12 mouvements.

DIAGNOSTIC

DOS VOÛTÉ

Vos épaules et le haut du dos se voûtent vers l'avant, votre poitrine se creuse.

SIÈGE DE LA DOULEUR : le cou, les épaules et le dos

LE PROBLÈME : une mobilité réduite dans le haut du dos

QUE FAIRE : allongez-vous sur le dos, sur un rouleau en mousse placé au niveau du milieu du dos, perpendiculaire à votre colonne vertébrale. Mettez les mains derrière la tête et cambrez votre dos 5 fois de suite. Ajustez le rouleau puis répétez pour chaque partie du haut du dos.

LE PROBLÈME : faiblesse dans les parties centrales et inférieures des trapèzes.

QUE FAIRE : faites la pose du cobra. Allongez-vous sur le ventre les bras posés le long du corps, les paumes vers le sol. Soulevez légèrement la poitrine et les mains, et serrez les omoplates tout en conservant le menton baissé. Maintenez la position pendant 5 secondes, faites 2 ou 3 séries de 12 mouvements.

DIAGNOSTIC

PIEDS EN DEDANS

Déviation vers l'intérieur d'un ou des 2 pieds.

SIÈGE DE LA DOULEUR : le genou, la hanche ou le bas du dos

LE PROBLÈME : raideur dans la partie externe de la cuisse (muscle tenseur du *fascia lata*)

QUE FAIRE : mettez-vous debout, croisez la jambe concernée derrière l'autre puis allongez-vous de l'autre côté jusqu'à ce que votre hanche s'étire, sans être douloureuse. Maintenez la position pendant 30 secondes puis répétez 3 fois le mouvement.

LE PROBLÈME : faiblesse des grands et moyens fessiers

QUE FAIRE : effectuez un relevé latéral du genou. Allongez-vous sur le côté, les genoux pliés à 90 degrés et les talons joints. Sans bouger les hanches, levez le genou du dessus (comme un coquillage). Maintenez la position pendant 5 secondes, ramenez le genou à la position de départ. Faites 2 ou 3 séries de 12 mouvements. Changez de côté.

DIAGNOSTIC

PIEDS EN CANARD

Un pied ou les deux pointe(nt) légèrement vers l'extérieur.

SIÈGE DE LA DOULEUR : la hanche ou le bas du dos

LE PROBLÈME : manque de souplesse dans les muscles des hanches

QUE FAIRE : à 4 pattes, placez un pied derrière le genou opposé. Assurez-vous de conserver la cambrure naturelle de la colonne vertébrale, déplacez votre poids vers l'arrière et laissez vos hanches plier jusqu'à ce que vous sentiez l'étirement. Maintenez l'étirement pendant 30 secondes puis répétez 3 fois. Changez de côté.

LE PROBLÈME : faiblesse dans les muscles obliques et fléchisseurs de la hanche

QUE FAIRE : essayez le ballon d'exercices. Adoptez la position d'une pompe, mais en faisant reposer les tibias sur un ballon suisse. Sans arrondir le bas du dos, rentrez les genoux sous le buste en faisant rouler le ballon vers vous avec vos pieds. Ramenez le ballon à la position de départ. Faites quotidiennement 2 ou 3 séries de 12 mouvements.

Vous n'acquerrez une jolie silhouette qu'en choisissant les bons exercices, ceux qui brûlent le plus de graisses possible.

3

LE CORPS FÉMININ D'ANNÉES EN ANNÉES

Tout ce que vous avez toujours voulu savoir sur le corps... osez le demander !

Chaque jour, une femme doit prendre de multiples décisions : que choisir au petit déjeuner ? Quelles courses faire pendant la pause déjeuner ? Après le travail, séance de sport, ou *happy hour* ? Une soirée télé ou une bonne nuit de sommeil ?

Peu de ces décisions vont changer le cours de votre vie, mais jour après jour, ces choix finissent par s'accumuler et créer un schéma qui se renforcera au fil des années. Lorsqu'une femme atteint la trentaine, ces décisions l'auront déjà façonnée : elle pourra allier grâce et classe naturelle ou afficher déjà la mine fanée des incorrigibles fêtardes. Lorsqu'elle aura dépassé la quarantaine, ce sont ces choix quotidiens qui détermineront si elle conservera une élégance naturelle ou si elle cédera aux tentations de la chirurgie esthétique. Lorsque cette même femme approchera de la soixantaine, elle pourra briller par son charme distingué ou avoir perdu de son éclat...

Vous savez déjà à laquelle de ces femmes vous aimeriez ressembler. Et vous ne voulez certainement pas figer une apparence éternellement jeune, mais rester séduisante au fil des années qui passent. C'est tout à fait possible.

CONSEIL N° 30

Prenez le chemin de la salle de sport. Le risque de dégénérescence maculaire liée à l'âge (DMLA) – la principale cause de cécité chez les adultes – diminuerait notablement lorsqu'on fait de l'exercice 3 fois par semaine, d'après une étude américaine.

Cela commence par accorder beaucoup d'attention à votre santé, à votre alimentation et à votre forme. Le programme de nutrition de *Women's Health* ainsi que le programme accéléré de remise en forme sont conçus pour vous aider à éliminer de la graisse superflue – en commençant par celle qui s'accumule sur le ventre –, peu importe votre âge ou depuis combien de temps votre surpoids vous empoisonne l'existence.

Ce qui importe également dans cette bataille, c'est de bien comprendre l'évolution de votre corps au cours des premières décennies de l'âge adulte et de modifier vos habitudes en matière de santé et de forme. L'équipe de *Women's Health* s'est adressée aux meilleurs cardiologues, neuroscientifiques, nutritionnistes et entraîneurs pour élaborer ce guide et vous accompagner à 20, 30, 40 ans et au-delà. Cet ouvrage vous aidera à anticiper les changements physiologiques de votre corps et vous guidera pour que les ajustements nécessaires à chaque âge correspondent à votre mode de vie. Oui, vous allez vieillir, mais vous pouvez aussi devenir plus séduisante, plus forte et plus intelligente.

CONSEIL N° 31

Commandez à la carte.
Beaucoup de restaurants commencent à proposer des menus plus diététiques – du riz brun au lieu de riz blanc, par exemple. Mais n'ayez pas peur de demander s'il n'y aurait pas un meilleur accompagnement pour votre plat, si celui qu'on vous propose ne vous convient pas.

Vos vingt ans

Vos muscles

À 20 ans, le corps possède la capacité de gérer un exercice intense et fréquent. En effet, les niveaux de testostérone (même les femmes sécrètent cette hormone) et l'hormone de croissance humaine – qui stimulent la croissance des fibres musculaires permettant les activités intenses – sont à leur plus haut niveau. Peu importe votre âge ou votre sexe, développer une masse musculaire sèche, c'est comme mettre de l'argent à la banque : cela vous aidera à conserver un métabolisme au mieux de sa forme dans les années suivantes, à repousser la prise de poids et à réduire le risque de diabète. Qui plus est, cela vous protégera contre les blessures. Mais tout comme avec l'argent, plus tôt vous le mettez de côté, plus grand sera le bénéfice à long terme.

VOTRE PLAN D'ACTION : pour vous muscler au mieux pendant l'entraînement, changez de mouvements toutes les 2 à 4 semaines, voire à chaque séance (mais pas tous les exercices à la fois). Des chercheurs américains ont découvert que ceux qui alternaient les exercices le plus régulièrement avaient 2 fois plus de force que ceux qui faisaient les mêmes mouvements à chaque séance pendant longtemps.

Votre peau

D'après les dermatologues, une peau d'une vingtaine d'années nécessite relativement peu d'entretien. La peau possède toujours beaucoup d'élastine (qui préserve la souplesse de la peau) et du collagène (la protéine de structure fibreuse qui permet de conserver la tonicité des tissus).

VOTRE PLAN D'ACTION : l'essentiel des futures rides et des décolorations dues au soleil est acquis avant et pendant cette période-là. Protégez-vous avec une crème solaire qui affiche au moins un indice 30. Offrez-vous, par ailleurs, une protection à large spectre contre les rayons UVA et UVB grâce à des produits à base de titane et d'oxyde de zinc. Pour ne pas oublier de l'utiliser, mettez-en tous les jours avec votre crème hydratante.

CONSEIL N° 32

Gardez les calories à l'œil. D'après une étude réalisée pendant 3 mois l'Université de l'Arkansas, les personnes au régime qui conservaient une trace écrite de ce qu'elles mangeaient pendant 3 semaines ou davantage perdaient 1,5 kg de plus que celles qui ne le faisaient pas.

Votre niveau de stress

Les premiers épisodes de dépression frappent souvent les femmes entre 20 et 30 ans : travail soutenu et longues soirées de jeunesse fatiguent. Et la tête n'est pas la seule à en payer le prix. Un mode de vie trépidant et un niveau élevé de stress conduisent souvent à se nourrir de plats préparés qui manquent de vitamines et de minéraux, et surchargés en sucre, graisse et calories. Résultat : un corps qui n'utilise jamais tout son potentiel.

VOTRE PLAN D'ACTION : avalez une cuillère à soupe par jour de graines de lin moulues. C'est la meilleure source d'acide alphalinolénique qui soit – une graisse saine qui améliore le fonctionnement du cortex cérébral, la partie du cerveau qui traite l'information sensorielle, y compris celle du plaisir, explique le Dr Jean-Marie Bourre, chercheur en nutrition à l'Hôpital Fernand-Widal à Paris. Vous trouverez des graines de lin moulues dans le rayon diététique de votre supermarché. Pour un apport suffisant, saupoudrez-en vos salades, vos légumes, céréales ou bien mélangez-en dans un yaourt, un smoothie ou un milk-shake.

Le risque de cancer

À chaque heure qui passe, votre corps reproduit 6 milliards de cellules et crée des copies de votre ADN. Mais si vous ne consommez pas suffisamment d'acide folique – une vitamine B qui aide à construire ces cellules –, votre corps pourrait produire un ADN inégal, ce qui pourrait éventuellement provoquer un cancer, explique le Dr Ann Yelmokas McDermott, nutritionniste à l'Université Tufts. Hélas, l'acide folique est difficile à trouver. Le meilleur aliment naturel qui en contienne se trouve être le foie de poulet, rarement consommé, et peu de femmes trouvent l'acide folique dont leur corps a besoin dans les seuls fruits et les légumes.

VOTRE PLAN D'ACTION : le programme de nutrition de *Women's Health* est conçu pour augmenter votre consommation de légumes, et donc d'acide folique. En guise de plan B, prenez une tasse de céréales enrichies en acide folique 4 jours par semaine. Choisissez une marque qui fournit au moins 400 mg d'acide folique par portion, puis complétez avec une tasse de mûres, de framboises ou de fraises. Les baies ne sont pas seulement une bonne source d'acide folique, elles sont aussi riches en antioxydants qui aident à contrecarrer le cancer en neutralisant les radicaux libres qui endommagent l'ADN.

Vos os

Les os ressemblent beaucoup à des collaborateurs solitaires : jusqu'à ce que l'un d'eux se casse ou se blesse, personne ne leur prête vraiment attention. Or le développement, le maintien et la solidité des os se développent seulement jusqu'à l'âge d'environ 30 ans. Par la suite, la masse osseuse commence à diminuer. Une mauvaise alimentation inhibe non seulement la capacité de développement des os, mais elle augmente également le risque de prise

CONSEIL N° 33

Jouez au badminton.

Au badminton, environ 15 % des mouvements sont des fentes : cela signifie que vous travaillez les grands muscles des jambes, essentiels pour la formation des os. Ainsi les joueurs de badminton auraient une densité osseuse supérieure à la moyenne.

de poids, de maladie et de déclin cognitif dès maintenant et pour toutes les années à venir.

VOTRE PLAN D'ACTION : buvez tous les jours 2 verres de lait enrichi en vitamine D. Calcium et vitamine D sont une combinaison parfaite d'éléments nutritifs pour construire des os résistants. Le brocoli mérite aussi une place dans vos menus. Il contient des doses non négligeables de calcium ainsi que du magnésium, de la vitamine K et du phosphore, qui jouent tous un rôle essentiel pour vous aider à rester solide.

Solutions santé ultrarapides

Quelques changements simples pour améliorer et prolonger votre vie

QUAND : avant dîner
LE CHANGEMENT : prenez une collation
LE BÉNÉFICE : une perte de poids de près de 2 kg sur un an. Manger environ 10 g de graisses saines, comme des noix ou des avocats, 8 minutes avant un repas, vous rassasie pendant 3 heures. Sinon, la sensation d'être rassasiée ne dure que 20 minutes. Vous mangerez donc moins.

QUAND : au moment de l'*happy hour*
LE CHANGEMENT : buvez du vin rouge (1 verre), riche en flavonoïdes
LE BÉNÉFICE : les flavonoïdes, qui donnent leur couleur aux aliments, sont riches en antioxydants, indispensables pour lutter contre les radicaux libres et nous protéger du vieillissement et de nombreuses maladies.

QUAND : au dessert
LE CHANGEMENT : remplacez votre barre chocolatée par un eskimo
LE BÉNÉFICE : une perte de poids de 4,5 kg sur une année. Vous économiserez 100 calories chaque soir.

QUAND : au travail
LE CHANGEMENT : déplacez-vous jusqu'au bureau de votre collègue au lieu de lui envoyer un courriel
LE BÉNÉFICE : plus d'un demi-kilo perdu sur un an grâce aux calories supplémentaires qui sont brûlées. Marcher régulièrement (4 000 à 5 000 pas supplémentaires par jour) réduit la tension artérielle.

Votre col de l'utérus

Le cancer du col de l'utérus prend naissance dans les cellules qui tapissent la partie inférieure et étroite de l'utérus. Il s'agit de l'un des cancers les plus couramment diagnostiqués. Cependant, les femmes qui se soumettent régulièrement à un frottis cervical sont souvent diagnostiquées et traitées à temps. Ce cancer évolue habituellement lentement et la grande majorité des femmes traitées guérissent complètement. Évidemment, les premiers symptômes ne sont pas visibles à l'œil nu, aussi est-il essentiel que vous vous fassiez régulièrement examiner.

QUAND : à chaque repas
LE CHANGEMENT : buvez de l'eau glacée
LE BÉNÉFICE : vous perdez un demi-kilo toutes les 8 semaines si vous buvez chaque jour 8 verres d'eau glacée (25 cl). Et votre organisme brûlera 123 calories par jour pour ramener l'eau à sa température de 37 °C.

QUAND : au réveil
LE CHANGEMENT : levez-vous et étirez vos ischio-jambiers pendant 30 secondes
LE BÉNÉFICE : une augmentation de 27 % de votre souplesse en 6 semaines.

QUAND : au moment du déjeuner
LE CHANGEMENT : remplacez votre sandwich au jambon par un sandwich au thon
LE BÉNÉFICE : une réduction de 8 % du risque de maladie cardiovasculaire. Les acides gras oméga-3 contenus dans le poisson aident à augmenter le bon cholestérol et à garder les artères propres.

QUAND : après l'entraînement
LE CHANGEMENT : buvez du lait chocolaté
LE BÉNÉFICE : récupération et croissance musculaire. Les boissons qui contiennent des glucides et des protéines comme le lait chocolaté sont presque 40 % plus efficaces que les protéines seules pour aider les muscles à récupérer et à se développer après un entraînement.

QUAND : avant d'aller au lit
LE CHANGEMENT : prenez un morceau de chocolat
LE BÉNÉFICE : une vie sexuelle plus intéressante. Les femmes qui mangent du chocolat auraient une vie sexuelle plus satisfaisante que celles qui n'en mangent pas.

VOTRE PLAN D'ACTION : Depuis quelques années, en France, ont été commercialisés des vaccins pour se prémunir contre certains papillomavirus (ces virus pouvant se transformer en lésions précancéreuses). Ils sont destinés aux jeunes filles et jeunes femmes (de 14 à 23 ans) avant qu'elles aient eu leur premier rapport sexuel. De nombreuses polémiques ont surgi autour de l'efficacité et de la dangerosité de ces vaccins, et seul un quart des jeunes filles seraient vaccinées.

Quelle que soit l'efficacité de ce vaccin, qui ne cible d'ailleurs pas tous les papillomavirus, un examen gynécologique reste indispensable, que l'on soit vaccinée ou non.

Les frottis du col de l'utérus permettent à la fois de diminuer le nombre de cancers et d'en réduire la gravité (ils auraient permis de réduire la mortalité de 70 % dans les pays industrialisés). Ils dépistent en effet soit des lésions précancéreuses, soit des cancers à des stades initiaux qu'il serait impossible de diagnostiquer à l'aide d'autres techniques, car ces développements cancéreux n'entraînent aucun symptôme.

Pour que le dépistage soit efficace, une condition est cependant nécessaire : la régularité. Il vous faut faire un frottis tous les 3 ans, ou tous les ans si vous avez des partenaires multiples. Il est conseillé de commencer entre 20 et 25 ans, et jusqu'à 70 ans et plus, tant que vous êtes sexuellement active.

La technique est simple : le médecin prélève quelques cellules sur le col utérin lors de votre examen gynécologique et les étale sur une lame. Cela permet à un biologiste de les examiner.

CONSEIL N° 34

Faites l'amour jusqu'à la fin de vos jours. Les relations sexuelles régulières feraient baisser le taux de mortalité chez l'homme, selon une recherche suédoise. D'autres études mentionnent, parmi les bienfaits de l'acte amoureux, la prévention des problèmes cardiaques et même de certains cancers.

Votre statut VIH

Selon les chiffres de l'Institut national de veille sanitaire, environ 6 100 découvertes de séropositivité ont été relevées en 2011 en France. Le nombre de découvertes est stable depuis 2008, alors qu'il avait diminué entre 2004 et 2007. Parmi ces 6 100 personnes, 40 % d'hommes, gays ou bisexuels, souvent diagnostiqués après une conduite à risque. 15 % des personnes découvrent encore leur séropositivité à un stade tardif de l'infection, lorsque le système immunitaire est déjà affaibli.

CONSEIL N° 35

Une protéine contre le vieillissement. La protéine de lactosérum vous aide non seulement à augmenter votre masse musculaire, mais elle stimule aussi la production de glutathion dans l'organisme. Une carence en glutathion se rencontrerait souvent dans des maladies associées au vieillissement.

VOTRE PLAN D'ACTION : Si les hommes sont statistiquement davantage exposés au VIH, les femmes n'en sont pas à l'abri. Un dépistage tardif est préjudiciable à la santé. Si vous avez des conduites à risque (relation non protégée, rupture de préservatif, partage d'une seringue...), le mieux est de pratiquer un dépistage (15 jours après la prise de risque). Et mieux encore, de ne pas avoir de conduites à risque !

Le test de dépistage permet de détecter les anticorps spécifiques du VIH présents dans l'organisme. Il consiste en un prélèvement sanguin qui ne nécessite pas d'être à jeun. Il est remboursé à 100 % par la Sécurité sociale lorsqu'il est effectué dans un laboratoire d'analyses médicales, ou gratuit et anonyme lorsqu'il est effectué dans un centre de dépistage.

En cas de résultat négatif au test après une prise de risque, un second contrôle sera effectué 6 semaines plus tard.

Votre taux de glycémie

Le diabète est un trouble de l'assimilation, de l'utilisation et du stockage des sucres, normalement régulés par une hormone (insuline) produite par le pancréas. Chez un diabétique, l'insuline est insuffisamment produite (diabète de type 1, 10 % des cas) ou ne joue plus son rôle (diabète de type 2), et le taux de glucose n'est pas régulé. Le diabète de type 1, ou insulinodépendant, se déclare chez des personnes jeunes, et on ne peut pas le prévenir. Le diabète de type 2, en revanche, non insulinodépendant, survient généralement chez des personnes plus âgées ou en surpoids. On estime à près de 3 millions le nombre de diabétiques en France, sans compter ceux qui s'ignorent !

VOTRE PLAN D'ACTION : l'augmentation du diabète est liée à notre mode de vie – surpoids, obésité, manque d'activité physique, sédentarité en sont les causes principales. Aussi, faites régulièrement des exercices physiques, perdez du poids grâce à une alimentation riche en fruits, en légumes et en fibres, et le risque de diabète sera réduit. Si vous êtes en surpoids, faites un test de glycémie à jeun régulièrement.

Vos dents

Une étude, publiée dans le *Journal of Periodontology* (revue de parodontologie), confirme les découvertes d'après lesquelles les personnes atteintes de maladies parodontales présentent un plus grand risque de maladie cardiovasculaire. D'après les recherches effectuées, les gencives de personnes atteintes de maladies parodontales sévères libéreraient dans le sang des taux élevés de toxines qui peuvent atteindre le cœur et provoquer des maladies cardiaques.

VOTRE PLAN D'ACTION : rendez-vous régulièrement chez le dentiste (une fois par an) pour effectuer un contrôle et un détartrage afin de conserver une bouche et des dents saines.

CONSEIL N° 36

Prolongez votre séance d'entraînement. Si vous avez envie de vous arrêter au milieu d'une course à pied ou d'une promenade à bicyclette, prenez une profonde inspiration et soufflez fort. Cette technique pour libérer l'esprit est connue sous le nom d'« expiration explosive ». Le fait d'expirer de manière brève et explosive produit un effet dynamisant.

Votre ventre

D'après l'enquête ObÉpi-Roche, plus de 39 % des femmes françaises sont en surpoids, 13 % étant même définies comme obèses, et ces chiffres sont en constante augmentation. Le déni peut être mortel, l'obésité étant liée à un certain nombre de maladies : hypertension, diabète, maladies cardiovasculaires...

VOTRE PLAN D'ACTION : calculez votre indice de masse corporelle (par exemple sur imc.fr), qui évalue la quantité de masse grasse dans l'organisme en fonction de votre taille et de votre poids, pour déterminer si vous êtes dans la zone dangereuse. Évaluez-vous tous les 3 ans ou dès que vous prenez du poids à partir de 20 ans. Un résultat entre 18,5 et 24,9 (d'après la définition de l'Organisation mondiale de la santé) est normal. La table de calcul ne tient pas compte de la masse musculaire, donc si vous travaillez souvent avec des poids (comme vous le devriez), servez-vous de méthodes de calcul plus précises qui se fondent aussi sur le tour de poitrine, de taille et de hanches.

CONSEIL N° 37

Multivitamines ?

Les multivitamines et minéraux peuvent servir à compléter une alimentation non adéquate, mais ne doivent en aucun cas fournir des doses au-delà des besoins de base. Le mieux est encore d'avoir une alimentation variée pour couvrir tous ses besoins. En cas de coup de barre, consultez votre médecin ou votre pharmacien qui pourra vous prescrire un produit adapté.

Votre mode de vie

D'après l'Insee, les « causes externes », suicide et accidents de voiture, sont la principale cause de mortalité (72 %) chez les jeunes de 15 à 24 ans. L'alcool est mis en cause dans un quart des décès, mais le manque de vigilance au volant fait aussi des dégâts.

VOTRE PLAN D'ACTION : éteignez votre téléphone portable, ne grignotez pas et ne vous maquillez jamais au volant (20 % des femmes reconnaissent qu'elles le font !).

Vos trente ans

Vos muscles

Vous trouvez peut-être que vous ne récupérez pas aussi vite après une séance d'entraînement que vous ne le faisiez lorsque vous aviez une vingtaine d'années. La testostérone et les hormones de croissance qui facilitent la récupération commencent à diminuer à partir de 30 ans. Les chercheurs ont découvert que ces hormones baissent de manière plus significative pendant vos années de procréation qu'après la ménopause, d'après une étude parue dans le *Journal of Clinical Endocrinology and Metabolism*. Il vous faudra donc plus de temps pour retrouver la pleine puissance de vos muscles après chaque séance d'entraînement.

CONSEIL N° 38

Mélangez au maximum. Pour des séances plus efficaces, variez les exercices et le poids que vous soulevez. Les muscles se développent lorsqu'ils sont obligés de s'adapter. Une étude récente parue dans le *Journal of Strength and Conditioning Research* a révélé que les personnes qui variaient régulièrement leurs mouvements augmentaient leur force de 28 % dans le haut du corps et de 43 % dans les jambes.

VOTRE PLAN D'ACTION : mangez des brocolis et des poivrons. Tous deux contiennent quantité de vitamines C et E, deux nutriments qui luttent contre les radicaux libres – des molécules toxiques qui ralentissent le processus de récupération après les séances d'entraînement.

Votre peau

Il s'agit d'une période de transition pour votre peau. C'est un peu la fin de la peau éclatante : la production de sébum diminue de 10 % au cours de cette décénie et la peau s'affine à peu près dans les mêmes proportions. Les méfaits du soleil commencent déjà à apparaître sous la forme de pattes d'oie et de rides au niveau du front, et la peau commence à se relâcher du fait de la perte de collagène. Une nuit blanche vous laissera davantage de cernes...

VOTRE PLAN D'ACTION : si vous aimez faire de l'exercice en plein air, essayez de le prévoir avant 10 heures ou après 16 heures. La sueur altère les défenses de la peau et permet à la lumière ultra violette et aux polluants d'atteindre les cellules de la peau. Si vous restez à l'abri de la lumière du soleil en fin de matinée et début d'après-midi, vous éviterez aussi les rayons UVB, les plus dangereux. Portez chapeau et lunettes pendant les journées chaudes et ensoleillées.

Votre métabolisme

La vitesse du métabolisme, qui vous permettait de brûler les burritos géants quand vous aviez 20 ans, ralentit – diminuant de 1 % tous les 4 ans. Des études révèlent qu'entre 30 et 50 ans, vous perdrez 10 % de vos muscles environ. Même si le poids qu'indique votre balance n'augmente pas, la taille de votre petite robe noire le fait certainement.

VOTRE PLAN D'ACTION : mettez-vous à la musculation. Une étude parue dans le *American Journal of Clinical Nutrition* a révélé que même les personnes qui n'avaient pas grossi pendant 38 ans perdaient 1,5 kg de muscle et gagnaient 1,5 kg de graisse tous les 10 ans. Des exercices de musculation réguliers peuvent vous aider à renverser cette tendance.

CONSEIL N° 39

Notez-le.
Programmez votre séance d'entraînement comme vous le feriez pour n'importe quelle autre réunion. Vous serez plus à même de vous y tenir.

Vos articulations

Bien que les problèmes d'arthrite ne fassent pas en principe leur apparition avant la cinquantaine, leur cause, la dégénérescence cartilagineuse, apparaît dès la trentaine.

VOTRE PLAN D'ACTION : consommez 3 portions de poissons d'eau froide par semaine, notamment du saumon, du maquereau, de la truite ou du thon blanc. Chacun d'eux contient plus de 1 g d'huile de poisson. De nombreuses études ont prouvé l'efficacité des huiles de poisson dans le traitement des maladies articulaires inflammatoires. Les résultats montrent que les malades qui prennent quotidiennement des gélules d'huile de poisson (3 g/jour pour l'arthrite rhumatoïde) ont moins de douleurs aux articulations touchées et peuvent mieux bouger après 3 mois de traitement que ceux qui prennent un placebo. Une étude de 1989 sur l'huile de foie de morue a montré que 10 ml de cette huile apportent une amélioration de la mobilité après 6 semaines de traitement.

CONSEIL N° 40

Faites équipe pour perdre du poids. Entraînez-vous avec une amie et vous ferez 34 minutes d'exercice supplémentaires, d'après le *American College of Sports Medicine*. Des chercheurs de l'Université d'Oxford ont également découvert que les personnes qui s'entraînent en groupe supportent mieux la douleur que celles qui s'entraînent seules.

Votre tension artérielle

La tension artérielle augmente naturellement avec l'âge. Mais par ailleurs, des chercheurs néerlandais ont découvert récemment qu'en dehors des facteurs évidents – obésité, manque d'activité physique et consommation élevée de sel –, les régimes alimentaires pauvres en potassium constituaient la première cause d'hypertension. Dans le cadre de leurs analyses, les scientifiques ont estimé qu'un apport inférieur à 3 500 mg de potassium par jour était trop faible. Les Occidentaux, en général, ont du mal à atteindre ce niveau, les principales sources de potassium étant les légumes, trop peu consommés. D'où la pertinence de la recommandation : « Mangez 5 fruits et légumes par jour »...

On ignore généralement si l'on est hypertendu, car il n'existe pas ou peu de symptômes. Mais à long terme, les conséquences peuvent être graves : risques d'AVC, d'infarctus, d'insuffisance rénale...

VOTRE PLAN D'ACTION : ajoutez une demi-tasse de haricots, une banane et une poignée de raisins secs dans votre alimentation quotidienne. Chacun de ces aliments va augmenter votre prise de potassium d'environ 400 mg par jour. Un médecin pourra vérifier régulièrement votre tension.

Votre cœur

La moitié des infarctus surviennent chez les personnes présentant un taux normal de cholestérol LDL (dit le « mauvais » cholestérol). Si vous vous situez par conséquent dans un groupe à risque en raison de vos origines ethniques, de votre tension artérielle ou d'antécédents familiaux, il peut-être judicieux de consulter un médecin pour qu'il procède à des analyses de sang plus poussées.
VOTRE PLAN D'ACTION : des prises de sang régulières permettent de mettre en évidence des taux de cholestérol anormaux. Parfois le test de base ne révèle aucun signe alarmant. Un bilan lipidique fournit davantage de données : il permet d'évaluer les différents composants lipidiques présents dans le sang afin d'évaluer les risques athérogènes (artères bouchées) d'un patient pour prendre des mesures préventives (habitudes alimentaires, hygiène de vie) ou thérapeutiques adaptées.

Le dosage de la protéine C réactive produite par le foie en cas d'inflammation ou d'infection peut aussi être prescrit pour mieux suivre les personnes dont le risque d'infarctus ou d'AVC est majoré. Avant que les plaques d'athérome ne bouchent complètement une artère, il semblerait que le taux de cette protéine s'élève, en particulier chez les personnes qui souffrent en même temps de déséquilibre lipidique. Seul votre médecin traitant est en mesure de vous indiquer si des examens sont nécessaires.

CONSEIL N° 41

Dormir ou travailler ?
Dormez ! Si vous manquez franchement de sommeil, restez au lit quand vous pouvez, explique Alan Aragon, nutritionniste à Thousand Oaks, en Californie. Des chercheurs à l'Université de Chicago ont découvert que le manque de sommeil favorise la prise de poids en ralentissant le métabolisme et en augmentant l'appétit.

Votre libido

Vous travaillez d'arrache-pied, vous avez un mari, des enfants et un crédit à rembourser... Vous êtes tendue et constamment stressée. Et votre vie sexuelle est aussi emballante qu'un tracteur rouillé.

VOTRE PLAN D'ACTION : mangez des noix. Les noisettes, les arachides et les noix sont pleines de vitamine E, un antioxydant qui renforce le système immunitaire, qui a tendance à s'effondrer lorsque vous courez partout. Le petit plus : les noix sont également riches en arginine, un acide aminé qui améliore la circulation sanguine : il aide à sortir de la fatigue pour atteindre l'orgasme.

Une poignée par jour est amplement suffisante : saupoudrez-en sur vos yaourts, salades ou flocons d'avoine, ou grignotez-les telles quelles.

CONSEIL N° 42

Seulement pour les rats ?
Une étude portant sur l'impact du sexe sur le cerveau a été réalisée sur des rats. Ceux qui ont été le plus en contact avec leurs congénères femelles ont développé davantage de neurones et de connexions entre les cellules du cerveau. Le stress était également moins important chez ces mâles. Cette étude, qui n'a pas été portée à dimension humaine, pourrait indiquer que le sexe permet de réduire le stress et de développer le cerveau.

Votre ventre

À partir de 30 ans, vous commencez à voir apparaître les graisses. Le métabolisme ralentit et le pourcentage de graisse dans l'organisme augmente.

VOTRE PLAN D'ACTION : faites en sorte de conserver votre indice de masse corporelle (IMC) entre 18,5 et 24,9. Les recherches indiquent qu'en agissant ainsi, vous réduisez le risque d'hypertension, de diabète et de maladie cardiovasculaire. Prendre un petit déjeuner adapté vous permettra de garder votre ventre sous contrôle, d'après les nombreuses études réalisées sur le sujet. Les protéines sont la clé : les personnes qui suivent un régime amaigrissant, en prenant des œufs au petit déjeuner, par exemple, perdent 65 % de poids supplémentaire par rapport à celles qui avalent un bagel avec la même quantité de calories, selon une étude réalisée par l'*International Journal of Obesity*.

Votre dos

Plus de 50 % des femmes âgées d'une trentaine d'années souffrent de douleurs dans le bas du dos. Pendant la grossesse, ce chiffre augmente de presque 70 %.

VOTRE PLAN D'ACTION : renforcez votre cœur. Faites l'exercice de la planche latérale 3 fois par semaine. Allongez-vous sur le côté gauche, les genoux tendus et le haut du corps appuyé sur le coude gauche et l'avant-bras. Posez votre main droite sur la hanche droite et soulevez lentement vos hanches jusqu'à ce que votre corps forme une ligne droite des épaules aux chevilles. Maintenez la position pendant 5 à 10 secondes en respirant profondément. Répétez ce mouvement 4 fois puis tournez-vous sur le côté droit. Faites une ou 2 séries de chaque côté. Trop dur ? Pliez les genoux à 90 degrés de manière à ce qu'ils restent au sol.

Tout se mange dans le yaourt. Le liquide clair qui surnage au-dessus de votre yaourt est de la pure protéine de petit-lait ou lactosérum – ce que l'on vous propose sous forme de soda à 5 euros à la salle de gym. Alors ne le jetez pas, mélangez-le au yaourt et savourez.

Votre niveau de stress

Tous les facteurs de stress dont nous avons parlé plus tôt affectent plus que votre libido. Ils provoquent la hausse du cortisol, l'hormone du stress. Le cortisol peut aussi faire diminuer la production de la testostérone du corps (oui, même chez les femmes) et faire gonfler le ventre.

VOTRE PLAN D'ACTION : trouvez quelque chose qui vous fasse rire. Même la simple perspective de rire diminue les substances chimiques du stress, le cortisol et l'épinéphrine, respectivement de 39 et 70 %, d'après les chercheurs de l'Université de Loma Linda. Le rire est également bon pour le cœur. Lorsque les participants à une étude menée à l'Université du Maryland ont visionné des extraits de films stressants, ils ont souffert de vasoconstriction, un rétrécissement des vaisseaux sanguins. En revanche, les vaisseaux sanguins des personnes ayant visionné des films drôles se sont dilatés de 22 %.

La vitesse de vieillissement

5 tests très simples pour découvrir si le temps a une emprise sur vous... et ce que vous pouvez faire pour freiner votre horloge biologique.

LA MASSE MUSCULAIRE

LE TEST : mettez-vous debout, les pieds écartés à la largeur des épaules. Gardez le dos droit et les épaules ouvertes, asseyez-vous puis relevez-vous dans un mouvement fluide. Vous devriez pouvoir effectuer 8 squats et une pompe digne de ce nom (c'est-à-dire en gardant le corps bien droit sur la descente et la remontés). Pour d'autres tests, reportez-vous aux chapitres 2 et 8.

SIGNES DE PROBLÈME : la sarcopénie, la perte de la masse musculaire liée à l'âge, progresse lentement et de manière presque imperceptible. Si vous ne pouvez pas faire 8 squats ou une pompe parfaite, vous devez vous remuscler.

QUE FAIRE : ajoutez 30 minutes d'entraînement musculaire à vos exercices habituels au moins 2 jours par semaine. Essayez les mouvements de fentes, les flexions des biceps et les poussées des triceps. Le programme accéléré de remise en forme *Women's Health* est conçu pour vous aider à vous façonner de nouveaux muscles tout en brûlant les graisses superflues.

L'AUDITION

LE TEST : des tests en ligne existent pour évaluer l'audition, mais rien ne vaut la consultation chez un spécialiste.

SIGNES DE PROBLÈME : certaines consonnes comme le C, le D, le K, le P, le S et le T deviennent difficiles à distinguer.

QUE FAIRE : mangez de la viande maigre, du poisson, de la volaille, des œufs et des produits laitiers – ils contiennent tous beaucoup de vitamine B 12 –, des légumes à feuilles riches en acide folique, des agrumes et des légumineuses. Une carence en vitamine B 12 et en acide folique peut être associée à la perte auditive liée à l'âge.

LA VUE

LE TEST : à quelle distance tenez-vous un livre lorsque vous lisez ? Elle devrait être inférieure à la longueur de votre bras.

SIGNES DE PROBLÈME : si vous éloignez de plus en plus votre livre, c'est un signe de presbytie. C'est un processus de vieillissement normal et non une maladie, mais une baisse de la vision peut aussi être annonciatrice de problèmes plus graves.

QUE FAIRE : lorsque vous lisez, assurez-vous d'avoir suffisamment de lumière de manière à ne pas plisser les yeux. Mangez des carottes, des épinards et du chou frisé qui contiennent tous beaucoup de vitamine A et de la lutéine, deux vitamines essentielles qui assurent une bonne vision. Consultez régulièrement un ophtalmologiste.

LA MÉMOIRE

LE TEST : vous devriez pouvoir retenir 7 nombres au hasard après les avoir vus pendant seulement 3 secondes.

SIGNES DE PROBLÈME : oublier le nom de quelqu'un que vous venez de rencontrer ou l'endroit où vous avez posé vos clefs est tout à fait normal. Ne pas reconnaître un membre de votre famille ou ne pas savoir à quoi vous servent vos clés sont les signes d'un problème plus sérieux.

QUE FAIRE : faites travailler votre cerveau avec des puzzles, soyez active physiquement et sortez souvent avec vos amis. Toutes ces activités aident à garder l'esprit vif.

L'ÉQUILIBRE

LE TEST : fermez les yeux, restez debout sur une jambe et tenez l'autre près de votre poitrine pendant 30 secondes. Vous devez pouvoir le faire sans sautiller dans tous les sens.

SIGNES DE PROBLÈME : si vous trébuchez, glissez et vous cognez contre des objets de manière quotidienne, si vous avez souvent des vertiges et des étourdissements, pensez à consulter un médecin.

QUE FAIRE : le *tai chi* ou le yoga vont améliorer la coordination de vos muscles et la circulation sanguine tout en renforçant la masse musculaire et le tonus.

Vos quarante ans et au-delà

Votre vie sexuelle

Elle est plus terne qu'une plante d'intérieur oubliée dans un couloir. À la quarantaine, les changements hormonaux et le stress font souvent baisser le désir. La testostérone qui, combinée à l'œstrogène, alimente la libido, commence à décliner. Les niveaux de testostérone sont également affectés par les contraceptifs oraux.

VOTRE PLAN D'ACTION : si votre désir est en berne avec la pilule, passez aux préservatifs ou essayez un stérilet. Si votre libido est vraiment très paresseuse, faites un contrôle de vos taux d'hormones et allez consulter un endocrinologue pour vous assurer que vous avez suffisamment de testostérone.

Vos muscles

Votre corps continue de perdre du muscle – en réalité, lorsque vous atteignez 40 ans, vous perdez environ 0,5 % de votre masse musculaire par an. Tout cela survient généralement par simple négligence – ne pas faire de sport signifie que vous remplacez les muscles par de la graisse, selon une étude parue dans le *Journal of the American College of Nutrition*. Or, 500 g de graisses occupent davantage de place dans votre corps que 500 g de muscles. Donc même si vous avez le même poids aujourd'hui que lors de votre mariage, vous n'êtes sans doute pas aussi galbée qu'à l'époque.

CONSEIL N° 44

Des fruits secs pour perdre du poids.
Les raisins secs que l'on trouve dans le commerce sont généralement enrobés de sucre. Préparez plutôt vos propres fruits secs.

VOTRE PLAN D'ACTION : en plus des poids que vous soulevez, vous pouvez entretenir vos muscles durement gagnés en les nourrissant avec les bons aliments. Le thon est une des meilleures sources de protéine essentielles au développement musculaire et ne contient pas d'acides gras saturés. Les épinards peuvent aider à l'entretien des muscles. Une recherche récente effectuée en éprouvette à l'Université Rutgers a par ailleurs mis en évidence que la sécrétine, une substance contenue dans l'épinard et qui ressemble à une hormone, augmente la synthèse des protéines. Les épinards sont également riches en vitamine K, en potassium et en calcium, ce qui peut vous aider à conjurer l'ostéoporose.

CONSEIL N° 45

Changez de viande. Remplacer le bœuf ou le porc par de la dinde supprime une moyenne de 108 calories par repas.

Vos articulations

Vos fibres nerveuses perdent de leur efficacité, ce qui diminue la coordination. Le cœur bat plus lentement, réduisant ainsi le flux sanguin qui fournit des substances nutritives et élimine les déchets des articulations et des muscles. Il en résulte que ces parties essentielles du corps qui facilitent le mouvement – au niveau des poignets, des coudes, des genoux et des chevilles – deviennent de plus en plus vulnérables aux blessures et à l'apparition de l'arthrite.

VOTRE PLAN D'ACTION : vos séances d'entraînement doivent mettre l'accent sur la souplesse. Les sciences nouvelles montrent que la pratique du yoga peut améliorer la souplesse, soulager les douleurs au niveau du dos et réduire le stress. Des chercheurs de l'Université de Boston affirment qu'en pratiquant le yoga une fois par semaine, le taux de substances chimiques du cerveau luttant contre l'anxiété augmente de 27 %. Le yoga aide par ailleurs le corps à maintenir son taux d'antioxydants, qui est très bas quand vous êtes à plat, selon des chercheurs indiens.

Vos rides

Après 40 ans, les pattes d'oie deviennent permanentes et les lignes d'expression sur le front sont plus difficiles à ignorer. La perte de tissu sous les yeux peut creuser votre regard. Le vieillissement a tendance à déshydrater la peau, qui s'affine. Le collagène continue de chuter, occasionnant l'apparition de rides supplémentaires.

VOTRE PLAN D'ACTION : apaisez la peau desséchée avec des émollients supplémentaires que vous appliquerez pour la nuit. Cherchez une crème de nuit qui contient l'un de ces principes actifs : rétinol (vitamine A), antioxydants, vitamine C ou peptides.

Votre peau

Avec toutes ces années passées étendue au soleil avec rien d'autre sur le dos qu'un petit bikini et une fine couche de crème solaire, le retour du bâton est inévitable. Les dommages causés par le soleil peuvent être dangereux, et il faut traiter à temps tout ce qui peut être potentiellement cancéreux.

VOTRE PLAN D'ACTION : inspectez votre peau à la recherche de taches de rousseur et taches solaires, taches de naissance ou grains de beauté présentant une forme asymétrique, des bords irréguliers, un changement de couleur de forme ou au diamètre supérieur à 6 mm. Si besoin, consultez un dermatologue. Chaque année, le Syndicat national des dermatologues organise en France une journée nationale de dépistage des cancers de la peau. Profitez-en !

CONSEIL N° 46

Allez vers la lumière.
S'entraîner à la lumière du jour aide à perdre jusqu'à 20 % de graisses supplémentaires en renforçant la leptine, l'hormone qui neutralise l'appétit.

Certains aliments sont bénéfiques pour la peau : les chercheurs du *National Cancer Institute* ont découvert que les personnes qui consommaient des caroténoïdes – les pigments que l'on trouve naturellement dans les plantes – étaient jusqu'à 6 fois moins susceptibles de développer un cancer de la peau que les autres. Mangez 2 portions de patates douces, de carottes ou de melon par semaine.

Votre vision

Même si vos yeux affichent toujours un 20 sur 20, deux maladies oculaires qui peuvent conduire à une perte de la vision – la cataracte et la dégénérescence maculaire (DMLA) – peuvent très bien commencer à se développer pendant cette période de votre vie. Les femmes présentent un risque plus élevé de dégénérescence maculaire liée à l'âge que les hommes. En France, près de 1,3 million de personnes en sont atteintes. Hormis l'âge, le deuxième facteur de risque de DMLA est le tabac. Les individus fumant plus de 20 cigarettes par jour ont un risque multiplié par 2,5.

VOTRE PLAN D'ACTION : les personnes qui consomment le plus de lutéine – un caroténoïde que l'on trouve dans les aliments d'origine végétale – sont moins susceptibles de développer une dégénérescence maculaire. La lutéine aide à filtrer la lumière bleue en l'empêchant ainsi d'abîmer les tissus rétiniens. Consommez chaque jour 2 portions de légumes verts ; une portion représentant une demi-tasse d'épinards cuits, de brocolis ou de choux de Bruxelles.

Consultez régulièrement un ophtalmologue si vous souffrez de troubles de la vision. Les premiers signes de maladie sont souvent négligés : diminution de la sensibilité aux contrastes, baisse de l'acuité visuelle...

CONSEIL N° 47

Soyez dans le vent. Lorsque vous faites de la bicyclette ou que vous courez, commencez avec le vent dans le dos et faites le trajet de retour face au vent ; vous aurez ainsi un coup de pouce au démarrage. Se retrouver face au vent est plus supportable lorsqu'on est échauffé.

Vos seins

Le risque de cancer du sein augmente de manière significative entre 30 et 60 ans, pour se stabiliser ensuite. Moins de 10 % de ces cancers ont une origine génétique. Pour les autres cas, les origines sont moins connues : traitements hormonaux, mode de vie inadapté (alcool, surpoids, manque d'exercice), facteurs gynécologiques...

VOTRE PLAN D'ACTION : un régime alimentaire faible en graisses peut réduire le risque, mais pour une protection plus grande encore, ajoutez des légumes crucifères à votre alimentation, tels que le brocoli et le chou frisé. Ils contiennent du sulforaphane qui est censé empêcher les cellules cancéreuses de se multiplier. Les chercheurs de l'Université Johns-Hopkins ont découvert que les pousses de jeune brocoli contiennent jusqu'à 20 fois plus de ce composé que les plantes arrivées à maturité.

Examinez vos seins tous les mois, dans les jours qui suivent vos règles.

En France, le dépistage du cancer du sein, organisé par les pouvoirs publics, est généralisé sur l'ensemble du territoire depuis 2004. Il s'adresse aux femmes âgées de 50 à 74 ans, invitées à se faire dépister tous les 2 ans, avec une double lecture des résultats et sans avance de frais.

Les chercheurs sont partagés quant à un dépistage précoce (à partir de 40 ans) du cancer du sein. Pour certains il réduirait le risque de décès de 15 % par rapport aux femmes non dépistés, mais pour d'autres il augmenterait considérablement le nombre d'examens à pratiquer pour une « rentabilité » faible. Le risque de surdiagnostic n'est pas nul. De plus, les microcalcifications sont plus difficiles à voir sur des seins encore denses et opaques avant la ménopause. Un examen précoce est préconisé pour les femmes à risque : pathologie bénigne du sein, obésité, risque génétique...

CONSEIL N° 48

Comptez à rebours.
Lorsque vous comptez vos mouvements, commencez par le nombre que vous voulez atteindre et comptez à rebours – vous penserez au peu de mouvements qu'il vous reste à exécuter plutôt qu'à tous ceux que vous avez déjà faits.

Votre cœur

Jusqu'à 35 ans, les suicides et accidents sont encore la principale cause de décès chez les femmes. Après cet âge, les maladies cardiovasculaires arrivent en seconde position, tout juste après les cancers, mais pendant longtemps elles ont été la première cause de décès. Si vous avez des antécédents de maladie cardiaque dans votre famille, parlez-en à votre médecin qui, seul, pourra vous indiquer les précautions à prendre.

VOTRE PLAN D'ACTION : avec un bon entraînement physique, vous pouvez augmenter le débit systolique de votre cœur et la consommation d'oxygène de l'organisme. Cela permet à votre cœur de pomper le sang plus lentement et de façon plus efficace, et cela prolonge la durée de vie. « La durée de vie moyenne de l'homme est d'environ 3 milliards de battements de cœur », explique le Dr Michael Lauer du *National Heart, Blood, and Lung Institute*. « Si vous pouvez réduire votre rythme cardiaque, vous pouvez augmenter votre espérance de vie. » Le programme accéléré de remise en forme de *Women's Health* va augmenter votre rythme cardiaque pour le conduire vers la zone aérobie, et vous aidera à renforcer votre cœur et plus généralement votre corps. Une activité en zone aérobie est d'intensité modérée, c'est donc un effort que vous pourrez soutenir assez longtemps. Classée dans la catégorie de l'endurance, elle va mobiliser entre 65 et 80 % de votre fréquence cardiaque maximale. Les réserves d'énergie utilisées pour la circonstance sont essentiellement graisseuses.

CONSEIL N° 49

Du thé pour les dents.
Des chercheurs japonais ont évalué les habitudes alimentaires d'environ 25 000 personnes et découvert que celles qui buvaient au moins une tasse de thé vert par jour présentaient un moindre risque de perdre leurs dents que celles qui n'en buvaient pas du tout.

Le risque d'AVC

Les accidents vasculaires cérébraux (AVC) représentent la troisième cause de mortalité et la première cause de handicap. En France, 125 000 personnes en sont victimes chaque année et près de 50 000 en meurent. Un AVC se produit lorsque la circulation sanguine vers une région du cerveau est interrompue, et qu'une hémorragie cérébrale se produit. Les symptômes apparaissent de façon brutale, pourtant certains facteurs de risque ont été identifiés : âge, hypertension, tabagisme, diabète, cholestérol, maladie cardiaque...

VOTRE PLAN D'ACTION : les AVC étant liés en partie à des facteurs de risque contre lesquels on peut lutter (cholestérol, hypertension...), bon nombre de nos conseils précédents vous aideront à rester en bonne santé, grâce à une bonne alimentation et des exercices appropriés.

Votre côlon

Le cancer du côlon représente la deuxième cause de décès par cancer en France chez les femmes, après le cancer du sein. Il est généralement diagnostiqué après 70 ans, pourtant la maladie s'installe avant. Lorsqu'il est diagnostiqué tôt, les chances de guérison sont très grandes, et le dépistage est maintenant systématique en France pour les individus de 50 à 74 ans. Si vous avez des antécédents dans votre famille, parlez-en à votre médecin, et sachez que la présence de sang dans les selles n'est pas forcément un signe de cancer colorectal : elle peut être due à des hémorroïdes, à une constipation chronique ou à une maladie digestive.

VOTRE PLAN D'ACTION : le premier test de dépistage du cancer colorectal est à réaliser chez soi, durant plusieurs jours. En suivant un mode d'emploi détaillé, vous devez déposer des fragments de selles sur différentes plaquettes. Ces prélèvements sont ensuite envoyés par la poste à un laboratoire d'analyses.

Des examens complémentaires peuvent être prescrits par votre médecin : la coloscopie est un examen visuel du côlon grâce à une sonde. La sigmoïdoscopie est un examen du même type, mais qui n'explore qu'une partie plus réduite du rectum.

ANATOMIE D'UN EMBONPOINT

Cinq raisons pour lesquelles votre ventre ne s'en va pas

D'où viennent les graisses ? Pourquoi en avons-nous ? Nous allons vous expliquer d'où vient cette graisse abdominale et pour quelle raison elle peut nuire à votre santé. Et nous examinerons le rôle surprenant que joue la science moderne dans notre prise de poids.

Culotte de cheval, bouée de sauvetage, poignées d'amour – nous avons imaginé tant de noms poétiques pour désigner la graisse ! Même si nous sommes par ailleurs des adultes sensés et bien équilibrés, nous nous attardons sur notre double menton, nos chevilles enrobées ou nos bras mous. Nous sommes à la fois obsédées et repoussées : nous détestons notre graisse et ne pouvons nous empêcher d'y penser.

Cessez d'observer vos poignées d'amour pendant une minute et pensez plutôt à ceci : la graisse ne se contente pas simplement de rester là, sans bouger. Elle est comme une grosse glande qui produit des hormones et d'autres substances chimiques essentielles à de nombreuses fonctions du corps. Selon l'endroit où elle s'accumule, la graisse peut même vous protéger et vous empêcher de développer des maladies cardiaques, de l'hypertension artérielle ou du diabète. Mais toutes les graisses ne sont pas identiques. Ce cahier spécial va vous aider à distinguer la bonne et la mauvaise graisse, et à éliminer celle qui est inutile.

Les principes fondamentaux de la graisse

À la base, la graisse est une réserve d'énergie. Lorsque vous mangez, votre corps transforme les hydrates de carbone, les protéines et les graisses alimentaires en acides gras (les chaînes de molécules qui constituent les éléments de la graisse corporelle), en glucose (le sucre dans le sang) ou en acides aminés. Tous fournissent de l'énergie que vous allez soit dépenser tout de suite, soit stocker pour plus tard. Sans la graisse corporelle, vous devriez manger tout le temps pour que votre corps continue de fonctionner. La graisse qui n'est pas utilisée tout de suite est conservée dans les cellules. Si vous observiez l'une d'elles au microscope, vous verriez les composants de base communs à toutes les cellules animales – un noyau, des mitochondries – éclipsés par une grosse goutte qui représente environ 85 % du volume de la cellule. Les cellules graisseuses commencent généralement à cinq millionièmes de mètres de diamètre, trop minuscules pour être vues à l'œil nu. Mais elles sont élastiques : chacune peut augmenter de 100 fois son volume pour atteindre environ la taille du point à la fin de cette phrase. Pour une cellule, c'est gigantesque.

Pendant des années, les chercheurs ont cru que les cellules graisseuses fonctionnaient comme notre taille : elles continuaient de grandir jusqu'à la puberté, puis cela s'arrêtait. Mais une étude publiée dans le *American Journal of Physiology: Endocrinology and Metabolism* a révélé que nous fabriquions de nouvelles cellules graisseuses pendant notre vie adulte. Lorsqu'une cellule graisseuse est pleine à craquer, elle envoie un signal chimique aux tissus environnants pour en créer de nouvelles. Là où un adulte moyen qui n'est pas en surpoids possède environ 30 à 40 milliards de cellules graisseuses, une personne obèse peut en avoir 100 milliards. Il n'y a aucun moyen de se débarrasser d'une cellule graisseuse, même en perdant du poids : seule la liposuccion permet d'éliminer des cellules.

CONSEIL N° 50

Exercice de respiration ventrale

Allongez-vous sur le dos, la main sur le ventre. Inspirez profondément par le nez et faites entrer autant d'air dans vos poumons que vous le pouvez tout en « gonflant » votre ventre. Expirez maintenant tout l'air contenu dans vos poumons en une seule fois en soufflant par la bouche. Creusez le ventre et contractez les abdominaux. Restez sans respirer quelques instants, puis recommencez l'exercice plusieurs fois.

En plus du fait qu'elle nous permet de stocker de façon ingénieuse l'énergie de l'organisme, la graisse nous protège en nous fournissant une couche isolante qui tient chaud. C'est un élément important pour la survie de notre espèce : si la graisse du corps de la femme tombe sous la barre des 18 %, elle n'est plus menstruée et ne peut pas se reproduire – la nature décide qu'elle n'est pas apte à nourrir un enfant. Plus important, la graisse est une assurance contre la faim. Imaginons deux femmes, l'une maigre, l'autre en surpoids, échouées sur une île déserte avec uniquement de l'eau à boire. La plus mince, une femme de 54 kg qui possède environ 20 % de graisse corporelle, pourrait passer 65 jours sur ses réserves de graisse. L'autre, qui pèse 68 kg et possède 30 % de graisse corporelle, pourrait survivre pendant 105 jours – augmentant considérablement ses chances d'être sauvée. Que se passerait-il si toutes les deux tentaient de partir à la nage ? Là encore, la femme la plus lourde s'en sortirait mieux, car la graisse flotte alors que les muscles, plus lourds, ne le font pas.

La graisse ne fait pas que nous protéger et nous réchauffer. C'est aussi une usine endocrinienne qui sécrète des substances jouant un rôle aussi bien au niveau de la régulation du poids que de la constriction des vaisseaux sanguins. La découverte en 1994 de la leptine, une hormone, a poussé les chercheurs à s'intéresser au côté actif de la graisse. La graisse produit cette leptine qui voyage ensuite vers l'hypothalamus, la partie du cerveau qui contrôle l'appétit. Là, elle connecte des récepteurs qui envoient des messages pour signaler que le corps est rassasié.

Évidemment, la graisse présente aussi des aspects négatifs. Au cours des 10 dernières années, les scientifiques ont découvert plus de 100 substances biochimiques, appelées adipokines, fabriquées par notre graisse. Certaines provoquent une inflammation des tissus et des vaisseaux sanguins, ce qui peut augmenter le risque de crise cardiaque et d'AVC. D'autres augmentent la tension artérielle ou provoquent des caillots. Beaucoup rendent l'organisme résistant aux effets de l'insuline, qui aide au stockage du glu-

CONSEIL N° 51

Domptez votre faim. Contenez vos envies de grignoter en faisant de l'exercice. Dans le cadre d'une étude britannique, après s'être entraînées tous les jours pendant 12 semaines, 58 personnes ont constaté qu'en prenant le même petit déjeuner, la sensation de faim avait finalement diminué de 24 % par rapport au début de l'étude. « La pratique d'une activité physique peut augmenter le taux d'hormones impliquées dans la sensation de satiété », explique l'auteur de l'étude, le Dr Neil King.

cose. La seule substance intéressante pour l'organisme parmi les adipokines est une hormone, l'adiponectine, et qui améliore la réponse de l'organisme à l'insuline et réduit les effets de l'obstruction de la graisse dans les artères. Hélas, contrairement aux autres adipokines, cette hormone est fabriquée en moins grande quantité lorsqu'on grossit, sans que l'on sache exactement pourquoi.

Décoder l'étiquette d'un aliment en quatre étapes

Utilisez cette liste toute simple pour déjouer le marketing des fabricants alimentaires et trouver les aliments les plus sains. Commencez par la première étape et éliminez les produits à partir de là.

1. DITES NON AUX MAUVAISES GRAISSES : si un produit contient des huiles partiellement hydrogénées ou interestérifiées, vous consommez des acides gras trans que l'on associe aux troubles de la mémoire, au diabète et à l'obésité. Le terme « riche en stéarate » veut dire en gros la même chose.
2. LIMITEZ LE SUCRE : choisissez toujours l'aliment qui en contient le moins. Si l'un d'entre eux en contient plus de 8 g, laissez-le de côté.
3. OPTEZ POUR LES FIBRES : plus vous en trouvez, mieux c'est, car les fibres ralentissent la digestion et empêchent les pics de glycémie qui mènent à l'obésité et à l'insulinorésistance. Attention quand vous achetez vos produits : des fabricants rusés ajoutent souvent des fibres isolées comme l'inuline et la maltodextrine pour faire valoir la présence de fibres sur l'emballage, mais elles ne remplacent en aucun cas les grains entiers.
4. COMPTEZ LES INGRÉDIENTS : choisissez le produit qui en contient le moins (une longue liste d'additifs ne présage rien de bon).

La graisse qui entoure nos organes internes secrète aussi une forme d'œstrogène, à la fois chez les femmes et chez les hommes. Celle des hanches et des cuisses ne le fait pas. Cela peut être positif et négatif. Si vous êtes une femme en surpoids qui n'a pas encore atteint la ménopause, l'œstrogène supplémentaire peut réduire le risque d'ostéoporose. Le revers de la médaille, c'est que cela peut augmenter le risque de cancer du sein. Bien que les chercheurs ne sachent pas grand-chose sur le lien entre graisse et cancer du sein, ils pensent que la proximité de graisse abdominale au niveau des seins pourrait expliquer ce risque accru. Mais la relation entre graisse et œstrogène est encore plus étroite que cela. Les ovaires produisent plus d'œstrogène que la graisse ; lorsque vous atteignez la ménopause et que l'œstrogène produit par vos ovaires diminue progressivement, il se produit quelque chose au niveau de la répartition des graisses : elles migrent de vos hanches et de vos cuisses vers votre taille. Les chercheurs pensent que le manque d'œstrogène à la ménopause joue un rôle dans le déplacement des graisses vers le haut du corps.

CONSEIL N° 52

La santé par la bière ?
En raison de sa teneur élevée en levure, la bière de froment pourrait en réalité contribuer à la stabilisation du taux de sucre dans le sang et même accélérer la perte de poids.

Les parties concernées

À cet instant précis, vous pensez peut-être que tout cela ne vous concerne pas. Le corps d'une femme qui n'est pas en surpoids à 20 ou 30 ans est constitué d'environ 20 à 25 % de graisse. Lorsqu'elle arrive à 50 ou 60 ans, ce chiffre augmentera jusqu'à 28, voire 33 %. « Les femmes stockent les graisses plus efficacement que les hommes », explique le Dr Susan Fried, chercheur sur l'obésité à l'Université du Maryland. Elles les conservent dans des cellules adipeuses plus grandes et les relâchent de mauvaise grâce, à cause d'un niveau plus élevé de lipoprotéine lipase. Cet enzyme contrôle la capacité des cellules adipeuses à s'accrocher et à entreposer la graisse qui circule dans le sang après un repas. Environ 80 % de cette graisse se retrouve déposée sous forme de coussinets sous la peau des cuisses, des fesses, du ventre et de la poitrine, et de paquets plus petits au niveau des bras et du bas des jambes. Vous avez peut-être l'impression que toute la graisse de votre corps s'est concentrée sur vos fesses, pourtant elle se retrouve aussi autour de vos organes, à l'intérieur de vos muscles, comme le persil sur un steak grillé.

L'endroit où se concentre la graisse peut faire une grande différence au niveau de la santé. Les femmes sont davantage susceptibles de voir la graisse se déposer sur les hanches, les cuisses et les fesses. Les chercheurs continuent d'essayer de comprendre pourquoi, mais soyons réalistes : pas besoin d'une étude scientifique pour en avoir la preuve, il suffit de regarder. Mais ce dont vous ne vous rendez sans doute pas compte, c'est que les personnes qui ont un corps en forme de poire possèdent davantage de bon cholestérol et moins de triglycérides et d'insuline. Le risque pour elles d'avoir une maladie cardiovasculaire, de l'hypertension ou du diabète est plus faible. Il s'avère que les hanches et les cuisses fournissent un espace « naturel » pour recueillir les acides gras et évitent à ceux-ci de circuler dans le sang où ils pourraient se transformer en molécules instables potentiellement dangereuses, les radicaux libres.

De plus en plus lourdes... La femme française pèse en moyenne 63 kg. Cette corpulence, mesurée par des études de l'IMC, augmente régulièrement et est en corrélation avec l'augmentation des cas d'obésité.

Pour des raisons que les chercheurs ignorent encore, les hommes stockent plutôt les graisses au niveau du ventre, mais de nombreuses femmes ont aussi cette forme toute ronde, comme une pomme. Nous ne parlons pas de cette graisse molle qui vous pousse à réfléchir à 2 fois avant de sortir de chez vous dans votre jean taille basse : cette graisse sous-cutanée n'est pas la plus dangereuse. C'est la graisse abdominale (ou viscérale, parce qu'elle vient autour des viscères) qui entoure le foie, le cœur et d'autres organes qui présente le plus grand risque pour la santé. Elle peut obstruer les artères et aller directement dans votre foie où elle risque d'altérer les fonctions vitales de l'organe, qui a pour but de transformer les aliments en nutriments et d'éliminer les substances nocives de votre organisme. À la différence de la graisse sous-cutanée, la graisse abdominale, qui se place derrière les abdominaux, fait que le ventre est plutôt dur.

Les personnes qui possèdent le plus de graisse abdominale présentent un risque plus élevé d'avoir une maladie cardiaque, un cancer et du diabète. De nombreuses études ont révélé qu'il est plus pertinent de juger de l'état de santé d'une personne en se basant sur son tour de taille plutôt que sur son indice de masse corporelle. La bonne nouvelle, c'est que si vous perdez du poids, vous allez perdre plus rapidement la graisse abdominale que celle qui se trouve sur vos hanches et vos cuisses, parce qu'elle se décompose plus facilement.

CONSEIL N° 54

Entraînez-vous avant l'apéro. Quelquefois – comme les jours de fête au bureau –, on sait qu'on va manger des cochonneries. Mais si vous vous entraînez juste avant, vos muscles épongeront une bonne partie des glucides, ce qui évitera le stockage de la graisse.

Votre métabolisme est soumis à des agressions

Voilà ce que tout cela signifie pour vous : si votre ventre se trouve gonflé du fait de la graisse abdominale, il est probable que ce soit le début de ce que l'on appelle un syndrome métabolique. Ce n'est pas une maladie, mais un ensemble de signes physiologiques qui accroissent le risque de diabète de type 2, de maladies cardiaques et d'accident vasculaire cérébral – soit un tour de taille supérieur à 79 cm, un taux élevé de triglycérides (la graisse dans le sang), une

Pourquoi le stress fait-il grossir ?

1. Le stress touche le cerveau

Dès que le stress frappe, vos glandes entrent en action.

L'HYPOTHALAMUS : cette glande du cerveau réagit au stress en secrétant une hormone, dite hormone CRH ou corticolibérine.

LA GLANDE PITUITAIRE : elle réagit à la corticolibérine en secrétant de la corticotrophine, ou hormone adrénocorticotrope (ACTH).

LES GLANDES SURRÉNALES : elles répondent à l'ACTH en inondant le sang d'épinéphrine (ou adrénaline) et de cortisol.

2. L'adrénaline

L'adrénaline déclenche la réponse instantanée combat-fuite du corps.

• le rythme cardiaque et le pouls s'accélèrent pour envoyer du sang supplémentaire vers les muscles et les organes.

• les tubes bronchiques se dilatent pour recevoir plus d'oxygène et nourrir le cerveau afin que nous restions vigilants.

• les vaisseaux sanguins se compriment pour arrêter le sang en cas de blessure.

3. Le cortisol (votre ami)

Le cortisol et l'adrénaline libèrent dans le sang des graisses et du sucre (glucose) qui sont transformés en énergie pour gérer les facteurs de stress à court terme, comme quand vous devez repousser un rottweiler qui court après votre vélo.

4. Le cortisol (votre ennemi)

Le cortisol peut par ailleurs signaler à vos cellules de stocker le plus de graisse possible et empêcher le corps de brûler des graisses pour les transformer en énergie. Ce phénomène survient quand le taux de cortisol reste élevé, en cas de facteurs de stress à long terme comme un patron lunatique, un propriétaire difficile ou un enfant colérique. De façon chronique, le niveau élevé de cortisol perturbe les systèmes de contrôle métabolique du corps : les muscles s'affaiblissent, le taux de glycémie grimpe, l'appétit augmente, et vous grossissez ! Pire encore, la graisse tend à s'accumuler dans la région abdominale sur les parois artérielles, car la graisse abdominale contient plus de récepteurs de cortisol que celle qui se trouve juste sous la peau.

résistance à l'insuline ou une intolérance au glucose ainsi que de l'hypertension. Cet ensemble augmente la probabilité d'un diabète de 500 %, d'une crise cardiaque de 300 % et d'un décès dû à une crise cardiaque de 200 %. (En devenant diabétique, il y a 80 % de chances que vous mouriez d'une maladie cardiaque.)

Mais comment savoir si votre ventre héberge des niveaux dangereux de graisse abdominale ou seulement une graisse sous-cutanée peu préoccupante ? La première chose à faire, c'est de mesurer votre tour de taille. S'il est supérieur à 89 cm, commencez un régime, faites des exercices et consultez un médecin. Vous pourrez lui demander un bilan métabolique complet. Si vous avez un tour de taille qui augmente et 2 des symptômes mentionnés ci-dessus à propos du syndrome métabolique, vous avez très certainement de grandes quantités de graisse abdominale. Le syndrome métabolique est plus courant que vous le croyez : les estimations précises n'existent pas encore en France, mais aux États-Unis, on estime qu'il affecte 16 % des jeunes femmes, plus de 30 % de femmes entre 40 et 59 ans et 54 % de femmes au-delà de 60 ans, mais les signes avant-coureurs ne sont pas toujours visibles ou ressentis par la personne concernée.

Contrairement à la graisse sous-cutanée, cette graisse abdominale ne peut pas être éliminée par liposuccion, mais il est possible de s'en débarrasser par des moyens moins invasifs. Voici quelques conseils simples :

CONSEIL N° 55

Montez le son. Les personnes pourraient effectuer 10 répétitions supplémentaires en écoutant leur musique préférée, révèle une étude menée à Charleston.

METTEZ-VOUS AU LIT PLUS TÔT. Une étude réalisée en Finlande auprès de plusieurs paires de vrais jumeaux identiques a mis en évidence que sur chaque paire, le jumeau qui dormait le moins et souffrait le plus du stress était celui qui avait le plus de graisse abdominale.

CONTENTEZ-VOUS D'UN SEUL VERRE. D'après une étude menée à l'Université de Buffalo, les personnes présentant le plus de graisse abdominale ne consommaient de l'alcool (minimum 4 verres) qu'une ou deux fois tous les 15 jours, quand ceux qui en avaient le moins consommaient en revanche une petite quantité d'alcool chaque jour – en moyenne 1 verre.

MARCHEZ. « Les recherches montrent que le corps préfère utiliser la graisse abdominale pour produire de l'énergie », explique le Dr Ross, médecin du sport à l'Université du Queen's au Canada, qui a étudié les effets du mode de vie sur la graisse abdominale pendant 18 ans. Dans le cadre d'une étude qu'il a publiée dans la revue *Annals of Internal Medicine,* son équipe et lui ont demandé à des femmes obèses de marcher d'un bon pas ou de trottiner tous les jours pendant 3 mois tout en mangeant suffisamment pour maintenir leur poids. Résultat : leur graisse abdominale a diminué de 18 %.

CONSEIL N° 56

Exploitez au maximum les minéraux.
La mauvaise haleine pourrait avoir un avantage : les oignons et l'ail cuits aident l'organisme à absorber davantage de minéraux essentiels comme le fer et le zinc des céréales et des graines, d'après une étude parue dans le *Journal of Agricultural and Food Chemistry*.

FONCEZ. Les exercices modérés s'attaquent à la graisse abdominale, mais les activités plus soutenues ont encore plus d'effet. Des chercheurs canadiens ont découvert qu'en perdant seulement 11 % de son poids, on peut réduire la graisse abdominale de 42 %. Ce qui veut dire qu'une personne pesant 93 kg peut diminuer sa graisse abdominale de près de moitié en perdant 10,5 kg. Le meilleur programme pour perdre du poids : musculation et entraînement cardio 3 fois par semaine. Des scientifiques coréens ont découvert que cette formule permettait de perdre 2 kg en plus et 11 % de graisse abdominale supplémentaire qu'un entraînement cardio seul. Vous trouverez au chapitre 9 un programme accéléré de remise en forme qui fonctionne selon ce principe.

Mais n'oubliez pas que le bourrelet autour de votre ventre n'est pas entièrement de votre faute. Le paysage alimentaire des pays occidentaux, avec « l'aide » de la « science alimentaire » moderne, ne fait absolument rien pour nous défaire de ce dépôt de graisse abdominale, bien au contraire. Dans les aires de repos, les stations-service, les aéroports, les centres commerciaux, et même les salles de gym, nous sommes envahies par des aliments qui n'en sont d'ailleurs pour ainsi dire pas – il s'agit ni plus ni moins de mélanges de maïs et de soja dans lesquels on a ajouté du sucre, et tous font grossir si on en consomme trop. Et pour sûr, on en consomme vraiment trop.

Les derniers nés du maïs et du soja

CONSEIL N° 57

En route pour Rio. Il suffit de 4 noix du Brésil pour que vous ayez votre apport journalier complet en sélénium, un anxiolytique naturel.

Presque tous les aliments emballés figurant dans les rayons des magasins d'alimentation contiennent du maïs ou du soja. Et quand des chercheurs de l'Université d'Hawaï ont analysé 480 échantillons (hamburgers, sandwichs au poulet et frites) provenant des chaînes de restaurants les plus populaires aux États-Unis, ils ont découvert que sur ces 480 échantillons, seuls 12 hamburgers ne révélaient aucune trace de maïs. Ils en ont trouvé dans la graisse des frites et dans tous les sandwichs au poulet. Ils ne se sont même pas donné la peine d'analyser les boissons sucrées qui sont en gros composées de sirop de glucose riche en fructose (HFCS) et de colorants alimentaires.

Le problème qui découle de tout ce maïs et de ce soja, c'est que l'on consomme trop d'acides gras oméga-6 – une famille d'acides gras que l'on trouve notamment dans les grains de maïs ou le soja, qui se disputent l'espace avec les oméga-3 dans les membranes de nos cellules. Les acides gras oméga-3 réputés pour leurs bienfaits pour le cœur et le cerveau sont issus des produits de la mer, des

Ciblez la graisse abdominale grâce à des exercices

Comment rendre votre ventre plat en moins de 30 minutes, 3 fois par semaine

1. Entraînement musculaire

Choisissez 4 exercices pour le haut du dos, 2 pour le bas du corps et 2 pour la ceinture abdominale (abdos et bas du dos). Enchaînez-les, sans marquer de pause entre chaque série – mais en faisant en sorte d'alterner les exercices du haut du corps et ceux du bas du corps et de la sangle abdominale. « Faire reposer et travailler les muscles de cette façon permet de travailler plus dur en moins de temps », explique Jean-Paul Francœur, propriétaire du JP Fitness, un club de remise en forme de Little Rock au Texas.

Essayez cet enchaînement : développé couché, squats, mouvements du rameur, montée sur banc, pompes, relevé de buste, développé des épaules et extension du dos.

Effectuez 2 enchaînements, en vous reposant 2 minutes entre les 2, et réalisez 10 à 15 répétitions pour chaque exercice.

DURÉE : 18 MINUTES

2. Entraînement cardiovasculaire

Utilisez la méthode par intervalles. Commencez à un rythme facile (environ 40 % de votre force) pendant 1 min 30. Augmentez ensuite votre rythme jusqu'à la vitesse maximale que vous parvenez à maintenir (environ 95 % de votre maximum) pendant 30 secondes. Il s'agit de l'intervalle 1. Recommencez 5 fois pour un total de 6 intervalles.

C'est un travail court mais intense, il vous fera donc gagner du temps. Et contrairement aux exercices traditionnels d'aérobic, votre corps continuera de brûler de la graisse à un niveau élevé longtemps après votre séance de travail. Vous pouvez pratiquer ces exercices à même le sol ou sur un tapis de course, mais si vous avez plus de 10 kg à perdre, optez pour un vélo d'intérieur pour réduire la pression sur les genoux.

DURÉE : 12 MINUTES

TOTAL : 30 MINUTES

légumes à feuilles et des noix. Qui plus est, un niveau disproportionnellement élevé d'acides gras oméga-6 favorise les inflammations chroniques, qui conduisent aux affections cardiaques, au cancer, à la maladie d'Alzheimer et à la dépression. Nous avons malgré tout besoin de ces oméga-6 dans notre régime alimentaire. Ils sont essentiels au bon fonctionnement du cœur et du cerveau. Mais en raison de l'invasion du maïs et du soja dans l'alimentation moderne, le ratio oméga-3/oméga-6 est de 10/1 alors qu'il devrait se situer dans l'idéal à 1/1.

Comment a-t-on pu en arriver à un tel chamboulement ? Commencez par jeter un œil sur les emballages des aliments qui se trouvent dans votre placard. Si un produit contient des « gras polyinsaturés », c'est souvent synonyme d'acides gras oméga-6, comme dans le « sirop de glucose riche en fructose » et les « isolats de protéine de soja ».

Par ailleurs, des recherches récentes ont montré qu'un déséquilibre dans le ratio oméga-3/oméga-6 conduit à l'adipogénèse (la fabrication de cellules adipeuses). D'après une étude publiée dans le *British Journal of Nutrition*, des souris nourries selon une ration de 6/1 (oméga-6 / oméga-3) ont développé beaucoup plus de graisse que celles dont le ratio était de 1/1,2. Selon une autre étude publiée dans la revue *Progress in Lipid Research*, une consommation plus élevée d'oméga-6 que d'oméga-3 augmenterait le risque de développement du tissu adipeux.

CONSEIL N° 58

Choisissez le bon apéritif.
En moyenne, une margarita contient 3 fois plus de calories qu'un Cosmopolitan et 4,5 fois plus qu'un verre de vin.

Ceci explique pourquoi, même si vous suivez un régime et que vous faites de l'exercice, vous n'obtenez pas les résultats escomptés. Et ce n'est en aucun cas de votre faute.

L'objectif n'est pas de se débarrasser complètement des oméga-6, car ils sont essentiels pour aider à conserver un bon état général.

Mais le fait de diminuer votre consommation d'aliments tout préparés et de vous nourrir d'aliments à valeur nutritive plus élevée – voir la liste des aliments recommandés dans le chapitre 7 – vous aidera à retrouver un juste équilibre.

Les faux amis

Les fabricants de produits alimentaires glissent du maïs et du soja bon marché dans tous les aliments, qu'il s'agisse du pain du hamburger ou du hamburger lui-même, et ceci explique en partie pourquoi votre poids n'est pas que de votre fait. Voyez comment le stress, les produits chimiques, les sucres dissimulés, le manque de sommeil et le marketing alimentaire bataillent chaque jour pour contrecarrer vos efforts pour perdre du poids.

CONSEIL N° 59

Consommez le bon beurre.
Le beurre d'amande contient davantage de magnésium et de calcium, 60 % de graisses saines supplémentaires et 3 fois plus de vitamine E que le beurre d'arachide.

LE STRESS : que vous deviez gérer des problèmes avec un enfant, un client mécontent ou un époux contrarié, la réponse de votre organisme est toujours la même : votre hypothalamus inonde votre sang d'hormones pour vous contraindre à réagir. Le cortisol et l'épinéphrine sont les hormones d'alarme de votre organisme. Elles font battre votre cœur plus vite et dilatent vos tubes bronchiques pour qu'ils puissent fournir davantage d'oxygène au cerveau et vous maintenir en alerte. Elles libèrent également de la graisse et du glucose dans le sang pour fournir de l'énergie d'urgence. Cependant, si vous êtes trop stressée, votre niveau de cortisol reste constamment élevé, ce qui perturbe le métabolisme et donne l'ordre à vos cellules de stocker le plus de graisse possible. Pire encore, cette graisse tend à s'installer sur le ventre sous la forme de graisse abdominale nocive, laquelle est logée derrière vos muscles abdominaux et contient plus de récepteurs de cortisol que n'importe quelle autre type de graisse.

(Pour un compte rendu détaillé de ce processus chimique, voir « Pourquoi le stress fait-il grossir ? », p. 73.)

RIPOSTEZ : pour vous défendre contre cette prise de poids due au stress, prenez l'habitude de faire des exercices 3 jours par semaine, en vous référant aux principes définis par le programme de remise en forme *Women's Health*. Cela vous permettra de réguler votre taux de cortisol, selon des chercheurs de l'Université d'État de l'Ohio. Consommez également le plus d'aliments bio possible pour vous tenir à l'écart du pesticide atrazine. Une étude menée par le National Health and Environmental Effects Research Laboratory a démontré que l'atrazine déclenchait une très forte augmentation du taux des hormones de stress chez les rats. Cette réaction au stress est identique à celle des animaux quand ils sont retenus contre leur volonté, selon cette même étude.

CONSEIL N° 60

On se lève tous pour être en forme. Votre cœur travaille 20 % plus fort lorsque vous vous tenez debout pour faire travailler vos pectoraux que lorsque vous faites un développé couché avec des haltères standard.

LES PERTURBATEURS ENDOCRINIENS : une nouvelle menace pèse sur votre abdomen – un type de substances d'origine chimique ou naturelle appelées perturbateurs endocriniens ou, comme les chercheurs commencent à les appeler, « obésogènes ». Ces obésogènes sont des substances chimiques qui perturbent la fonction de notre système endocrinien et entraînent la prise de poids et bon nombre des maladies qui frappent la population occidentale. Et puisque nos connaissances scolaires en biologie remontent un peu, voici une rapide séance de révisions : le système endocrinien est composé de l'ensemble des glandes et cellules qui produisent les hormones régulant notre organisme. Croissance et développement, fonction sexuelle, reproduction, humeur, sommeil, faim, stress, métabolisme et la manière dont notre corps utilise les aliments – tout est contrôlé par les hormones. Mais le système endocrinien est un instrument d'une grande précision qui peut être facilement déréglé. « On suppose que les obésogènes agissent en trompant le système régulateur du poids », explique Frederick vom Saal, professeur de biologie à l'Université du Missouri. C'est pourquoi les perturbateurs endocriniens sont si doués pour nous faire grossir – et c'est pourquoi les conseils en matière de régime ne fonctionnent pas toujours, car même en suivant à la lettre le conseil le plus judicieux qui soit, la menace des obésogènes pèsera toujours. Par exemple, le vieil adage « une pomme par jour éloigne le médecin pour toujours », prononcé il y 250 ans par Benjamin Franklin, est bien dépassé aujourd'hui si cette pomme est pleine de substances chimiques qui favorisent l'obésité.

RIPOSTEZ : les obésogènes pénètrent dans l'organisme de diverses manières – par le biais des hormones naturelles que l'on trouve dans les produits à base de soja, des hormones artificielles qui servent à nourrir les animaux, des polluants en plastique qui servent à emballer certains aliments, des substances chimiques que l'on ajoute dans les aliments préparés, et des pesticides dont on asperge les aliments. Lisez notre « Guide pour éviter les substances chimiques qui perturbent le système endocrinien et font grossir » à la fin de ce chapitre pour avoir plus d'informations sur la façon dont vous pouvez nettoyer votre organisme de ces envahisseurs qui favorisent la présence des graisses.

CONSEIL N° 61

Perdre le poids de l'eau. Vous faites de la rétention d'eau ? Évitez les aliments qui contiennent du sel (cela inclut tous les plats à emporter), pour favoriser les aliments riches en potassium comme les avocats et les bananes. Ils vous aideront à vous débarrasser du liquide superflu.

LES SUCRES CACHÉS : quand on commence à manger un peu de sucre, on finit toujours par en vouloir plus, ce qui se traduit par une augmentation du nombre de calories et du tour de taille. Le sucre crée une dépendance, sérieuse même. Une équipe de chercheurs de l'Université de Princeton a découvert que la consommation de sucre déclenche la libération d'opioïdes, des neurotransmetteurs qui déclenchent les récepteurs du plaisir dans le cerveau. Les drogues qui entraînent une dépendance, notamment la morphine, ciblent les mêmes récepteurs opioïdes. Oui, le sucre déclenche les mêmes mécanismes que les drogues, telles que l'héroïne et la morphine – ce qui explique pourquoi on en consomme tant. Une bonne partie des sucres consommés provient des sodas, des pâtisseries ou viennoiseries, des céréales pour le petit déjeuner, des bonbons et des boissons à base de fruits. Mais le sucre est présent dans une telle quantité de produits, et sous des noms tellement différents, que c'est à peine si l'on sait qu'on le consomme. Voyez plutôt ces pseudonymes : maltose, sorgho, sorbitol, dextrose, lactose, fructose, sirop de maïs à haute teneur en fructose (HFCS) et glucose. Et les versions plus saines : malt d'orge, sucre de riz brun, jus de fruit, miel, mélasse et sucre de canne biologique.

CONSEIL N° 62

Secouez-vous. Vous pouvez augmenter l'effet coupe-faim d'un milk-shake en le fouettant pour obtenir une mousse. Des chercheurs à l'Université d'État de Pennsylvanie ont découvert que les personnes qui boivent des milk-shakes plus aérés consomment 12 % de nourriture en moins au repas qui suit.

RIPOSTEZ : tous les sucres font flamber le taux d'insuline et nuisent de la même façon à l'organisme. Dans l'idéal, renoncez à tous les produits qui classent le sucre parmi les 4 premiers ingrédients. De cette façon, vous éviterez le pire, le fructose. De récentes recherches menées par des chercheurs de l'Université de Californie à San Francisco ont révélé que le fructose peut titiller votre cerveau pour qu'il en veuille encore plus, même si vous êtes repue. « D'après des recherches préliminaires, le fructose pourrait même jouer un rôle dans la perturbation du système endocrinien, en interférant avec notre capacité à produire de la leptine, l'hormone qui nous prévient quand on est rassasié », ajoute le Dr Robert Lustig, endocrinologue en pédiatrie. Le HFCS (mieux connu sous le nom de sirop de glucose-fructose, ou isoglucose, soit un sirop de maïs à haute teneur en fructose, largement utilisé dans les sodas) et le sirop de table ne sont pas vos seuls ennemis ; le jus de fruits peut être aussi mauvais que le soda : un jus de fruits « 100 % pur jus » contient 1,8 g de fructose pour 30 ml quand le soda en contient 1,7 g.

LE MANQUE DE SOMMEIL : des horaires de sommeil réguliers sont indispensables dans le cadre d'un programme d'amaigrissement. Dormir trop ou pas assez peut vous valoir quelques kilos supplémentaires. Dans le cadre d'une étude récente, des scientifiques canadiens ont découvert qu'en dormant 5 ou 6 heures par nuit, le risque de prendre du poids augmente de 69 % par rapport à une nuit de 8 heures. Et ce qui est surprenant, c'est qu'en dormant 9 ou 10 heures par nuit, le risque de surpoids augmente également de 38 %. « Le manque de sommeil déclenche la libération d'hormones qui stimulent l'appétit », explique le Pr Jean-Philippe Chaput, auteur de l'étude en question. « Mais trop dormir implique que vous dépenserez moins d'énergie dans la journée puisque vous n'êtes pas aussi active. » Par ailleurs, d'après une étude australienne, quand on fait une grasse matinée le week-end, on se sent plus fatigué le lundi et le mardi que si l'on maintenait l'horaire de réveil de la semaine. Les personnes souffrant d'un déficit de sommeil tendent à manger plus (et à dépenser moins d'énergie) parce qu'elles sont fatiguées, selon des chercheurs de l'Université Wake Forest ; à l'inverse, celles qui dépassent les 8 heures de sommeil sont moins actives.

RIPOSTEZ : veillez à avoir un bon rythme de mélatonine. Quand le soleil se couche, votre glande pinéale, ou épiphyse, se met en marche telle une horloge pour secréter de la mélatonine, une hormone qui favorise l'endormissement et régule le rythme circadien. Elle fait descendre la température du corps – laquelle empêche de dormir si elle est trop élevée. Les pics de production de mélatonine surviennent au milieu de la nuit, sachant que ce mécanisme peut être perturbé par la moindre petite lumière artificielle. Pour conserver un bon rythme de mélatonine, il est donc essentiel de dormir dans le noir. Installez des rideaux épais, couvrez votre réveil et éteignez tous les gadgets lumineux. Faites en sorte que vous ne puissiez plus voir vos mains. Si vous allez aux toilettes et que vous allumez la lumière, votre taux de mélatonine diminue instantanément, alors optez pour une veilleuse rouge (ou une lampe à infrarouge), cette couleur ayant un moindre effet sur la mélatonine que le bleu ou le blanc.

LES RUSES DES SUPERMARCHÉS : les fabricants de produits alimentaires nous prennent pour des imbéciles. Et leur stratégie de marketing repose là-dessus. Prenez par exemple les étiquettes « Contre le vieillissement », « Réduit le taux de cholestérol » : peut-on être sûr de cela ? Il s'agit ni plus ni moins d'un moyen de semer la confusion : les fabricants de produits alimentaires font en sorte de mettre en avant ce qui retiendra votre attention. Ils peuvent aussi nous induire en erreur avec le nombre de calories indiqué – par exemple, en indiquant celui correspondant à 2 verres alors qu'il va de soi que vous allez boire toute la bouteille. Nombre de ces stratégies sur les aliments préparés sont évidentes, mais un grand nombre des produits les plus nocifs sont des agents doubles. Ils se font passer pour des aliments sains, étiquetés avec des mots rassurants comme « enrichi », « léger », « 100 % naturel », mais vous seriez surprise de découvrir combien ces mots sont en réalité vides de sens.

RIPOSTEZ : pensez à votre magasin d'alimentation comme à un champ de bataille où les côtés du magasin – là où sont vendus les aliments frais, produits laitiers et viandes – sont votre camp de base. Restez là et ne faites que quelques petites incursions stratégiques dans les allées du milieu pour prendre des haricots et des céréales complètes. Mais apprenez à lire les étiquettes ! En France, les premiers textes de lois concernant l'étiquetage alimentaire sont apparus en 1993, mais certaines étiquettes restent encore floues aujourd'hui. Et tout est affaire de pourcentage avec les « allégations nutritionnelles » des fabricants. Par exemple, pour un aliment portant la mention « Enrichi en vitamines », la teneur finale du produit doit contenir 15 à 40 % des AJR (apports journaliers recommandés) pour 100 Kcal.

Évidemment, l'étiquetage a un impact sur le choix du consommateur. Des chercheurs travaillent actuellement sur un système restreint de classification des allégations nutritionnelles, afin que les industriels ne puissent pas en inventer de nouvelles. Et par exemple, si un fabricant veut marquer la mention « diététique » ou « énergétique », il devra respecter une directive européenne. De même, pour les produits qui portent les mentions « naturel », « pur » ou « fermier », vérifiez toujours que les labels correspondants, régis par le Code rural, soient présents (label AB).

Guide pour éviter les substances chimiques qui perturbent le système endocrinien et font grossir

Nos aliments, y compris ceux que l'on considère comme « équilibrés » ou « aliments de régime », sont remplis de perturbateurs endocriniens qui préparent le corps à stocker de la graisse. Voici ce que vous devez faire pour les éviter.

SAVOIR QUAND MANGER BIO. En 2010, l'association Générations futures a réalisé une enquête sur les substances chimiques présentes dans les aliments traditionnels, qui a révélé que plus d'une centaine de résidus chimiques avaient été identifiés en une seule journée d'enquête. Plus d'une quarantaine de ces résidus étaient des perturbateurs endocriniens, qui détournent le métabolisme et conduisent à stocker de la graisse. Des chercheurs ont même inventé un terme pour expliquer leur menace : ce sont des « obésogènes ». C'est vrai, les aliments bio sont parfois coûteux, mais il n'est pas nécessaire d'opter pour un régime 100 % bio – beaucoup d'aliments présentent des taux de pesticides tellement faibles qu'acheter bio ne vaut pas le coup. L'Environmental Working Group (EWG) a découvert que l'on pouvait réduire le risque d'exposition aux pesticides de près de 80 % simplement en optant pour le bio pour les 12 fruits et légumes les plus contaminés identifiés par leurs tests. Baptisés les « Dirty 12 », ces fruits et légumes sont les suivants, en commençant par le pire : céleri, pêches, fraises, pommes, myrtilles, nectarines, poivrons, épinards, chou vert, cerises, pommes de terre et raisin. En règle générale, si vous pouvez manger le produit sans en enlever la peau, passez au biologique.

NE MANGEZ PAS DE PLASTIQUE. Vous pensez sans doute que nous exagérons. Pourtant, vous en consommez. Il y a même des risques que vous présentiez un taux détectable de bisphénol-A (BPA) ou de phtalates dans l'organisme. Ces 2 substances chimiques d'origine synthétique miment l'action de l'œstrogène - en gros, des hormones féminines artificielles - et se glissent dans nos aliments à partir des emballages en plastique ou en aluminium. Elles amènent alors le corps à stocker de la graisse au lieu de développer ou de conserver de la masse musculaire. En minimisant votre exposition aux obésogènes renfermant du plastique, vous augmentez vos chances de perdre cette graisse disgracieuse et de renforcer votre masse musculaire sèche. Voici comment :

1. Ne faites jamais chauffer vos récipients en plastique et ne les placez jamais dans le lave-vaisselle, pour éviter de faire grimper le taux de BPA qu'ils libèrent. Le BPA s'échappe des bouteilles de boissons énergétiques en polycarbonate 55 fois plus vite lorsque celles-ci sont exposées à un liquide bouillant, selon une étude publiée dans la revue *Toxicology Letters*.

2. Évitez les aliments gras emballés dans du plastique, car les perturbateurs endocriniens sont stockés dans les tissus graisseux. Les emballages en plastique utilisés dans les supermarchés se composent le plus souvent de PVC ; ceux que vous achetez pour emballer vos objets sont en revanche de plus en plus souvent fabriqués en polyéthylène, et ne représentent aucun danger.

3. Réduisez votre consommation de boîtes de conserve.

CHOISISSEZ DE LA VIANDE MAIGRE. Lorsque c'est possible, choisissez des viandes issues d'animaux élevés en plein air. D'après plusieurs études, elles contiennent moins de matières grasses que celles provenant d'animaux élevés en milieu confiné et nourris aux grains, et pas d'hormones favorisant la prise de poids. Qui plus est, la viande des bovins nourris à l'herbe contient 60 % d'oméga-3 supplémentaires, 200 % de vitamine E en plus et 2 à 3 fois plus d'acide linoléique conjugué (ALC, un nutriment qui contribue à réduire le risque de maladies cardiaques, de cancer et d'obésité et aide à perdre du poids, selon une étude publiée dans l'*American Journal of Clinical Nutrition*) que le bœuf d'élevage traditionnel. Choisissez aussi du poisson maigre issu de la pêche durable et contenant peu de toxines comme le mercure et le PCB (polychlorobiphényle). Une étude publiée dans la revue *Occupational and Environmental Medicine* a révélé que l'on trouve encore aujourd'hui des traces du pesticide DDT, malgré son interdiction depuis 1973, et de son produit de dégradation, le DDE, dans le poisson gras. Les gros poissons mangeant les petits, ils portent donc en eux une charge toxique plus élevée. Évitez le thon obèse ou ahi, le tile, l'espadon, le requin et le marlin. Préférez les poissons plus petits comme l'anchois, le maquereau et le saumon sauvage. Choisissez de la truite arc-en-ciel d'élevage, des moules d'élevage, des pétoncles, du flétan ou du thon blanc. Pour faire cuire le poisson, faites-le griller ou passez-le au four et évitez de le faire revenir à la poêle – pour permettre l'écoulement des contaminants logés dans les parties graisseuses du poisson.

FILTREZ L'EAU. Le meilleur moyen d'éliminer les perturbateurs endocriniens de votre eau courante est d'appliquer un filtre à charbon actif. Prévus pour les robinets, les pichets et les installations sous l'évier, ces filtres éliminent presque tous les pesticides et les polluants. Avant votre achat, vérifiez qu'il s'agit bien d'une marque agréée.

LES PLUS SÉRIEUX DES RÉGIMES N'EN SONT PAS

Comment perdre du poids sans se priver.

Arrivée à ce stade du livre, vous en avez déjà beaucoup appris sur la remise en forme, la nutrition et la perte de poids. Vous avez réalisé quelques exercices simples pour évaluer votre condition physique et découvert bon nombre d'astuces pour vous sentir bien dans votre peau. Vous êtes maintenant prête à vous lancer avec audace vers l'avenir – avec un nouveau corps. Mais avant d'aller plus loin, trouvez la bonne réponse à la question suivante :

Vous risquez des problèmes de surpoids si :

A) L'exercice que vous faites le plus régulièrement consiste à tendre le bras vers les biscuits apéritif.

B) Le terme « régime » ne vous évoque que celui de bananes.

C) « Barre aux fruits et aux noix » ne vous rappelle que ce bar où on vous a servi un apéritif si exotique.

D) Vous êtes en ce moment même au régime

Et la réponse est : D !

Cela semble paradoxal, mais les études ont montré à maintes reprises que le risque de surpoids dans un avenir plus ou moins proche est intimement lié au fait que soyez au régime EN CE MOMENT MÊME. Car presque tous les régimes sont destinés à vous faire gagner du poids à terme.

Presque tous... puisque le régime *Women's Health* est radicalement différent. Mais avant de vous expliquer en quoi, voici ce que vous devez savoir...

Les inconvénients des régimes traditionnels

Il existe quantité de régimes de par le monde, dont des médecins, célébrités ou athlètes vantent les mérites, et toutes sortes de programmes minceur, certains très cohérents, d'autres complètement fantaisistes. Et ils ont un point commun : ils fonctionnent. Jusqu'à un certain stade.

Ils fonctionnent, car tous vous obligent à prêter attention à la nourriture que vous consommez et à réduire votre apport calorique. Qu'importe si certains semblent un peu farfelus : régime à base de pamplemousse, de soupe au chou, de fromage blanc ou encore de saucisson-mayonnaise (le dernier est pure invention !) Et qu'importe également si l'acte naturel de manger devient un exercice de trigonométrie quand il s'agit de procéder au calcul précis du nombre de calories, de rationner, de compter des points ou de doser au gramme près.

Qu'importe, en effet, car à court terme, chaque régime va fonctionner. Mais c'est sur le long terme que les ennuis commencent : les deux tiers des personnes qui perdent du poids pendant un régime finissent par peser plus que le jour où elles ont commencé. Et pourtant, le marché des régimes est extrêmement florissant...

Alors comment savoir si un régime est voué à l'échec ? De la même façon que l'on sait si une voiture est en train de rendre l'âme ou une relation en train de se terminer : en tenant compte des signes avant-coureurs.

Le régime *Women's Health* vous propose de dresser la liste des signes qui ne trompent pas et d'établir un diagnostique en 3 points.

CONSEIL N° 63

Un soupçon de lait.

Consommer 1 800 mg de calcium par jour pourrait bloquer l'apport d'environ 80 calories, d'après une étude scientifique américaine. Buvez du lait avant votre café, et gardez-en aussi pour mettre dans le café. Cela représente déjà 300 milligrammes !

INCONVÉNIENT N° 1 : certains régimes prescrivent d'éliminer un groupe entier d'aliments. Lorsqu'un régime se définit comme « pauvre en matières grasses » ou « pauvre en glucides », ou qu'il implique un nettoyage du corps avec des cocktails ou des smoothies à base d'aliments naturels, il s'agit ni plus ni moins d'une restriction du nombre de calories, et non d'une perte de poids magique. Une étude britannique récente a révélé que quel que soit le régime que vous suivez – qu'il interdise les glucides, les lipides, le sodium, la viande ou les produits laitiers, les omelettes ou les cakes aux fruits –, vous perdrez de toute façon du poids puisque la suppression d'un groupe d'aliments va automatiquement générer un déficit en calories. Plusieurs études recoupent cette constatation.

CONSEIL N° 64

Évitez les sodas. En buvant 2 sodas ou plus par semaine, le risque de développer le cancer du pancréas pourrait augmenter de 87 %, selon une étude publiée dans la revue *Cancer Epidemiology, Biomarkers & Prevention.*

Mais la diminution de l'apport calorique n'est pas viable, elle peut même nuire à votre santé (surtout si vous souhaitez développer et conserver votre masse musculaire), et elle est vouée à une reprise de poids sur le long terme. Des scientifiques, dans le cadre d'une recherche dont les résultats sont parus dans la revue *Psychosomatic Medicine,* ont observé la façon dont l'organisme réagit lorsque l'apport calorique est soit sous surveillance, soit limité. Ils ont mis en évidence que la restriction du nombre de calories entraîne une augmentation du taux de l'hormone de stress (le cortisol) dans le sang, et que même le simple fait de s'en préoccuper occasionne du stress. (Le cortisol est une hormone qui prévient l'organisme qu'il y a de l'orage dans l'air et vous contraint, en gros, à stocker les calories sous forme de graisse pour faire face à cette menace.) Les chercheurs en ont conclu que « suivre un régime ou restreindre l'apport en calories est inefficace car cela induit un stress psychologique chronique et une augmentation de la production de cortisol – deux facteurs reconnus pour favoriser la prise de poids ». Les auteurs de l'étude ajoutent que tout régime peut nuire au bien-être physique et psychologique. C'est pour toutes ces raisons que dans le cadre de *Women's Health : le régime*, il est question de manger davantage et non de se priver.

INCONVÉNIENT N° 2 : certains régimes vous imposent de respecter une formule, un algorithme ou un calcul de points pour savoir ce que vous pouvez manger. Des chercheurs en sciences cognitives de l'Université de l'Indiana et de l'Institut Max-Planck pour le développement humain à Berlin ont récemment découvert que plus un régime semble complexe, plus il y a de chances pour que vous l'abandonniez. Les auteurs de ces travaux ont comparé les résultats de femmes suivant le régime Weight Watchers, qui repose sur un système de points, et d'autres qui s'en tenaient à un régime simple proposant des aliments et repas spécifiques. Ils ont découvert que le simple fait de percevoir un régime comme compliqué (alors qu'il est peut-être simple en réalité) le rend plus susceptible d'être abandonné en cours de route. C'est la raison pour laquelle nous avons voulu que le régime *Women's Health* soit si facile d'accès. Tout ce que vous avez à faire, c'est d'évaluer à vue de nez vos portions, comme nous l'indiquerons plus tard. Nul besoin de faire travailler votre cerveau.

CONSEIL N° 65

Halte aux ampoules.
Pendant les longues séances d'entraînement, mettez-vous un peu de Vaseline sur la plante des pieds et entre les orteils. Cela évitera les ampoules si vous transpirez.

INCONVÉNIENT N° 3 : certains régimes reposent sur un seul nutriment ou un seul aliment. Vous avez sans doute déjà entendu parler de ces régimes à base de pommes, de vinaigre de cidre ou encore d'ananas. Ces curieux régimes en vogue cachent deux choses : 1) il s'agit d'une restriction de calories déguisée 2) c'est une privation qui empêche de profiter de toute la variété alimentaire que la nature peut offrir. Pour ces deux raisons, ce type de régimes n'est

CONSEIL N° 66

Diminuez votre appétit. Boire avant le repas, qu'il s'agisse de deux verres d'eau ou d'un bol de soupe, peut renforcer la sensation de satiété et réduire par conséquent l'apport calorique de près de 20 %. Essayez ceci : buvez un verre d'eau et avalez un bouillon comme un miso, un minestrone ou du bouillon de poule avec des vermicelles en guise d'entrée.

pas viable et vous fera à coup sûr reprendre du poids par la suite. On ne peut tout simplement pas vivre avec une gamme d'aliments aussi restreinte. Nos papilles ont besoin de diversité, et pour une bonne raison : un régime varié est un régime sain. Lorsqu'on se prive d'une bonne alimentation pour perdre du poids, le corps se rebelle. Une étude publiée dans la revue *International Journal of Obesity* révèle que 91 % des personnes qui suivent un régime connaissent des fringales. Le pourcentage s'élève même à mesure que la restriction de calories se poursuit. Chaque fois que vous vous privez d'une part de tarte, d'un croissant ou de votre péché mignon, les chances de savoir dire non la fois suivante diminuent. Pourquoi ? Parce que la maîtrise de soi est alimentée par... le sucre ! Le glucose, pour être exact. Donc, chaque fois que vous dites non à ces glucides, vous avez encore plus besoin des nutriments qu'ils contiennent.

La plupart des régimes courants sont simplement des variations sur les 3 thèmes que nous venons de développer. Faisons un tour des régimes les plus connus.

Régime The Zone ou régime du juste milieu

Au fondement de ce régime particulier, la constatation que des niveaux élevés d'insuline contribuent à la prise de poids. En conséquence de quoi, stabiliser l'insuline conduit à la perte de poids. Logique.

Mais pour atteindre cet objectif, chaque repas doit contenir un ratio spécifique en glucides, protéines et matières grasses (respectivement 40 %, 30 et 30 %). C'est la « zone » dans laquelle vous devez demeurer. À chaque repas, il faut consommer des protéines maigres ; privilégier les bonnes graisses comme les acides gras mono-insaturés présents dans l'huile d'olive, les amandes et les avocats, et les oméga-3 que l'on trouve par exemple dans le poisson ; limiter la consommation de glucides aux céréales complètes et à quelques fruits, mais en évitant les jus de fruits, la bière et les friandises ; réduire les graisses saturées provenant de la viande rouge et des jaunes d'œufs ; et éviter les aliments tout prêts. Et il ne s'agit que du régime de base. Les aliments sont regroupés dans des « blocs » selon leur teneur en protéines, lipides et glucides, de sorte qu'un groupe d'aliments donne le ratio magique de 40-30-30. Et vous vous voyez attribuer tant de blocs par jour selon votre activité.

Ce régime a le mérite d'essayer d'équilibrer les nutriments essentiels, tout en tâchant de laisser une certaine diversité alimentaire. Mais, d'après une étude récente publiée dans le *Journal of the American Medical Association*, il aurait le même effet sur le taux d'insuline que n'importe quel autre régime classique. Ainsi, tout ce comptage de glucides, de protéines et de matières grasses pour s'assurer que le ratio de chacun soit bien respecté à chaque repas revient à vous rendre hyperattentive aux aliments que vous consommez, et à vous aider à limiter votre apport en calories pour perdre du poids.

Avez-vous repéré un ou plusieurs inconvénients à propos de ce régime ? L'inconvénient n° 2 ressort : ce régime est trop complexe et par conséquent probablement impossible à tenir. Cela dit, il propose des aliments préemballés qui correspondent au ratio demandé, mais ces aliments subissent une importante transformation et sont bien peu naturels. Le régime *Women's Health* convient beaucoup mieux à votre santé.

CONSEIL N° 67

Entretenez vos muscles.
Le simple fait de tenir des haltères renforce les poignets et les avant-bras de près de 25 % et 16 % en 12 semaines, d'après une étude menée à l'Université d'Auburn.

Régime Atkins

C'est un régime pauvre en glucides, riche en protéines et sans restriction des graisses – à condition qu'elles soient équilibrées –, qui se déroule en 4 phases. Lors de la phase 1, on élimine presque tous les glucides : vous n'en avez droit qu'à 20 g par jour, ce qui signifie pas de pain, ni de pâtes, ni de fruits, de légumes ou de jus ; uniquement des protéines et des matières grasses. Lors de la phase 2, on augmente l'apport glucidique à 25 g par jour pendant une semaine, puis on l'augmente encore de 5 g les semaines suivantes, jusqu'à ce que l'on cesse de perdre du poids. Lors de la phase 3, la consommation de glucides est réduite de 5 g par jour pour relancer la perte de poids. La phase 4 repose sur le calcul de la quantité de glucides nécessaires pour maintenir le poids.

CONSEIL N° 68

Chagrin d'amour. Si vous avez le cœur brisé, essayez le paracétamol. D'après une nouvelle étude publiée dans *Psychological Science*, la prise régulière de paracétamol (1 g par jour pendant 3 semaines ; vérifiez auprès de votre pharmacien la posologie qui vous convient) soulagerait la peine ou la souffrance après une rupture, le paracétamol augmentant le seuil de douleur physique et émotionnelle que peut supporter le cerveau.

À bien des égards, ne pas manger de fruits et légumes – ces aliments que l'on présente, étude après étude, comme étant la clé de la santé et de la longévité – paraît contre-productif. Et la privation de certains aliments n'est jamais facile à accepter.

L'accent mis sur les protéines est pourtant, en soi, un bon principe. Une étude récente de l'*American Journal of Clinical Nutrition* révèle que ceux qui reçoivent 30 % de leurs calories quotidiennes à partir des protéines se sentent plus rassasiés que ceux qui en mangent moins. Ils consomment jusqu'à 440 calories de moins par jour et peuvent perdre un peu plus de 2 kg en 2 semaines. Mais le régime Atkins pousse cette idée à l'extrême. En réalité, il ne s'agit ni plus ni moins que d'une restriction calorique déguisée. Bien sûr, vous allez perdre du poids si vous renoncez complètement à un groupe d'aliments. Mais vous perdez aussi toute une gamme de saveurs merveilleuses, d'odeurs et de textures dont votre organisme a besoin. Ce régime cumule les 3 inconvénients cités plus haut. Cela signifie qu'il n'est simplement pas tenable. Renoncer à des aliments ne vous donnera que plus envie d'en manger et vous risquez de finir par vous en gaver. Vous perdrez du poids au départ, mais quant à le maîtriser, c'est une autre histoire. Le régime *Women's Health* est une méthode plus sûre et plus savoureuse.

Weight Watchers

Dans ce régime, chaque portion d'aliment se voit attribuer une valeur en fonction de ses calories, de sa teneur en matières grasses et en fibres. Plus la portion contient de fibres, plus le nombre de points est faible ; à l'inverse, plus elle est riche en calories et en matières grasses, plus le nombre de points augmente. Votre mission consiste à demeurer sous un certain nombre de points, tous les jours, afin d'atteindre votre objectif final. Vous pouvez choisir entre un régime riche en glucides ou riche en protéines.

Les concepteurs de Weight Watchers ont le mérite d'aider les gens à comprendre combien de calories ils consomment. Et l'accent est mis sur l'accompagnement par des pairs, un aspect primordial quand on suit un régime. Mais si la surveillance de l'apport calorique quotidien est un exercice important pour ceux qui veulent perdre du poids, il faut bien se dire qu'en fin de compte, ce n'est que ça : un exercice. Le comptage de calories est rébarbatif à long terme et la nourriture est faite pour être appréciée. De plus, le système de points peut avoir un effet pervers comme celui de ralentir le métabolisme, si, par exemple, vous consommez tous vos points en un seul repas et que vous vous privez le reste de la journée. Ce régime est la figure emblématique de l'inconvénient n° 2.

VOICI CE QU'IL FAUT RETENIR DE TOUS CES RÉGIMES ET DE BIEN D'AUTRES : les gadgets ne fonctionnent pas. Aucun ratio, aucune restriction de glucides, aucun système de points ne va vous aider à faire face, chaque jour, à la variété de nourriture qui vous est proposée. Le programme de nutrition du régime *Women's Health* prend en compte la réalité de votre environnement et vous propose un régime – un mode de vie, même – qui vous permet de consommer ce que vous aimez et de perdre du poids sans en reprendre ensuite.

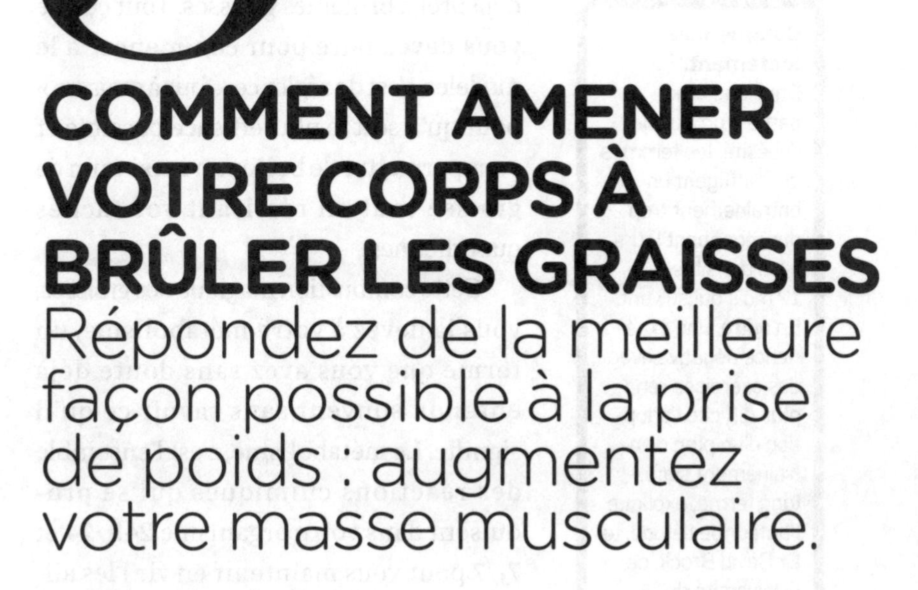

5

COMMENT AMENER VOTRE CORPS À BRÛLER LES GRAISSES

Répondez de la meilleure façon possible à la prise de poids : augmentez votre masse musculaire.

Que diriez-vous de brûler environ 40 calories, comme par magie, dans les 15 minutes qui viennent, sans la moindre petite goutte de sueur ? Vous voulez essayer ? Voici ce que vous allez faire.

Allez dans votre chambre. Ouvrez le placard et regardez à l'intérieur. Avez-vous quelques vêtements à apporter au pressing ? Peut-être une veste avec une tache de sauce ? Jetez-la dans un sac. Remettez un peu d'ordre dans la penderie et pliez vos pulls de façon que votre garde-robe ne donne plus l'impression que vous avez fui les paparazzis. Bon travail. Maintenant, asseyez-vous.

Vous venez de brûler 40 calories, voire plus, en moins de temps qu'il ne vous en faut pour vous maquiller, rien qu'en rangeant un peu vos vêtements. Magique, non ?

CONSEIL N° 69

Commencez lentement. Dans une étude parue à propos de l'obésité, les femmes qui s'infligent un entraînement trop dur regagnent leurs kilos dans les 12 mois qui suivent. En outre, une expérience négative avec des exercices rend plus difficile l'adoption d'un plan d'entraînement sur le long terme, explique l'auteur de l'étude, le Dr David Brock, de l'Université du Vermont.

Enfin, pas tant que cela : votre corps est déjà prêt à brûler les graisses. Tout ce que vous devez faire pour commencer à le modeler, c'est de régler ce « four à graisses » pour qu'il soit le plus efficace possible et vous permettre de brûler un maximum de graisse tout en réalisant vos tâches quotidiennes.

Cette combustion magique des graisses, vous la devez à votre métabolisme, un terme que vous avez sans doute déjà entendu souvent sans savoir ce qu'il signifie. Le métabolisme, c'est l'ensemble des réactions chimiques qui se produisent dans votre organisme 24h/24 et 7j/7 pour vous maintenir en vie : les aliments sont transformés en énergie, qui est à son tour dépensée pour permettre à vos cheveux de continuer de pousser, à votre cœur de battre, à votre foie de sécréter de la bile, à vos poumons d'acheminer l'oxygène dans votre système sanguin et à vos reins de transformer ce que vous buvez en urine. C'est la salle des machines de votre vaisseau individuel, qui brûle inlassablement vos calories. Et si vous pensez qu'il faut, pour cela, pratiquer une activité physique intense, comme faire du vélo, plonger dans une piscine ou avoir des relations intimes, en réalité, vous brûlez la plupart de vos calories en laissant simplement les lumières allumées.

Pensez au métabolisme comme à un plan d'épargne. Vous n'allez pas en tirer une satisfaction immédiate comme, par exemple, toucher le jackpot dans une machine à sous. C'est une stratégie à long terme, mais une chose est sûre : investissez-vous et vous obtiendrez des résultats certes lents, mais réguliers et efficaces, qui vous rendront heureuse et en pleine forme pour les années à venir. Mais comme tout investissement à long terme, votre métabolisme a besoin d'un peu d'entretien de temps en temps. Dans ce chapitre, nous vous proposerons des moyens astucieux pour changer votre métabolisme, pour brûler de plus en plus de calories sur le long terme. Ou, comme on dit dans les milieux financiers, il est temps de travailler moins pour brûler plus de calories, et que vos calories commencent à travailler pour vous ! Préparez-vous à quelques surprises en commençant par celle-ci...

Pourquoi brûler des calories dans une salle de sport est une perte de temps

Une « perte de temps » ? Est-ce bien sérieux ? Est-ce vraiment un livre sur la santé des femmes ?

Soyons clair : brûler des calories dans une salle de sport, c'est fantastique. D'ailleurs, dans le chapitre 8, vous découvrirez un programme accéléré de remise en forme – le programme le plus efficace jamais conçu pour dépenser près de 130 calories chez une femme de 63,5 kg en 15 minutes seulement (soit un peu plus de 500 calories en une heure).

Il faut simplement savoir que les besoins énergétiques varient d'une personne à l'autre en fonction de 3 éléments.

1 : LE MÉTABOLISME BASAL (AU REPOS)

Le taux de votre métabolisme de base représente 60 à 70 % de votre métabolisme général, soit le nombre de calories que vous brûlez en ne faisant absolument rien, que vous soyez allongée sur votre lit à fixer le plafond ou que vous végétiez sur votre canapé en regardant la télévision. Comme nous l'avons indiqué plus haut, c'est l'énergie requise pour effectuer ses fonctions de base – rythme cardiaque, respiration, division cellulaire.

2 : LE MÉTABOLISME DIGESTIF

La digestion – la transformation des glucides en sucre et des protéines en acides aminés – brûle en général de 10 à 15 % de vos calories quotidiennes : c'est l'effet thermique des aliments. Les protéines digestives brûlent davantage de calories que les glucides digestifs ou la graisse – environ 25 calories pour 100 calories consommées. Les glucides digestifs et la graisse brûlent environ de 10 à 15 calories pour 100 consommées. Vous verrez pourquoi il est important de s'en souvenir dans le chapitre 6.

> **CONSEIL N° 70**
>
> **Prévoyez l'avenir.** Les graines de courge représentent le moyen le plus simple de consommer davantage de magnésium, que les chercheurs français ont lié à la longévité.

Réfléchissez à ceci : vous brûlez entre 70 et 85 % de calories par jour au repos et en mangeant. Alors qu'advient-il des 15 ou 30 % restants ?

3 : LE MÉTABOLISME EN ACTIVITÉ

Cette partie de votre métabolisme comprend les exercices sportifs et les autres activités physiques plus agréables (qu'on appelle « thermogenèse liée à l'activité physique »), et quantité de mouvements anodins que nous effectuons tout au long de la journée, comme tourner les pages de ce livre ou se tourner les pouces (on appelle cela la « thermogenèse d'activité hors-exercice »).

Tout cela soulève 2 questions intéressantes : pourquoi est-ce si difficile de perdre du poids alors que l'on fait de l'exercice ? Pourquoi voit-on autant de personnes fortes dans les salles de gym ? La réponse est simple. Les exercices ne ciblent que 15 à 30 % de votre combustion de graisses. Jusqu'à 85 % des calories que vous brûlez sur une journée n'ont rien à voir avec votre activité physique.

Cela revient-il à dire qu'il ne faut plus faire de sport ? Pas tout à fait.

Plus on est gros, plus on le devient : mais pourquoi ?

La graisse attire... la graisse. Voici pourquoi.

Votre taux de métabolisme au repos – qui consomme la plupart des calories dépensées par jour – est déterminé par deux choses : votre patrimoine génétique et la quantité de graisse par rapport aux muscles dans votre corps. Et votre patrimoine génétique étant ce qu'il est, il ne vous reste qu'à améliorer l'autre point de l'équation et faire grimper votre métabolisme de base de plusieurs crans.

Le problème, c'est que la graisse travaille littéralement pour ralentir votre dépense calorique. « Gros et paresseux » est une description assez exacte d'un point de vue scientifique. La graisse est paresseuse au niveau métabolique. Elle brûle à peine quelques calories. Pour que votre corps supporte un kilo de graisse, il doit brûler simplement 2 petites calories par jour.

Prenez du jus pour dormir.
Le jus de cerise est un concentré de mélatonine, et donc un somnifère efficace. Méfiez-vous néanmoins des mélanges de jus qui contiennent un taux élevé de sucre.

Les muscles, de leur côté, sont très actifs au niveau métabolique. C'est la clé : au repos, un kilo de muscle brûle 3 fois plus de calories par jour simplement pour s'entretenir – et bon nombre de ces calories que les muscles brûlent viennent des unités de stockage de la graisse. C'est pour cela que la graisse déteste les muscles (et que vous devriez adorer ces derniers) : ils la brûlent constamment.

La graisse se rebelle en tentant d'user le muscle pour pouvoir faire entrer de la graisse supplémentaire dans le corps. Le vrai méchant dans cette bataille qui se joue en ce moment même dans votre corps, c'est la « graisse viscérale ». Comme vous l'avez lu dans notre cahier spécial « Anatomie d'un embonpoint » p. 65, la graisse viscérale se loge derrière les muscles abdominaux et enveloppe les organes internes (les viscères). Et cette graisse viscérale commet ses méfaits en libérant collectivement des substances appelées « adipokines », lesquelles se composent de substances qui font augmenter le risque d'hypertension, de diabète, d'inflammation et de maladies cardiaques. La graisse viscérale lutte aussi contre une hormone importante appelée l'« adiponectine », qui régule le métabolisme. Plus vous avez de graisse viscérale, moins l'organisme contient d'adiponectine et moins votre métabolisme est régulé. En clair, la graisse engendre littéralement la graisse.

CONSEIL N° 72

Éliminez le tartre. Les chewing-gums sans sucre (avec du xylitol, un alcool de sucre) éliminent 33 % de tartre en plus sur les dents.

Selon une étude publiée dans la revue *Journal of Applied Physiology*, ces molécules biologiquement actives que libère la graisse viscérale peuvent compromettre la qualité du muscle – qui, au final, engendre plus de graisse. La solution ? Plus de muscle.

Après 25 ans, on commence tous à perdre notre masse musculaire si l'on ne fait rien pour la conserver : 1/5 de 500 g de muscle par an entre 25 et 30 ans, puis jusqu'à 500 g par an. Qui plus est, la perte de force et de masse musculaire est liée à un affaiblissement du système immunitaire, sans compter celui des os, des articulations et un affaissement du dos. On a, par ailleurs, découvert que la masse musculaire jouait un rôle central dans la réponse au stress. D'autres recherches devraient révéler des liens quantifiables entre la perte de masse musculaire et le taux de mortalité par cancer.

La masse musculaire joue aussi un rôle clé dans la prévention de certaines affections, plus courantes mais non moins mortelles, comme

Comment brûler 10 kg cette année sans rien sentir

RÉFLÉCHISSEZ À CECI : Pour 10 calories supplémentaires brûlées par jour, vous perdrez 500 g par an. Ce qui veut dire que si vous pouviez brûler ne serait-ce que 210 calories en plus par jour, vous pourriez perdre 10 kg, tout cela sans mettre le pied dans une salle de gym. Il vous suffit de modifier légèrement vos habitudes.

MODE D'EMPLOI : appliquez au quotidien les stratégies qui suivent et vous pourrez sans effort brûler environ 10 % de calories supplémentaires par jour*.

+	+	+	+	+
À FAIRE	**À FAIRE**	**À FAIRE**	**À FAIRE**	**À FAIRE**
Une marche rapide de 20 minutes	Rester debout pendant 3 appels téléphoniques de 10 minutes	Jouer énergiquement avec vos enfants ou votre animal de compagnie pendant 15 minutes	Passer 15 minutes à faire la vaisselle	Prendre 10 minutes pour ranger une pièce
–	–	–	–	–
À NE PAS FAIRE	**À NE PAS FAIRE**	**À NE PAS FAIRE**	**À NE PAS FAIRE**	**À NE PAS FAIRE**
Rester assise pendant votre heure de déjeuner	Mettre les pieds sur votre bureau	Regarder la télévision avant le dîner	Aller tout droit vers le canapé	Aller vous coucher juste après le dîner
=	=	=	=	=
49 calories supplémentaires brûlées	33 calories supplémentaires brûlées	82 calories supplémentaires brûlées	27 calories supplémentaires brûlées	21 calories supplémentaires brûlées

TOTAL : 210 calories

*en prenant comme référence une femme de 63,5 kg

les maladies cardiovasculaires et le diabète. Une étude scientifique publiée dans le *Journal Circulation* en 2006 a permis de relier la perte de masse musculaire à l'insulinorésistance (le principal facteur de diabète de type 2), à un taux élevé de lipides dans le sang et à une augmentation de la masse graisseuse, surtout la graisse viscérale.

Vous voyez ? Il s'agit bien d'une guerre. Pour vaincre l'ennemi – la graisse viscérale – vous avez donc besoin de renforts.

Pourquoi les calories les plus importantes que vous puissiez brûler sont celles que vous êtes justement en train de brûler

Vous l'avez compris, le muscle constitue votre moyen de défense contre l'invasion de la graisse. C'est la raison pour laquelle le programme accéléré de remise en forme constitue la mise à niveau parfaite pour y parvenir. Il s'agit d'un plan de musculation comportant un volet d'aérobic qui aidera votre corps à s'attaquer à la graisse, même quand vous êtes au repos. Il fonctionne de 3 manières, pour 3 raisons simples :

Premièrement, comme expliqué plus haut, 500 g de graisse ne brûlent que 2 calories par jour, alors que le même volume de muscle en brûle environ 6, selon les chercheurs. Plus vous avez de muscles, plus vous brûlerez de graisse, jour après jour, et c'est pourquoi le programme accéléré de remise en forme de *Women's Health* met l'accent sur le développement des muscles secs.

Deuxièmement, si les muscles brûlent des calories, de nouveaux muscles en brûleront même davantage, car le travail physique que vous devez entreprendre pour développer et conserver votre masse musculaire peut avoir un effet retentissant sur l'ensemble de votre métabolisme. Des recherches montrent qu'une seule séance de musculation peut prolonger la dépense de calories jusqu'à 39 heures après les exercices. Souvenez-vous, cela n'inclut pas les calories que vous brûlez pendant que vous vous entraînez soit, à peu près, 8,5 calories par minute ou 508 par heure. Considérez-les comme un bonus.

Cette dépense de calories à long terme dont vous bénéficiez grâce à vos séances de musculation ne vous permet pas seulement de perdre les kilos en trop. Elle cible tout particulièrement la graisse du ventre. Dans le cadre d'une étude dirigée par le Dr Volek, spécialiste en sport et en nutrition à l'Université du Connecticut, les participants suivant un régime pauvre en calories ont été divisés en 3 groupes. Dans le premier groupe, les participants ne faisaient pas d'exercice, dans le second, ils pratiquaient des exercices aérobiques 3 jours par semaine et, dans le dernier, ils faisaient des exercices aérobiques et de la musculation 3 jours par semaine. Au terme de cette étude, chaque groupe a perdu à peu près le même poids, soit près de 9,5 kg en 12 semaines. En revanche, les participants ayant pratiqué la musculation ont perdu 2 kg supplémentaires de graisse par rapport à ceux qui n'en faisaient pas. Ils n'ont pratiquement perdu que de la graisse alors que les 2 autres groupes ont certes perdu de la graisse, mais aussi 2 kg de muscle. « Réfléchissez bien à cela, ajoute le Dr Volek. Pour la même durée d'entraînement et un régime identique, les participants ayant fait de la musculation ont perdu presque 40 % de graisse en plus. »

CONSEIL N° 73

Étalez-vous !
La prochaine fois que vous faites des pompes, écartez davantage les mains – vous ferez travailler les muscles du torse et des épaules plus intensément.

Enfin, la troisième raison, et la plus stimulante, pour laquelle la musculation est le moyen absolu pour combattre la graisse est que plus vous êtes musclée, plus votre corps est capable d'utiliser les nutriments que vous consommez et moins il stocke la nourriture (y compris les aliments de mauvaise qualité) sous forme de graisse.

Vos muscles stockent de l'énergie (lisez : calories) sous la forme de glycogène. Quand vous faites de l'exercice, ils doivent faire appel au glycogène pour accomplir le travail demandé. (Quand vous vous sentez sur les rotules après une séance sur le tapis de course, ce sont les muscles des jambes qui vous informent que leur taux de glycogène est proche de zéro.) L'un des (nombreux) avantages de l'entraî-

Brûlez vos calories !

Dépense de calories par heure chez une femme de 63,5 kg

	Activité	Calories
1.	RESTER ASSISE AU BUREAU	114
2.	AVOIR UNE RELATION SEXUELLE	125
3.	JOUER AU VOLLEY-BALL	254
4.	FAIRE DU CANOË	286
5.	JOUER AU GOLF	286
6.	FAIRE DU KAYAK	318
7.	FAIRE DE LA RANDONNÉE	381
8.	FAIRE DU SURF	400
9.	JOUER AU TENNIS	445
10.	FAIRE DE LA GYMNASTIQUE DANS LE SABLE	222 - 508
11.	NAGER	445
12.	FAIRE DE LA MUSCULATION	508
13.	SAUTER À LA CORDE	508
14.	JOUER À L'ULTIMATE FRISBEE	508
15.	FAIRE DU JOGGING	508
16.	FAIRE DU VTT EN TERRAIN VARIÉ	540
17.	FAIRE DE LA COURSE À PIED SUR UN TERRAIN VARIÉ	572
18.	COURIR DANS LE SABLE	597
19.	JOUER AU FOOT	445 - 635
20.	PÉDALER ÉNERGIQUEMENT EN MONTÉE	508 - 635
21.	FAIRE DE L'ESCALADE	699
22.	FAIRE DE L'AVIRON	445 - 762
23.	MONTER LES ESCALIERS EN COURANT	953

Source: *Compendium of Physical Activities Tracking Guide*

nement est qu'après une séance d'exercice, les hormones qui stockent la graisse sont contenues, car votre organisme veut utiliser les glucides recueillis pour rétablir le glycogène dégradé pendant l'effort. Les glucides que vous consommez après l'effort sont donc stockés dans les muscles et non dans vos poignées d'amour.

Mais il y a mieux encore : votre corps – qui brûle toujours des calories à un rythme soutenu des heures après votre séance d'exercice – veut absolument fournir de l'énergie pour que votre cerveau continue de penser, votre cœur de battre et vos ongles de pousser. Et puisque toute la nourriture que vous mangez est stockée dans vos muscles, votre organisme doit trouver autre chose à brûler. Et devinez ce qu'il peut brûler ? De la graisse du ventre !

CONSEIL N° 74

Faites doublement travailler vos abdos.
Des chercheurs canadiens ont découvert que les abdominaux travaillaient 2 fois plus quand vous effectuez une planche si vous posez les pieds sur un Swissball (ballon de gymnastique) et non au sol.

Les exercices d'endurance faisant également appel au glycogène, vous pouvez les intégrer dans votre programme d'amincissement. Une étude publiée dans le *British Journal of Nutrition* a révélé qu'après 1 h 30 de vélo, à un rythme modéré à intense, un repas d'environ 500 g de pâtes (400 g de pâtes cuites produisant 297 g de glucides) n'engendrait aucune prise de graisse. Vous avez bien lu, près de 500 g de pâtes et aucun surplus de graisse. Tous ces glucides ont été dirigés vers les muscles pour un usage ultérieur. C'est pourquoi notre programme vous fait travailler rapidement et de manière efficace, favorisant une dépense calorique liée à un entraînement aérobique, même quand vous développez votre masse musculaire.

Un petit bonus de notre programme également : vous pouvez manger tout ce que vous voulez. C'est même avec le repas qui suit votre séance d'exercices que vous pouvez vous faire le plus plaisir. Vous pouvez consommer davantage de calories et même vous autoriser quelque chose de sucré : selon certaines recherches, il n'y a rien de mieux qu'un mélange de glucides (certains provenant du sucre) et de protéines pour accélérer le développement musculaire. Réponse particulièrement rapide et bon marché : un lait chocolaté. Même si votre centre de fitness propose pléthore de boissons protéinées coûteuses, plusieurs études universitaires ont démontré que ce que l'on buvait petit en rentrant de l'école reste le meilleur cocktail pour développer ses biceps. Alors prenez une paille et faites-vous plaisir !

Pourquoi faire grimper votre métabolisme est plus facile que vous ne le pensez

Avant même de vous mettre au sport, il y a plein d'astuces possibles pour se débarrasser de la graisse viscérale, améliorer le processus métabolique d'élimination de la graisse et commencer à perdre rapidement du poids.

1. NE FAITES PAS DE RÉGIME

Le régime *Women's Health* ne parle pas de manger moins. Il s'agit de manger davantage, de faire le plein d'aliments riches en nutriments, pour évincer les calories inutiles et vous maintenir rassasiée toute la journée. C'est important, parce que la restriction de nourriture détruit votre métabolisme. L'organisme se plaint d'avoir faim et réagit en ralentissant le métabolisme pour se raccrocher aux réserves en énergie existantes. Pire encore, si vous continuez à ne pas manger suffisamment, vous commencerez à brûler les tissus musculaires, donnant à votre ennemi, la graisse viscérale, un avantage de taille. Votre métabolisme chute encore plus et la graisse continue à gagner du terrain.

2. COUCHEZ-VOUS PLUS TÔT

Dans le cadre d'une étude réalisée en Finlande, des chercheurs ont étudié plusieurs paires de vrais jumeaux et découvert que pour chacune, celui qui dormait le moins et se sentait le plus stressé avait le plus de graisse viscérale.

3. CONSOMMEZ PLUS DE PROTÉINES

Votre organisme a besoin de protéines pour conserver ses muscles secs. D'après une étude publiée en 2006 dans l'*American Journal of Clinical Nutrition*, des chercheurs ont affirmé que l'apport quotidien alors préconisé en protéines, 0,36 g par 500 g de poids corporel, était établi à l'aide de données obsolètes et qu'il était complètement inapproprié pour un individu pratiquant la musculation. Les chercheurs recommandent désormais que les femmes en absorbent entre 0,54 et 1 g par kilo de poids corporel. Ajoutez donc une portion de protéines comme, par exemple, 85 g de viande maigre, 2 cuillères à soupe de noix ou 220 g de yaourt maigre à chaque repas et collation. Qui plus est, des recherches ont montré que les protéines peuvent faire augmenter la dépense de calories postprandiale d'environ 35 %.

4. OPTEZ LE PLUS POSSIBLE POUR LE BIO

Des chercheurs canadiens ont découvert que le métabolisme des personnes au régime présentant le taux le plus élevé d'organochlorines (polluants issus des pesticides logés dans les cellules graisseuses) chutait de façon anormale au fur et à mesure qu'elles perdaient du poids, sans doute parce que les toxines perturbent le mécanisme de dépense d'énergie. En d'autres termes, les pesticides peuvent rendre plus difficile la perte de poids. Il n'est malheureusement pas toujours facile de trouver – ou de s'offrir –

> **CONSEIL N° 75**
>
> **Adoptez une alimentation saine.** Les jeunes pousses de brocoli contiennent 100 fois plus de sulforaphane, une substance qui pourrait protéger contre certains cancers, que les brocolis matures.

toute une gamme de produits bio ; alors, il est important de savoir quand ils sont nécessaires et quand ils le sont moins. Des oignons, des avocats et des pamplemousses bio ? Pas nécessairement. Optez en revanche pour le bio quand vous achetez du céleri, des pêches, des fraises, des pommes, des myrtilles, des nectarines, des poivrons, des épinards, du chou vert, des cerises, des pommes de terre et du raisin importé, puisqu'ils contiennent le taux le plus élevé de pesticides. Utilisez ce repère : si vous pouvez manger la peau, choisissez le bio.

Mesurez votre taux métabolique

Le meilleur moyen d'évaluer votre dépense en calories par jour est de calculer, sans tricher, votre apport journalier en calories. Pour ce faire, vous pouvez tenir un journal de bord de vos repas dans lequel vous consignez la liste complète des aliments et liquides consommés pendant au moins 3 jours. Si vous ne prenez pas de poids, alors votre consommation quotidienne de calories correspond à votre taux métabolique. À l'inverse, si vous grossissez, votre taux métabolique est inférieur à votre consommation calorique, et vous devez ajuster vos habitudes alimentaires.

Certains clubs sportifs et salles de sport peuvent aussi disposer d'outils qui permettent d'évaluer le taux métabolique : le BodPod, par exemple, a des capteurs qui mesurent l'air que votre corps déplace lorsque vous vous asseyez et utilise ces éléments pour déterminer le rapport muscle/graisse. Plus simplement, on trouve sur Internet des outils de calcul du métabolisme.

5. ALLEZ, DEBOUT !

Le fait que vous soyez debout ou assise au travail peut jouer un rôle aussi important sur votre santé et votre tour de taille que votre activité physique quotidienne. Des chercheurs ont découvert que l'inactivité (4 heures ou plus) provoque quasiment l'arrêt d'une enzyme qui contrôle le métabolisme de la graisse et du cholestérol. Pour que cette enzyme reste active et renforce la dépense calorique, prenez l'habitude de vous lever dès que vous le pouvez – par exemple, quand vous parlez au téléphone.

6. BUVEZ DE L'EAU FROIDE

Des chercheurs allemands ont découvert qu'en buvant 6 verres d'eau froide par jour, vous pouvez augmenter votre métabolisme au repos d'environ 50 calories par jour – assez pour perdre 2 kg par an. Cette augmentation pourrait provenir du travail nécessaire pour ramener l'eau à la température du corps. Même si les calories que vous brûlez en buvant un seul verre ne représentent pas grand-chose, vous pouvez perdre du poids supplémentaire en ne fournissant pratiquement aucun effort si vous en prenez l'habitude.

CONSEIL N° 76

Place au café. Les athlètes qui boivent de la caféine avant l'exercice ont 66 % de glycogène en plus dans leurs muscles, ce qui leur donne une plus grande endurance.

7. MANGEZ ÉPICÉ

Il s'avère que la capsaïcine, composant actif du piment (celui qui met le feu à la bouche), peut également mettre le feu à votre métabolisme. En consommant 1 cuillerée à soupe de piment rouge ou vert haché, vous augmentez la production de chaleur de votre corps et l'activité de votre système nerveux sympathique (responsable de notre réponse combat-fuite), selon une étude publiée dans le *Journal of Nutritional Science and Vitaminology*. Résultat : un pic temporaire du métabolisme d'environ 23 %. Ayez toujours un pot de piments rouges séchés (en flocons ou moulus) dans le placard pour relever vos pizzas, pâtes et plats sautés.

8. FAITES LE PLEIN D'ÉNERGIE

Le petit déjeuner stimule le métabolisme et vous maintient en pleine forme toute la journée. Ce n'est pas par hasard si les personnes qui sautent ce premier repas de la journée ont 4,5 fois plus de chances de devenir obèses. Et plus ce petit déjeuner est copieux, mieux c'est. Dans le cadre d'une étude publiée dans l'*American Journal of Epidemiology*, les participants qui consommaient entre 22 et 55 % de leur apport total en calories au petit déjeuner ne prenaient en moyenne que 0,8 kg sur 4 ans. Ceux qui en consommaient entre 0 et 11 % le matin prenaient près de 1,4 kg.

9. BUVEZ DU CAFÉ OU DU THÉ

La caféine est un stimulant du système nerveux central. Vos cafés quotidiens peuvent réveiller votre métabolisme de 5 à 8 % – en brûlant environ 98 à 174 calories par jour. Une tasse de thé infusé peut augmenter votre métabolisme de 12 %, selon une étude japonaise. Les chercheurs pensent que la catéchine, une molécule antioxydante, y serait pour quelque chose.

CONSEIL N° 77

La pastèque contre les mélanomes. Une tranche de pastèque (ou 4 tomates) contient 10 mg de lycopène, un pigment qui aurait un effet protecteur contre le cancer.

10. COMBATTEZ LA GRAISSE GRÂCE AUX FIBRES

Les recherches indiquent que certaines fibres peuvent augmenter la combustion des graisses de près de 30 %. Des études ont révélé que ceux qui mangent le plus de fibres prennent le moins de poids au fil du temps. Visez environ 25 g par jour – l'équivalent de 3 portions de fruits et légumes.

11. MANGEZ DES ALIMENTS RICHES EN FER

Le fer est essentiel pour transporter l'oxygène dont vos muscles ont besoin pour brûler les graisses. À moins de réapprovisionner votre stock, vous risquez une baisse d'énergie et un métabolisme défaillant. Les fruits de mer, les viandes maigres, les haricots, les céréales enrichies et les épinards en sont riches.

12. FAITES LE PLEIN DE VITAMINE D

La vitamine D est essentielle pour préserver le tissu musculaire. Vous pouvez obtenir 90 % de vos besoins quotidiens dans 100 g de saumon. Vous en trouverez également dans le thon, le lait, les céréales enrichies et les œufs.

13. BUVEZ DU LAIT

Il est prouvé que la carence en calcium, courante chez de nombreuses femmes, peut ralentir le métabolisme. Les recherches montrent que la consommation de calcium par le biais des produits laitiers, comme le lait sans matières grasses et le yaourt allégé, peut également réduire l'absorption de graisses d'autres aliments.

14. MANGEZ DE LA PASTÈQUE

L'acide aminé appelé « arginine », que l'on trouve en abondance dans la pastèque, pourrait favoriser la perte de poids, selon une étude publiée dans le *Journal of Nutrition*. Après avoir fourni un complément d'arginine à des souris obèses pendant 3 mois, des chercheurs ont découvert qu'il avait fait diminuer l'absorption de graisse de 64 %. L'ajout de cet acide aminé a renforcé l'oxydation de la graisse et du glucose, et augmenté les muscles secs, lesquels brûlent plus de calories que ne le fait la graisse. Vous en trouverez également dans les fruits de mer, les noix et les graines tout au long de l'année.

15. HYDRATEZ-VOUS

Toutes les réactions chimiques de votre organisme, y compris votre métabolisme, dépendent de l'eau. Si vous êtes déshydratée, vous pouvez brûler jusqu'à 2 % de calories en moins, selon des chercheurs de l'Université de l'Utah qui ont contrôlé le métabolisme de 10 adultes ayant consommé un volume différent d'eau par jour. Cette étude a révélé que le métabolisme des personnes ayant bu entre 8 et 12 verres d'eau de 25 cl chaque jour était plus élevé que celui des personnes n'en ayant bu que 4.

Un kilo de graisse corporelle ne brûle que 2 calories par jour tandis qu'un kilo de muscles en brûle 6.

6

LES SECRETS MINCEUR DU RÉGIME *WOMEN'S HEALTH*

Sept règles simples pour remodeler définitivement votre corps

Chez *Women's Health,* nous nous sommes toutes bagarrées à un moment donné avec notre pèse-personne. Mais nous avons aussi bénéficié de notre accès privilégié aux connaissances les plus pointues et les plus récentes en matière de perte de poids.

Les principes de base – ou « secrets minceur » – du régime *Women's Health* ont été élaborés à partir de ces recherches qui font autorité dans le domaine, et c'est avec plaisir que nous les partageons avec vous. Considérez-les comme 7 conseils d'initiées pour perdre du poids plus facilement.

Il n'est pas question de les respecter chaque jour, mais plus vous y adhérerez, plus vite vous atteindrez votre silhouette idéale. Voyez-les comme des engagements – des engagements vis-à-vis de vous-même. Vous allez être étonnée de constater à quel point il est facile de s'y tenir.

Pourquoi les secrets minceur sont faits pour vous

Comme nous l'avons déjà mentionné au début de cet ouvrage, une bataille se joue dans votre organisme, entre la graisse et les muscles. Mais dans cette lutte sans fin, c'est la graisse qui a l'avantage. Et c'est Mère Nature qu'il faut blâmer pour cela.

Au début de leur évolution, les hommes étaient constamment sous la menace de la faim et du manque. L'organisme a donc appris à stocker les graisses pour faire face à ces périodes de vaches maigres et à brûler moins de calories quand elles se faisaient rares – un peu comme les ours, quand ils se préparent à hiberner.

Mais aujourd'hui, nous n'avons plus besoin de parcourir la forêt pour trouver des larves à manger. Le temps est désormais à la nourriture empilée sur des rayons de supermarché. Pourtant, curieusement, nous continuons de mettre notre corps en mode famine plus que nous ne pourrions le supposer. Nous faisons l'impasse sur le petit déjeuner pour filer travailler ; nous passons de longues journées au bureau en ne nous accordant des pauses que lorsque notre estomac crie famine ; parfois, nous faisons même un régime pour essayer de gagner une sorte de médaille du mérite en nous privant de nourriture.

Savez-vous, en revanche, ce qu'il se produit dans votre organisme lorsque vous sautez un repas ou que vous avez une crampe d'estomac ? Votre corps le sent et vous envoie un message : « Je manque de nourriture. Mieux vaut avaler ces chips maintenant, en prévision d'une période de privation plus longue. »

En clair, chaque fois que vous avez faim, vous poussez votre organisme à stocker de la graisse. C'est pour cela que chacun de nos secrets minceur est conçu pour vous faire manger... beaucoup. Pour éliminer la graisse et développer la masse musculaire, vous devez consommer des aliments riches en nutriments, des aliments copieux et savoureux, tout au long de la journée. Vous le verrez, toutes les consignes du régime *Women's Health* reposent sur une nourriture plus abondante. Il n'est pas question de vous priver : l'objectif est de fournir à votre organisme une telle quantité d'aliments bons pour lui qu'il en oubliera les calories inutiles, se débarrassera de la graisse et développera, à la place, de la masse musculaire.

Les bienfaits de l'albacore. L'albacore affiche des concentrations de mercure qui sont jusqu'à 50 % inférieures à celles du thon rouge ou du thon obèse.

Pour atteindre votre but, vous n'aurez pas besoin d'être obsédée par le comptage des calories. Notre plan est souple et facile à suivre grâce aux 8 principaux groupes d'aliments – et aux différentes façons de les apprécier – que nous avons listés pour vous au chapitre suivant.

Mais découvrez d'abord nos secrets minceur. Vous constaterez que le moment où vous vous alimentez est presque aussi important que ce que vous mangez. En commençant à travailler avec l'horloge métabolique naturelle de votre organisme, vous serez surprise de voir à quel point il est facile de perdre du poids et à quelle vitesse notre programme de nutrition commence à porter ses fruits.

SECRET MINCEUR N° 1

« Je mangerai des protéines à chaque repas et à chaque collation »

Voilà pourquoi cette règle est si importante : à n'importe quel moment, même au repos, votre corps consomme et se renforce en protéines, explique le Dr Jeffrey Volek de l'Université du Connecticut. Remplacez le mot « protéines » par « muscles » et vous comprendrez vite à quel point votre corps est dynamique et comment la masse musculaire peut considérablement changer en l'espace de quelques semaines seulement.

Cependant, ce n'est pas seulement en soulevant des poids ou en portant vos sacs de courses dans l'escalier que vous développerez votre masse musculaire, mais aussi en mangeant des protéines. Chaque fois que vous mangez au moins 10 à 15 g de protéines, vous déclenchez une synthèse de protéines. Lorsque vous en mangez au moins 30 g, la synthèse dure environ 3 heures, favorisant ainsi le développement musculaire. Voici comment se traduisent ces chiffres une fois les plats dans votre assiette :

30 g de protéines	de 10 à 15 g de protéines
120 g de bœuf haché	1 coupe glacée aux fruits et au yaourt avec une barre de céréales
1 gros filet de poulet	2 carottes moyennes avec 50 g de houmous
120 g de faux-filet	170 g de chili con carne
1 omelette (3 œufs) aux légumes avec 3 tranches de bacon	280 g de spaghettis à la bolognaise
200 g de grosses crevettes sauvages décortiquées	170 g de miettes de thon
1 homard	100 g de flocons d'avoine avec une tasse de lait demi-écrémé
1 filet de haddock	350 ml de lait chocolaté allégé
170 g de côte de porc	170 g de yaourt grec
170 g de tempeh (graines de soja)	

Maintenant, réfléchissez : quand consommez-vous en général la majorité de vos protéines ? Au dîner, n'est-ce pas ? Ce qui veut dire que vous fabriquez du muscle pendant quelques heures seulement dans la journée, et au moment où vous regardez la télé. Le reste du temps, vous puisez dans vos muscles, car votre organisme ne contient pas suffisamment de protéines. « L'élément le plus important au niveau d'un régime alimentaire pour ceux qui veulent perdre du poids, c'est de manger des protéines au petit déjeuner », explique Louis Aronne, directeur d'un programme de nutrition au Presbyterian Hospital de New York. « J'ai eu des patients qui ont perdu plusieurs kilos en opérant ce simple changement. »

Une étude a été réalisée sur des personnes en surpoids à qui l'on a demandé d'ingurgiter le même nombre de calories au petit déjeuner, en mangeant soit des œufs, soit des bagels. Au bout de 8 semaines, les personnes qui avaient choisi les œufs avaient perdu 65 % de poids supplémentaire et ne montraient pas d'augmentation du niveau du cholestérol ou des triglycérides.

AU MENU : Consommez des protéines au cours des 3 repas, qu'il s'agisse de viande, d'œufs ou d'autres produits comme le fromage et le lait. Votre apport en protéines doit se situer entre 0,54 et 1 g par kilo de poids corporel pour préserver la combustion des calories par votre masse musculaire. Ce qui revient à un apport total compris entre 76 et 140 g par jour pour une femme de 63,5 kg.

Important : nous avons parlé d'objectif de poids. Pourquoi est-ce important ? Si vous calculez votre apport en protéines en vous fondant sur votre poids actuel, vous risquez de ne pas voir bouger l'aiguille de votre balance. Imaginons que vous pesiez 68 kg et que vous vouliez perdre 9 kg. Votre objectif de poids serait de 59 kg et vous aimeriez consommer entre 70 et 130 g de protéines par jour. Cela représente en gros 30 g de protéines pour vos principaux repas, avec des aliments comme le blanc de poulet, un morceau de viande hachée ou encore un filet de poisson. Au cours de chaque collation, consommez-en de 10 à 15 g, sous forme d'œufs durs, de riz ou de haricots. Si vous avez un doute, prenez du lait ou du fromage. Des chercheurs d'Harvard ont découvert que les personnes qui consommaient 3 portions de produits laitiers par jour (soit 1 200 mg de calcium) réduisaient le risque de devenir gros de 60 % par rapport aux autres.

CONSEIL N° 80

Allez à la plage. Une promenade sur le sable nécessite 2 fois plus d'énergie qu'une marche sur un sol dur et muscle davantage les mollets.

ASTUCE MINCEUR : Mangez chaque jour un yaourt entre les repas. S'il s'agit d'une bonne source de calcium, des chercheurs ont par ailleurs découvert, dans le cadre d'une étude réalisée à l'Université du Tennessee, que les participants ayant consommé jusqu'à 3 yaourts par jour ont perdu 81 % de graisse abdominale de plus sur 12 semaines que ceux qui n'en ont pas mangé du tout. Selon une autre étude publiée dans la revue *Molecular Systems Biology*, les bactéries contenues dans les yaourts peuvent empêcher l'absorption de graisse.

SECRET MINCEUR N° 2

« Je ne prendrai jamais le pire des petits déjeuners »

Quel est donc le pire petit déjeuner au monde ?

C'est l'absence de petit déjeuner.

Quand vous vous levez le matin, votre organisme manque de carburant. Il s'est passé entre 7 et 9 heures (voire plus) depuis votre dernier repas. Votre taux d'insuline a baissé, vos réserves de protéines sont vides et vos muscles ont besoin de nourriture. En clair, votre corps a besoin de se restaurer pour retrouver son équilibre. « Il faut consommer le gros des calories au petit déjeuner », explique le Dr David Grotto, porte-parole de l'*American Dietetic Association*. « C'est un bon moyen pour perdre des kilos, et ne pas les reprendre. » Si vous sautez le petit déjeuner, vous ralentissez votre métabolisme, vous affamez vos muscles et vous mangez la plupart de vos calories trop tard dans la journée. C'est pour cela que le fait de sauter régulièrement le petit déjeuner augmente le risque de devenir obèse de 450 %.

Qui plus est, le petit déjeuner est le seul repas au cours duquel – au diable les calories – il est souvent préférable de manger trop que trop peu, l'idéal se situant entre 500 et 750 calories, à condition qu'il s'agisse principalement de protéines. Lors d'une recherche réalisée en 2008, des chercheurs à l'Université du Commonwealth en Virginie ont découvert que les personnes qui prenaient régulièrement un petit déjeuner riche en protéines d'environ 600 calories avaient perdu beaucoup plus de poids en 8 mois que celles qui n'en avaient consommé que 300 avec un quart de protéines en moins. Les plus gros mangeurs ont perdu en moyenne 18 kg et ont eu moins de mal à suivre le régime, alors même que les 2 groupes se voyaient prescrits à peu près le même nombre de calories journalières.

Voilà pourquoi il n'y a pas pire que de renoncer au petit déjeuner. Certes, j'imagine que certaines d'entre vous pensent à des choses bien pires... Mais en matière de nutrition, c'est le pire. Même un maigre petit déjeuner est mieux que rien.

QUE DIRIEZ-VOUS... d'un beignet au sucre ? Ce n'est pas le petit déjeuner idéal, mais un beignet au sucre ne compte que 190 calories et vous récupérez quand même quelques protéines (3 g). Ajoutez un verre de lait et vous avez maintenant augmenté le nombre de protéines et réduit le taux de sucre. Vous restez sous la barre des 350 calories. Attention : nous ne recommandons pas de suivre cette habitude.

QUE DIRIEZ-VOUS... d'un bon café chaud et de pain avec un œuf, une tranche de jambon et du fromage. C'est tellement mieux que de ne rien manger du tout. Ce petit déjeuner contient plus de protéines

CONSEIL N° 81

La vie est plus douce sans sucre. Les personnes qui suivent un régime pauvre en sucre souffrent moins de dépression et d'anxiété que celles qui consomment davantage de glucides.

(18 g) que de graisse (12 g). Vous pouvez même en prendre 2 pour atteindre tout juste les 600 calories, en vous offrant au passage 36 g de protéines.

ET MÊME... deux parts de pizza de la veille ! Cela vous étonne, pourtant c'est bon. Deux tranches de pizza fromage-pepperoni comptent environ 510 calories et 22 g de graisse. Mais vous avez tout de même 22 g de protéines dans la viande et le fromage, du calcium provenant également du fromage, des glucides pour l'énergie dans la pâte et même quelques vitamines dans la sauce tomate. Dans le cadre d'une étude réalisée en 2010 pour l'*International Journal of Obesity*, les personnes qui consommaient le plus de protéines au petit déjeuner consommaient, lors du déjeuner, 130 calories de moins que ceux qui avaient pris peu de protéines.

ET SI... vous preniez une brioche à la cannelle, la faisiez frire pour la badigeonner ensuite de fromage blanc, en la farcissant de crème glacée au sirop d'érable, le tout arrosé de caramel ? Ce plat très imaginatif, mais monstrueux, apporte 2 090 calories, soit à peu près le nombre de calories journalières qui nous est nécessaire. Qui plus est, 856 calories viennent du sucre ! Ajoutez à cela 57 g de matières grasses, la moitié de l'apport quotidien en sodium et une quantité minimale de protéines. Effectivement, il s'agit *vraiment* du pire petit déjeuner qui soit.

CONSEIL N° 82

Contre la gueule de bois.
Les œufs pochés contiennent des acides aminés qui contribuent à gommer les désagréments des lendemains de fête, d'après une étude parue dans le *Journal of Inflammation Research.*

CONCLUSION : Si c'est tout ce qui vous reste, vous en êtes dispensée. Sinon, debout et commencez à manger !

En lisant et suivant notre programme de nutrition, vous saurez comment vous constituer un superbe petit déjeuner se composant d'un mélange de protéines, de calcium, de fibres, de glucides et d'autres nutriments. Plus vous choisissez des aliments de qualité, mieux votre organisme vous le rendra. Si le petit déjeuner est un peu léger ou que vous n'en prenez pas du tout, rattrapez-vous dans la journée avec des repas sains et équilibrés.

CONSEIL N° 83
Des laitages pour des dents saines. En mangeant un yaourt 4 fois par semaine, vous réduisez le risque de caries de 25 %.

AU MENU : consommez une grande partie de vos calories journalières – de 30 à 35 % de l'apport global – le matin. Le petit déjeuner parfait associera protéines et céréales complètes, fruits et légumes, et matières grasses saines. Optez, par exemple, pour des œufs sur le plat sur une tartine de pain complet grillée et un smoothie aux fruits, riche en protéines. Si vous n'avez pas le temps ou que votre estomac n'est pas d'attaque pour un petit déjeuner consistant, prenez-en 2 petits – mangez des céréales en buvant votre café, puis emmenez un yaourt et un fruit au bureau. L'essentiel, c'est de consommer des protéines au petit déjeuner pour que le reste de la journée se passe au mieux.

ASTUCE MINCEUR : vous n'avez absolument pas le temps de manger ? Juste quelques minutes pour boire un café ? Avant de le verser, remplissez votre tasse de lait et buvez jusqu'à laisser la place souhaitée pour votre café, puis ajoutez votre dose de caféine. 25 cl de lait demi-écrémé vous apportent 110 calories et 8 g de protéines ainsi que du calcium pour brûler les graisses. Vous voyez, même si vous pensez ne pas en avoir le temps, vous venez pourtant de prendre un petit déjeuner !

SECRET MINCEUR N° 3

« Je mangerai avant et après mes séances d'entraînement ».

Comme pour le scénario d'une comédie ou une journée à la Bourse, tout est question de timing quand il s'agit d'alimentation et d'exercice. La bonne nouvelle pour les femmes qui aiment manger, c'est qu'elles devront probablement manger plus. Il s'agit surtout de consommer les bons aliments au bon moment pour optimiser les séances d'entraînement.

En effet, les chercheurs s'intéressent maintenant beaucoup plus au moment où l'on mange qu'au contenu. Voici ce que peut vous apporter le fait de manger quand il faut :

UNE MASSE MUSCULAIRE MAIGRE. Selon des chercheurs hollandais et britanniques, manger avant un entraînement accélère la croissance musculaire. D'après une de leurs études, les sujets qui prenaient une collation riche en protéines et en glucides juste avant et après leur entraînement nourrissaient leurs muscles 2 fois plus efficacement que ceux qui attendaient au moins 5 heures pour manger. En nourrissant l'organisme de protéines et de glucides, vous fournissez aux muscles suffisamment d'énergie pour vous muscler et brûler de la graisse de manière efficace.

CONSEIL N° 84

Garder la ligne en faisant le ménage. Vous n'avez pas besoin de recourir à la liposuccion pour aspirer la graisse. Selon une étude réalisée dans une université de l'Indiana, les personnes dont la maison est la plus propre sont celles qui pratiquent aussi le plus d'activités physiques. « Ceci vient sans doute du fait que ces personnes brûlent plus de calories en faisant leur ménage », explique le Dr Nicole Keith, l'auteur de cette étude.

DAVANTAGE DE GRAISSES BRÛLÉES. Des chercheurs de l'Université de Syracuse ont découvert que lorsque vous avalez des protéines avant et après les séances d'entraînement, vous atténuez les effets du cortisol, l'hormone du stress qui commande à l'organisme de stocker la graisse. Par conséquent, vous brûlez davantage de graisses pendant votre séance, mais aussi pendant les 24 heures qui suivent. (Les participants à cette étude ont mangé un menu contenant 22 g de protéines et 35 g de glucides – l'équivalent de ce que vous obtenez avec un verre de lait et un sandwich au beurre d'arachide et à la confiture.)

UN CORPS MIEUX SCULPTÉ, PLUS JEUNE. Des scientifiques finlandais ayant demandé à des hommes pratiquant la musculation de boire un cocktail de protéines avant et après une séance ont découvert qu'ils produisaient un taux plus élevé d'une molécule appelée Cdk2, grâce à laquelle les cellules souches impliquées dans la fabrication des muscles et dans la récupération après une séance d'endurance se trouvaient augmentées. Les cellules souches sont un peu les fontaines de jouvence microscopiques de l'organisme. Les hommes ayant bu leur cocktail de protéines ont vu leur masse musculaire augmenter davantage, et avaient un ratio muscle/graisse plus élevé que ceux qui n'en avaient pas consommé.

DAVANTAGE D'ÉNERGIE ET MOINS DE DOULEURS. D'après les travaux de chercheurs britanniques, un mélange de protéines et de glucides avant et après un entraînement pourrait diminuer la fatigue musculaire et réduire le risque d'inflammation. En d'autres termes, vous fabriquez du muscle et vous récupérez plus vite, en souffrant un peu moins le lendemain.

AU MENU : prenez une collation qui contient des hydrates de carbone et des protéines 30 minutes environ avant votre entraînement, et un de vos repas riche en protéines tout de suite après. Chez *Women's Health*, nous disons souvent : le temps perdu, c'est du muscle perdu. Le corps puise dans les muscles pendant et après les exercices et les reconstruit en utilisant les calories que vous avez consommées en guise de carburant. Plus vous attendez pour manger, plus votre corps va se servir dans vos muscles, et moins il aura de temps pour en refabriquer.

ASTUCE MINCEUR : Le meilleur moyen de vous nourrir en vitesse est de prendre un cocktail de protéines juste après la douche. Il existe des boissons protéinées toutes prêtes, mais vous pouvez vous confectionner un smoothie maison aux fruits (pêche, melon, mûre...) et fromage blanc. C'est plein de protéines... et délicieux !

SECRET MINCEUR N° 4

« J'en mangerai si cela pousse sur un arbre »

Ou un arbuste, une tige ou encore une vigne. En d'autres termes, si l'aliment pousse sur une plante ou s'il s'agit d'une plante, mangez-le. Il est important de consommer des fruits et légumes à tous les repas, y compris au moment des collations. Pourquoi ? Parce que votre objectif est de nourrir votre organisme de nutriments qui favorisent le développement musculaire et découragent la graisse, et on les trouve essentiellement dans les fruits, les noix et les légumes. En offrant à votre organisme le maximum de nutriments pour le minimum de calories, ils représentent une véritable aubaine au niveau diététique. Une étude réalisée par l'UCLA a mis en lumière le fait qu'une personne affichant un poids moyen consommait en général 2 portions de fruits par jour, tandis qu'une personne en surpoids n'en mangeait qu'une seule. D'après une autre étude publiée dans la revue *Appetite*, manger un fruit entier au début du repas permet de réduire l'apport total en calories de 15 %. Attention ! Une mise en garde s'impose quand même : manger des « chips de légumes » ou boire des « punchs aux fruits » n'a rien à voir. Si vos fruits et légumes ne flétrissent pas ou ne pourrissent pas après avoir passé quelques jours sur votre plan de travail, c'est qu'il s'agit de produits transformés : ils n'ont pas poussé dans le sol et sont un pur produit de l'industrie agroalimentaire.

CONSEIL N° 85

Visez le succès, révisez vos objectifs.
Des scientifiques de l'Université de l'Iowa ont découvert que les personnes qui surveillaient leur régime alimentaire et leurs objectifs d'entraînement avaient davantage de chances de les réaliser que celles qui se fixaient des objectifs mais les revoyaient rarement.

Autre intérêt à manger des produits végétaux : vous emmagasinez davantage d'acides gras oméga-3 bons pour le cœur. Certains experts affirment que les oméga-3 devraient être considérés comme des nutriments essentiels, aussi nécessaires pour la santé que les vitamines A et D. « Ils sont impliqués dans le métabolisme de chaque cellule de l'organisme et font partie intégrante de son alimentation de base », explique le Dr Artemis P. Simopoulos, président du *Center for Genetics, Nutrition and Health* de Washington, DC. Selon plusieurs études, cette graisse saine réduirait non seulement le risque de maladie cardiaque et d'AVC, mais elle permettrait aussi de se protéger contre certaines affections comme l'arthrite, la maladie d'Alzheimer, l'asthme, les maladies auto-immunes et les troubles du déficit de l'attention avec hyperactivité, pour n'en citer que quelques-unes. Hormis leurs bienfaits sur l'humeur, le cœur et le cerveau, les oméga-3 agissent sur la longévité et la graisse abdominale : les personnes consommant le plus d'aliments riches en oméga-3 vivent plus longtemps et ont moins de graisse abdominale que les autres. En outre, des chercheurs québécois ont découvert que les oméga-3 avaient un effet positif sur le métabolisme des protéines, ce qui signifie qu'un plus grand nombre de protéines consommées est synthétisé dans les tissus musculaires. Et tout ceci fait que votre croissance musculaire est plus rapide.

CONSEIL N° 86

Buvez, éliminez !
Vous pouvez faire 17 % d'exercices supplémentaires si vous êtes bien hydratée, selon des chercheurs de l'Université du Connecticut.

Vous pouvez trouver ces oméga-3 dans les poissons gras, comme le saumon ou le thon, mais aussi sur les arbres : les noix et le kiwi en fournissent en effet un taux élevé. (Conservez aussi un pot de graines de lin moulues dans votre cuisine, elles sont très riches en oméga-3 et apportent une agréable saveur de noisette aux smoothies, aux sandwichs et aux salades.)

AU MENU : Consommez au moins une portion de fruits et de légumes à chaque repas. Vous pouvez même en manger à volonté quand vous avez la moindre fringale.

ASTUCE MINCEUR : Mangez des fruits et des légumes d'abord !

Vous consommerez non seulement plus de légumes et moins de calories qu'avec d'autres aliments grâce à leur teneur en fibres, mais vous diminuerez également la charge glycémique de votre repas et éviterez les variations du taux de glycémie qui donnent cette sensation de faim. Goûtez au moins un nouveau fruit ou légume chaque semaine et veillez à ce que vos salades de légumes et de fruits présentent au moins 4 couleurs différentes. Par exemple : laitue, poivron jaune, tomate et carotte ; ou ananas, orange sanguine, kiwi et raisin.

SECRET MINCEUR N° 5

« Je deviendrai une spécialiste des salades »

Nous, les femmes, nous avons de la chance. Contrairement à nos homologues masculins, nous pouvons manger autant de salade que nous voulons sans jamais nous sentir embarrassée devant nos amies. Nous sommes libres de consommer les légumes dans toute leur splendeur. Pourtant, nous le faisons trop peu... L'Institut national de prévention et d'éducation pour la santé (Inpes) publie régulièrement un Baromètre santé nutrition, qui enquête sur les habitudes alimentaires des Français et révèle que ceux-ci ne mangent pas suffisamment de fruits et légumes. Seul un Français sur 10 en consommerait au moins 5 par jour, comme le préconise le Programme national nutrition santé.

Or les fruits et légumes contiennent des nutriments essentiels que l'on trouve difficilement ailleurs et qui favorisent la perte de poids. Et vous trouvez davantage de ces nutriments lorsque vous choisissez une grande variété d'ingrédients et les préparez en salade.

Exemple : l'acide folique, une vitamine B que l'on trouve principalement dans les légumes verts à feuilles, est sans doute le meilleur indicateur du bon équilibre de votre alimentation. Une carence en acide folique est impliquée dans les principales maladies de notre époque : elle accroît le risque d'accident vasculaire cérébral, de maladie cardiaque, d'obésité, de troubles cognitifs, de maladie d'Alzheimer, de cancer et de dépression, et diminue la réponse aux traitements contre cette dernière. Les aliments qui en contiennent le plus ne sont pas forcément ceux que vous mangez souvent, même si on vous le conseille : chou frisé, bette, chou vert... Vous en avez mangé récemment ? Non ? Alors, il est très important qu'au moment où vous commandez votre salade, vous choisissiez chaque fois que c'est possible un mélange de légumes verts, épinards ou endives. Il est difficile d'avoir un apport suffisant en acide folique, mais vous pouvez aussi en trouver dans le brocoli, les choux de Bruxelles, les lentilles, les haricots, le foie et les petits pois. Ce n'est pas ce que vous préférez ? Pourtant ils sont une valeur sûre : une étude publiée dans le *British Journal of Nutrition* a révélé que les personnes au régime qui consommaient le plus d'acide folique pouvaient perdre 8,5 fois plus de poids que les autres.

CONSEIL N° 87

Mâchez.
En prenant le temps de mâcher, on s'assure déjà une bonne digestion, car les aliments qui arrivent dans l'estomac sont déjà partiellement assimilés par la salive : ils y stagneront moins longtemps.
En ralentissant la mastication, le cerveau a aussi plus de temps pour enregistrer des informations et délivrer progressivement un message de satiété à l'organisme.

AU MENU : essayez de consommer un aliment riche en acide folique à chaque repas. Le meilleur moyen d'augmenter son taux est de manger des légumes verts le plus souvent possible, et de commencer par eux quand vous vous mettez à table.

ASTUCE MINCEUR : préparez une vinaigrette avec de la moutarde, du vinaigre et de l'huile de carthame. Dans le cadre d'une étude publiée dans l'*American Journal of Clinical Nutrition,* des chercheurs ont découvert que le taux élevé d'acide linoléique que contient l'huile de carthame peut empêcher le corps de stocker de la graisse.

SECRET MINCEUR N° 6

« Je ne boirai pas d'eau sucrée »

Ce devrait être la règle la plus simple à suivre : après tout, quand avez-vous bu pour la dernière fois de l'eau sucrée ? La réponse est : sans doute très récemment. Comme le soulignent tous les nutritionnistes, les boissons sucrées – sodas, limonades et même jus de fruits – apportent une quantité importante de calories. « Dans un litre de soda, il y a l'équivalent de 20 sucres, soit 400 kilocalories », explique le Pr Jean-Michel Lecerf, de l'institut Pasteur de Lille. Or ces calories ne sont pas comptabilisées en tant que telles par le cerveau, qui les classe dans les apports hydriques. Ainsi, inconsciemment, un jus de pomme paraît moins calorique qu'une pomme. « Avec les boissons sucrées, les sensations de rassasiement et de faim sont brouillées », résume le Dr Laurent Chevallier, qui dirige une unité multidisciplinaire de médecine environnementale à Montpellier.

La recommandation est de limiter au minimum – une canette par jour, par exemple, selon le Pr Lecerf – la consommation de boissons sucrées, l'idéal étant de s'en tenir à la seule boisson utile, l'eau.

Voici quelques exemples d'eau sucrée que vous avez pu boire récemment avec plaisir :

COLA : EAU SUCRÉE + COLORATION ET ARÔME CARAMEL
Un cola typique comprend près de 89 % d'eau pétillante et 9 % de sirop de maïs à haute teneur en fructose (HFCS), plus couramment nommé sirop de glucose-fructose, ou isoglucose.

THÉ GLACÉ SUCRÉ : EAU SUCRÉE + THÉ
Les thés glacés en bouteille sont constitués d'environ 89 % d'eau et de 10 % de HFCS.

EAU VITAMINÉE : EAU SUCRÉE + FORMES CHIMIQUES DE VITAMINES
Ce que l'on peut faire de pire avec de l'eau sucrée et des vitamines. Les boissons des marques courantes se composent en moyenne de 92 % d'eau et de plus de 5 % de sucre.

BOISSONS FRUITÉES : EAU SUCRÉE + JUS DE FRUITS
Il existe différentes qualités de « jus de fruits », entre les « purs jus de fruits », « nectars », « jus à base de concentré » ou « boissons aux fruits ». Ces dernières contiennent seulement 12 % de jus de fruits, et de l'eau, du gaz carbonique, des acides alimentaires et des arômes naturels, différents sucres ou parfois aussi des édulcorants.

BOISSONS ÉNERGISANTES : EAU SUCRÉE + CAFÉINE ET PLANTES
Elles contiennent quantité d'ingrédients mystérieux comme la taurine, le guarana et du chardon-Marie, et se composent en moyenne de 84,5 % d'eau et de 12,3 % de sucre.

Réduire sa consommation de boissons sucrées fait automatiquement diminuer l'absorption de calories et baisser le poids. Qui plus est, cela élimine l'une des plus grandes sources de fructose, un composant que l'on trouve dans la plupart des édulcorants. En 2010, le Dr Robert Lustig, professeur de pédiatrie clinique à l'Université de Californie, à San Francisco, a découvert que le fructose a à peu près le même effet sur le corps humain que l'alcool, et qu'il peut provoquer le même type de lésions du foie dont sont atteints les alcooliques. De nombreuses études scientifiques montrent qu'une consommation excessive de fructose favorise l'obésité et l'apparition de maladies cardiovasculaires.

AU MENU : remplacez les sodas, les thés glacés et les « boissons de l'effort » par de l'eau plate ou de l'eau gazeuse ou des boissons pauvres en calories ou sans calories. (Et ne troquez pas votre boisson sucrée préférée contre sa version « light ». Vous comprendrez pourquoi à la page suivante.) Si vous n'aimez pas l'eau du robinet, achetez un filtre qui permettra d'éliminer le goût des substances chimiques et conservez une bouteille au frais dans votre réfrigérateur. Des chercheurs de l'Université de l'Utah ont découvert que les personnes qui consommaient le plus d'eau avaient le métabolisme le plus élevé. Des participants à une étude ont bu 4, 8 ou 12 verres d'eau tous les jours : ceux ayant bu 8 verres ont rapporté qu'ils parvenaient mieux à se concentrer et qu'ils se sentaient plus énergiques. Les tests ont par ailleurs révélé qu'ils brûlaient leurs calories à un rythme plus important que le groupe ayant bu 4 verres.

CONSEIL 88

Des olives contre la migraine.
Les anti-inflammatoires naturels contenus dans les olives éliminent la douleur de la même manière que l'ibuprofène vendu en pharmacie.

ASTUCE MINCEUR : une étude publiée dans le *Journal of the American Dietetic Association* a révélé que boire un verre d'eau avant le petit déjeuner peut diminuer la ration alimentaire quotidienne de 13 %. Non seulement vous économisez des calories en remplaçant le soda par de l'eau, mais vous en éliminez 200 calories de plus en évitant les crampes d'estomac. Ce sont encore 10 kg de perdus en un an !

ATTENTION : Vous pensez peut-être que le meilleur moyen d'éliminer les calories provenant de l'eau sucrée serait de remplacer les sodas et les thés glacés par de l'eau. Et vous avez raison. Car pour certaines raisons encore inexpliquées, les sodas allégés en sucre font en réalité augmenter le risque de prise de poids. D'après certaines recherches, les personnes qui boivent 1 ou 2 canettes de soda classique par jour augmentent leur risque de grossir ou de devenir obèse d'environ 33 %. Mais remplacez ces sodas classiques par des sodas allégés et le risque que ces personnes soient en surpoids augmente de 65 %, et qu'elles deviennent obèses, de 41 %. Plusieurs études ont été menées pour tenter d'en comprendre les raisons : en 2009, des chercheurs ont découvert que les édulcorants artificiels pourraient tromper le cerveau en créant un sentiment d'insatisfaction qui inciterait les gens à vouloir en boire plus qu'ils n'en ont besoin. Selon des recherches plus récentes menées par des scientifiques du département des sciences psychologiques de l'Université Purdue, les édulcorants artificiels ralentiraient le métabolisme – en d'autres termes, plus vous buvez de sodas allégés, moins vous brûlez de calories par jour. Et du fait que les édulcorants artificiels sont 200 à 2 000 fois plus doux que le sucre, si vous utilisez du vrai sucre dans votre café, il vous semblera peu sucré et vous en ajouterez.

SECRET MINCEUR N° 7

« Je suivrai les secrets minceur 80 % du temps »

Si vous faites les bons choix alimentaires à 80 % du temps, vous allez mincir et rester mince. Cela veut dire qu'une fois sur 5, vous pouvez faire une entorse au programme, que ce soit lors d'une fête familiale où on insiste pour que vous repreniez une part de gâteau, ou lors d'une soirée un peu trop arrosée. Cela arrive à tout le monde : personne n'est parfait, et ne pas essayer de l'être est l'une des clés de la réussite à long terme. S'astreindre à la perfection vous rendra chèvre !

AU MENU : Soyez parfaite à 80 %, c'est largement suffisant et déjà largement au-dessus du lot. Mais lorsque vous trichez, trichez avec le meilleur. Vous avez envie d'une barre chocolatée ? Allez-y, mais assurez-vous qu'il s'agit de la meilleure. Comparez la composition des barres qu'on vous propose en magasin et choisissez celle qui offre le moins de calories. Vous avez envie d'un steak ? D'accord, mais choisissez votre viande : du steack haché 5 % au lieu de 15 %, de la tende de tranche plutôt qu'une entrecôte, plus calorique... (et oubliez si possible la béarnaise). Vous voulez manger des tartines ? D'accord. Mais avec du bon pain, du bon beurre et de la bonne confiture... Choisissez toujours de bons ingrédients, les plus naturels possibles. Regardez leur composition.

Vous serez stupéfaite de voir combien cette stratégie est efficace. Observons des repas sur 3 jours : imaginons que le vendredi soir, vous ayez cédé et commandé un hamburger dans un fast-food. Le samedi soir, votre fiancé vous a convaincue de sortir pour aller manger des travers de porc. Le dimanche soir, enfin, vous avez réchauffé une pizza tout en surfant sur Internet. Chaque matin, vous avez pris un bol de céréales et, pour le déjeuner, un yaourt et un fruit. Selon les produits que vous aurez choisis, les calories du week-end peuvent varier de...

PLAT	- DE CALORIES	+ DE CALORIES
HAMBURGER	**410**	**1 900**
TRAVERS DE PORC	**460**	**1 000**
PIZZA SURGELÉE	**290**	**790**
CÉRÉALES	**180**	**420**
YAOURT	**80**	**170**

En consommant seulement les aliments de la colonne –, cela représente 3 000 calories de moins qu'en consommant ceux de la colonne +, et seulement en un week-end !

Considérez maintenant ceci : il faut 3 500 calories pour fabriquer 450 g de graisse. En mangeant exactement la même chose pendant seulement 72 heures, mais dans des versions plus équilibrées, on peut s'épargner près de 500 g de graisse ! Si vous faites cela tous les week-ends pendant un an – et souvenez-vous, vous continuez de manger tout ce que vous aimez –, vous perdrez 23 kg de graisse. Et tout cela sans modifier vos habitudes alimentaires pendant la semaine.

Étonnant, non ? Faites le bon choix 80 % du temps et vous aurez réglé ce problème de graisse. Plus de 80 % ? Vous serez carrément éblouissante.

ASTUCE MINCEUR : si vous avez envie d'une chose vraiment mauvaise pour votre santé, faites passer cette envie en buvant un verre de lait. Selon une étude publiée dans l'*American Journal of Clinical Nutrition*, les personnes qui consomment du calcium en mangeant des produits laitiers tous les jours font diminuer le taux de triglycérides dans le sang de 15 à 19 % (les triglycérides sont des acides gras stockés dans les cellules adipeuses).

Un mot à propos du comptage des calories

Même si vous mangez sainement, le fait de consommer plus de calories par rapport à ce que votre organisme est capable de brûler vous entraîne à coup sûr vers la prise de poids. C'est pourquoi de nombreux régimes reposent sur le calcul très minutieux du nombre de calories pour s'assurer que les personnes qui suivent le régime ne dépassent jamais l'apport quotidien recommandé.

Chez *Women's Health*, nous avons passé presque 10 années à étudier les systèmes de calcul des calories en nous aidant des meilleures données scientifiques existantes, en sollicitant les esprits mathématiques les plus aiguisés, de façon à transformer ces découvertes scientifiques complexes en une équation que tout le monde puisse comprendre. La toute dernière formule de calcul de calories pour les femmes ressemble à ceci :

Apport en calories
x
IMC²
÷
Tour de taille
-
(3 500 ÷ (24 + 7))
=
$*& %# BARBANT !

Nous savons que vous êtes occupée. Qui souhaite sortir sa calculatrice à chaque fois qu'il s'assied pour déguster un repas bien mérité ? Il est bien plus efficace sur le long terme d'entraîner le cerveau à reconnaître la taille correcte des portions, afin d'apprendre à manger intelligemment.

Cela va demander un peu de pratique parce que, ces 30 dernières années, l'industrie alimentaire multiplie les tours de passe-passe avec des offres et des portions qui ne ressemblent plus à ce qu'elles devraient être. Le problème est particulièrement flagrant dans les restaurants américains où l'on vous propose des assiettes de la taille d'un plat en guise d'apéritif, des plats format familial en guise d'entrée et de petites piscines pour enfants en guise de boisson.

S'il est criant outre-Atlantique, où certaines chaînes de restaurants commencent à indiquer le nombre de calories par plat, le phénomène n'y est pas spécifique. Manger au restaurant représente généralement un apport calorique supérieur à celui d'un repas chez soi. Difficile, en France par exemple, de résister à un traditionnel « entrée-plat-dessert », pourtant souvent trop calorique.

Alors, comment une femme peut-elle se défendre contre le calcul des calories et la taille des portions qui augmentent plus vite que la dette nationale ? Comment récupérer les éléments nutritifs, réduire les apports caloriques tout en consommant les matières grasses, les protéines, les fibres et autres nutriments nécessaires à l'organisme ? Et comment faire cela de la même manière que l'on choisit un vernis à ongle – à vue de nez ? La réponse se trouve dans la paume de votre main. Littéralement.

Pour les aliments solides, une portion est égale à :

VIANDES : la taille de votre paume

LÉGUMES ET FRUITS : la taille d'un poing serré

HUILES ET AUTRES GRAISSES SAINES : une cuillère à café équivaut à la longueur de l'extrémité du pouce, à partir de l'articulation

NOIX, HARICOTS ET LÉGUMINEUSES : tout ce que la paume de la main peut contenir

CÉRÉALES : la taille d'un poing serré

PRODUITS LAITIERS : la taille de votre paume

En lisant les étiquettes et en refusant les boissons avec des sucres ajoutés, vous allez réduire les calories, perdre du poids et reprogrammer vos papilles pour qu'elles cessent d'avoir envie de produits sucrés. Vous pourrez alors vous faire plaisir avec de bonnes friandises, comme le chocolat, les baies et la glace.

7

MINCISSEZ RAPIDEMENT

Découvrez les huit groupes d'aliments indispensables qui constituent le programme nutritionnel de *Women's Health* et donneront un coup de fouet à votre régime !

Il est facile de tomber dans le piège et de considérer la nourriture comme un ennemi. Au fil des années, les innombrables régimes ont diabolisé presque tous les groupes d'aliments possibles : les matières grasses, les glucides, les protéines, pour n'en citer que quelques-uns. Néanmoins, la nourriture n'est pas votre ennemi. Lorsqu'elle est consommée de manière naturelle, elle est en réalité votre arme la plus efficace pour lutter contre la graisse. Sans parler du fait que manger, c'est à la fois délicieux et absolument indispensable pour notre survie. Si vous êtes un peu perdue devant toute la variété d'aliments qui existe, *Women's Health : le régime* est là pour vous guider.

Il y a plusieurs années, David Zinczenko, directeur éditorial de *Women's Health* et de *Men's Health*, dressait, dans 2 livres révolutionnaires (*The Abs Diet* et *The Abs Diet for Women*), la liste d'une douzaine de groupes alimentaires essentiels qui jouent un rôle dans la stimulation du métabolisme. Le programme alimentaire de *Women's Health* simplifie ce concept. En vous concentrant uniquement sur 8 groupes alimentaires, vous mincirez rapidement. Tout ce que vous trouverez dans cette liste sert principalement à sculpter votre corps ; tout ce qui n'y figure pas n'est probablement pas bon

La répartition quotidienne des « bons aliments »

Choisissez vos aliments dans la liste ci-dessous pour mincir rapidement !

Céréales riches en fibres	de 2 à 4 portions
Avocat, huiles et autres graisses saines	1 ou 2 portions
Épinards et autres légumes verts	3 portions ou plus
Dinde et autres viandes maigres	2 portions ou plus
&	
Légumineuses	1 portion ou plus
Œufs et produits laitiers	de 2 à 4 portions
Pommes et autres fruits	3 portions ou plus
Noix et graines	1 portion ou plus

pour vous. Pour optimiser le développement musculaire et l'élimination de la graisse, respectez bien les quantités recommandées. Vous alimenterez votre corps avec tous les nutriments dont il a besoin et vous évincerez en même temps les mauvais aliments.

Les aliments indispensables de *Women's Health* pour mincir rapidement

Ces groupes d'aliments ont été spécialement sélectionnés pour leurs propriétés anti-graisse. Derrière cette magie, voici quelques données plus scientifiques.

Céréales riches en fibres

LES POINTS FORTS

Vous avez les glucides en horreur ? Pourtant il n'y a rien de fondamentalement mauvais dans les hydrates de carbone, à condition qu'ils ne soient pas raffinés : ils sont alors vidés de leurs fibres, minéraux et vitamines (c'est le cas du pain blanc, des chips, de certaines pâtisseries) et sont directement absorbés dans le sang où ils se transforment en glucose. À l'inverse, les produits non raffinés procurent une forme dite « complexe » d'hydrates de carbone, qui est désintégrée de façon contrôlée pendant la digestion, et offrent de grands avantages sur le plan de la santé. Ils sont riches en vitamines et minéraux.

Les céréales, les pâtes et les pitas comptent parmi les « bons » glucides que vous devez intégrer dans votre alimentation quotidienne. Ils fournissent de l'énergie et facilitent le processus d'élaboration des muscles. Le pain complet, les pâtes et le riz brun sont d'excellents choix, mais vous pouvez élargir votre horizon avec le quinoa et l'avoine, qui sont très riches en fibres et dont la teneur en protéines est équivalente à celle de la viande.

CE QU'EN DIT LA SCIENCE

Des chercheurs de l'Université d'État de Pennsylvanie ont découvert que les personnes qui consomment des céréales complètes perdent 2,4 fois plus de graisse abdominale que celles qui mangent des céréales raffinées. Si le taux élevé en fibres y est pour quelque chose, ces résultats vont au-delà de la simple sensation de satiété. Les céréales complètes ont pour effet de réguler le taux de glycémie, ce qui permet d'éviter les variations à outrance responsables de la sensation de faim peu après le repas. En outre, les antioxydants contenus dans ce type de céréales aident à réduire le risque d'inflammation et le taux d'insuline (l'hormone qui commande à votre organisme de stocker les graisses).

VOTRE OBJECTIF : de 2 à 4 portions par jour, en veillant à consommer une portion avant puis après votre séance d'entraînement.

ATTENTION : dès qu'il est question de glucides, l'industrie agro-alimentaire adore brouiller les pistes. Les fabricants raffinent le blé, le riz et d'autres céréales, éliminant au passage les vitamines, les minéraux et les fibres que l'on trouve dans le son (l'enveloppe extérieure) et le germe (la minuscule graine, au centre). Ne reste alors que l'endosperme vidé de ses nutriments qu'ils aspergent ensuite de fac-similés de nutriments chimiques et qu'ils estampillent « enrichis en vitamines ».

Si vous lisez « multicéréales » ou « blé » sur l'étiquette d'un pain ou d'un paquet de céréales, vous penserez qu'il s'agit d'un aliment sain. Maintenant, prenez le temps de lire l'étiquetage nutritionnel. Préférez les aliments dits « complets », non raffinés.

Avocats, huiles et autres graisses bonnes pour la santé

LES POINTS FORTS

« Manger gras ne vous rendra pas plus gras. » En effet, les « bonnes » graisses peuvent vous aider à mincir. Votre organisme utilise la graisse comme source d'énergie. Par conséquent, en prévoyant le moment de l'apport en graisse, vous favoriserez la perte de poids et aurez aussi l'énergie nécessaire pour effectuer vos exercices – avec, en prime, de bien meilleurs résultats.

CE QU'EN DIT LA SCIENCE

Les graisses sur lesquelles vous devez mettre l'accent sont : les acides gras mono-insaturés, les huiles saines que l'on trouve dans les olives, les noix, les graines, les avocats, l'açaï et même le chocolat ; et les acides gras oméga-3 que l'on trouve dans les poissons d'eau froide, les viandes de pâturage, les noix, les graines et certains fruits. Ces graisses permettent de réduire le risque de maladie cardiaque, de protéger les cellules, de favoriser le développement musculaire et d'augmenter le volume des nutriments de qualité que l'on trouve dans d'autres aliments.

CONSEIL N° 89

Évacuez la tension par le sexe. Dans le cadre d'une étude réalisée auprès de personnes chargées de parler en public, les participants ayant eu des relations sexuelles dans les semaines précédant l'événement ont connu moins de pics de tension.

Selon une étude publiée dans l'*International Journal of Obesity*, des chercheurs bostoniens ont soumis 101 personnes en surpoids à un régime faible en graisses pour le premier groupe, et à un régime

CONSEIL N° 90

Choisissez le jaune.
Les pois cassés jaunes ont davantage de protéines que les pois cassés verts. Des études démontrent que les protéines peuvent réduire la tension artérielle. Préparez-vous donc une grosse casserole de potage aux pois jaunes.

modéré en matières grasses pour le second groupe. Ils les ont suivies pendant 18 mois. Les deux groupes ont perdu du poids, mais seules les personnes du second groupe ont perdu en moyenne 4 kg sans les reprendre après une année. La raison : la consommation de graisses contribue à l'augmentation du taux d'une hormone appelée leptine, l'hormone dite de satiété, qui vous indique quand vous êtes repue.
VOTRE OBJECTIF : une ou 2 portions par jour en consommant des aliments tels que les avocats, les pâtes à l'huile d'olive et un peu de vinaigrette. Remarque : vous trouverez aussi des acides gras mono-insaturés dans les noix (nous vous en reparlerons plus loin). Ne vous cantonnez pas à un seul de ces aliments, mais essayez de varier vos sources de graisses saines.

Épinards et autres légumes verts à feuilles

LES POINTS FORTS

S'il existe un groupe d'aliments dont les bienfaits sont quasiment illimités, ce sont bien les légumes verts. Composés d'éléments nutritifs qui peuvent améliorer votre santé cardiovasculaire, vous mettre de bonne humeur, brûler des calories, protéger vos yeux et décupler votre plaisir sexuel –, les légumes verts à feuilles sont incomparables sur le plan nutritionnel. Mangez-en dès que vous le pouvez, où que vous soyez.

CE QU'EN DIT LA SCIENCE

La valeur calorique de la plupart des légumes est si faible que vous brûlez presque autant de calories qu'ils en contiennent, rien que par les processus de mastication et de digestion. Vous voulez plus de preuves ? Des chercheurs new-yorkais ont suivi plus de 2 000 personnes au régime. Celles qui ont obtenu les meilleurs résultats (les plus repues et qui ont perdu le plus de poids) sont celles qui en consommaient au moins 4 portions par jour. Qui plus est, les légumes – surtout les verts à feuilles, comme les épinards et les choux de Bruxelles – sont très riches en acide folique. Comme vous l'avez lu dans le précédent chapitre, cette vitamine B est le Saint-Graal des nutriments. Selon certains scientifiques, le meilleur moyen de savoir si vous avez une alimentation équilibrée est de mesurer le taux de ce nutriment. Mais on a de plus en plus de mal à en trouver étant donné l'abondance des aliments emballés et transformés aux dépens des légumes. L'acide folique a cependant montré ses bienfaits pour combattre la dépression et pour perdre du poids. Dans le cadre d'une étude, les personnes au régime présentant le taux le plus élevé d'acide folique ont perdu 8,5 fois plus de poids que celles dont le taux était le plus faible.

VOTRE OBJECTIF : au moins 3 portions de légumes par jour, qu'ils soient frais ou surgelés. Comment augmenter encore le nombre de portions ? Prenez aussi souvent que possible une salade en entrée. Pas seulement pour l'acide folique, mais aussi pour ralentir la digestion et vous sentir rassasiée pendant plusieurs heures.

Dinde et autres viandes maigres

LES POINTS FORTS

Les protéines sont la pierre angulaire de tout le corps humain, et ce sont les viandes et les œufs qui en contiennent le plus. Il est crucial d'en consommer pour fabriquer du muscle, pour transformer radicalement votre corps et pour conserver une santé de fer. Les protéines vous permettent d'avoir un bon tonus musculaire et d'enlever quelques centimètres à votre tour de taille. En effet, votre organisme brûle un grand nombre de calories quand il digère des protéines – environ 25 calories pour 100 calories consommées (et seulement de 10 à 15 pour les graisses et les glucides). C'est ce que l'on appelle l'effet thermique des aliments. Il peut aller jusqu'à 30 % de la dépense calorique.

CE QU'EN DIT LA SCIENCE

Les protéines se composent d'acides aminés qui se divisent en 2 types : les essentiels et les non essentiels. Les meilleures protéines comprennent les 9 acides aminés essentiels que le corps ne peut produire naturellement. On trouve les meilleures sources de protéines dans le bœuf, le porc, la volaille, le poisson, les produits laitiers, les œufs, les noix et les flocons d'avoine. D'autres aliments tels que les haricots, les graines et la farine de maïs en contiennent également, mais le taux d'acides aminés essentiels de ces aliments se situe légèrement en dessous des besoins de votre organisme. Les aliments comme le pain, le riz, les pâtes et les pommes de terre contiennent aussi des protéines, mais pas les acides aminés essentiels ; ils sont donc considérés comme des sources incomplètes. Un régime qui se compose en priorité de protéines issues de sources complètes fournira donc de meilleurs résultats.

VOTRE OBJECTIF : 2 portions par jour, surtout au moment du petit déjeuner. Assurez-vous de manger aussi un aliment de cette catégorie (ou bien des œufs, ou des produits laitiers) avant et après vos séances d'entraînement.

Légumineuses (légumes secs)

LES POINTS FORTS

Qu'est-ce qu'un légume sec ? C'est tout ce qui pousse dans une cosse, comme les haricots, les lentilles, les petits pois, l'edamame (fève de soja), les cacahuètes. À l'exception de ces dernières, ces légumes sont comme de petites pilules d'amaigrissement. Plus vous en consommez et plus vous vous rapprochez de votre objectif. Essayez de bien retenir cette information simple et vous vous surprendrez à boire de la soupe aux pois, à vous régaler avec une purée de haricots, à acheter des burritos aux légumes.

CE QU'EN DIT LA SCIENCE

Dans le cadre d'une étude, les participants ayant consommé ¾ de tasse de haricots par jour pesaient 3 kg de moins que ceux qui n'en mangeaient pas, alors même que les mangeurs de haricots consommaient 199 calories supplémentaires par jour. Une autre étude, publiée dans le *Journal of the American College of Nutrition*, a révélé que les participants qui consomment des haricots tous les jours ont un plus petit tour de taille et une pression artérielle plus basse. Le soja contient des huiles et des

CONSEIL N° 91

Au nom de l'amour !
Optez plus souvent pour les viandes maigres, votre vie sexuelle n'en sera que meilleure : elles stimulent votre libido et augmentent votre entrain au lit.

adjuvants qu'il faut à tout prix ainsi que des substances chimiques naturelles très proches de l'œstrogène qui font baisser le taux de testostérone ; en manger en trop grande quantité n'est donc pas conseillé, surtout pour les hommes. Cependant, l'edamame, avec ses fibres et ses protéines, reste un choix de collation intelligent. **VOTRE OBJECTIF** : consommez au moins une portion par jour de l'un des aliments de cette catégorie. Et souvenez-vous : ce sont des pilules amaigrissantes qui n'ont absolument aucun inconvénient nutritionnel, alors plus vous en mangerez, plus vous perdrez de la graisse et plus vous développerez votre masse musculaire.

Œufs et produits laitiers

LES POINTS FORTS

Les œufs sont les aliments les plus riches en éléments nutritifs. Dans le cadre d'une étude publiée dans l'*International Journal of Obesity,* les participants ayant consommé des œufs au petit déjeuner pendant 5 semaines ont perdu 65 % de poids de plus que ceux ayant mangé un bagel – sans aucune répercussion sur leur taux de cholestérol ou de triglycérides. (C'est vrai, les œufs contiennent un taux élevé de cholestérol, mais ils ne font pas augmenter le vôtre – il s'agit d'une idée faussement répandue.)

Le lait, quant à lui, est très bon pour le corps, ainsi que le fromage, les yaourts et même la glace. On sait tous que le calcium contenu dans les produits laitiers renforce les os, mais la liste de ses bienfaits est plus longue encore que la carte des vins d'un grand restaurant. En buvant ne serait-ce

CONSEIL N° 92

Rajeunir avec plaisir.
Dans le cadre d'une étude sur plus de 3 500 adultes, menée sur une période de 10 ans, les participants ayant expliqué qu'ils avaient des relations sexuelles 4 fois par semaine donnaient l'impression d'être 10 ans plus jeune que leur âge réel.

qu'un verre de lait par jour, vous vous protégez contre les crises cardiaques et les accidents vasculaires cérébraux. Quand des chercheurs britanniques se sont penchés sur les habitudes alimentaires, ils ont découvert que boire du lait au moins une fois par jour diminuait le risque de maladie cardiaque de 16 % et celui d'un accident vasculaire cérébral de 20 %. Le calcium des produits laitiers fait baisser votre tension artérielle et crée un environnement plus sain pour votre cœur. Une autre étude réalisée à Harvard a permis de révéler que les personnes qui consomment 3 produits laitiers par jour ont 60 fois moins de chances de prendre du poids que les autres.

CE QU'EN DIT LA SCIENCE

D'après une étude menée en France par l'Unité de surveillance et d'épidémiologie nutritionnelle de l'Institut de veille sanitaire, 80 % des personnes étudiées présentaient une insuffisance en vitamine D, avec un déficit jugé de modéré à sévère chez 42,5 % de la population et sévère chez 5 %. Or la vitamine D joue un rôle important, dans la mesure où vous risquez d'avoir du mal à perdre du poids si vous en manquez. On trouve cette vitamine essentiellement dans les poissons, les œufs et les produits laitiers. Les autorités de santé publique françaises ont d'ailleurs autorisé l'ajout de vitamine D dans le lait et les produits laitiers frais pour pallier les carences constatées. Alors, buvez du lait, et n'hésitez pas à boire toute la bouteille. Selon une autre étude, publiée dans l'*American Journal of Clinical Nutrition,* il n'existe aucun lien entre les graisses saturées du lait entier et les artères coronaires obstruées. Et inutile de compter les calories : la différence entre le lait entier ou le lait écrémé est à peine de 20 calories. En outre, des chercheurs suédois ont découvert que les acides linoléiques conjugués (ALC) que l'on trouve dans les matières grasses du lait et du bœuf contribuent à faire réduire le tour de taille. Dans le cadre de cette étude, les chercheurs ont suivi 25 individus – certains d'entre eux prenant un complément d'ALC – pendant

4 semaines. Au terme de ce régime, les hommes du groupe ayant pris le complément d'ALC ont vraiment perdu beaucoup de graisse abdominale. (Prenez soin de vous : consommez du bœuf élevé en plein air et du lait aussi souvent que possible. Ce type de viande contient 60 % d'oméga-3 en plus, 200 % de vitamine E en plus et 2 à 3 fois plus d'ALC).

Si vous souhaitez consommer davantage de produits laitiers, optez pour les yaourts. Une étude réalisée par l'Université du Tennessee a révélé que les personnes qui ajoutaient 3 portions de yaourt par jour à leur régime perdaient 81 % de graisse abdominale supplémentaires sur 12 semaines par rapport à celles qui n'en ont pas du tout mangé. Mis à part le rôle joué par le calcium, une étude publiée dans le journal *Molecular Systems Biology* a révélé que les bactéries contenues dans les yaourts pouvaient empêcher l'organisme d'absorber de la graisse.

VOTRE OBJECTIF : de 2 à 4 portions par semaine. Faites en sorte de manger l'un des aliments de cette catégorie (ou des catégories des viandes maigres riches en protéines, des légumes et des noix) avant et après vos séances d'exercice. Mangez des œufs régulièrement au petit déjeuner, du fromage au déjeuner et, aussi souvent que possible, un yaourt au goûter.

La grande question est : quel yaourt choisir ? Dans la plupart des cas, il n'y a aucune raison de ne pas choisir les yaourts entiers. Les matières grasses consommées ont tendance à diminuer l'appétit, ce qui fait que vous consommez moins de calories le reste de la journée. Elles présentent un autre avantage dans le cas des produits laitiers : vous ressentez moins le besoin d'ajouter du sucre.

Pour illustrer ceci, voici une comparaison de 3 types de yaourts (moyenne pour un pot de 125 g) :

	YAOURT NATURE	NATURE, SANS MATIÈRES GRASSES	AUX FRUITS
SUCRE (GRAMMES)	5,75	9,5	24
CALORIES	81,25	67,5	143

Le meilleur choix est de loin celui du yaourt nature au lait entier. Il contient moins de sucre, et est à peine plus calorique qu'un yaourt maigre. Les yaourts aromatisés, les yaourts aux fruits sont largement plus sucrés et caloriques.

Pommes et autres fruits

LES POINTS FORTS

En règle générale, plus votre alimentation est colorée, plus vous mangez sain. C'est parce que couleur = nutrition. Et le moyen le plus facile (et le plus savoureux) de mettre de la couleur dans votre assiette est de varier les fruits – pommes rouges, ananas jaunes, kiwis verts, oranges... Les couleurs représentent des nutriments différents, alors plus vous optez pour la variété, mieux c'est.

CE QU'EN DIT LA SCIENCE

Les fruits contiennent des sucres naturels qui, une fois qu'ils se décomposent dans l'organisme, sont synthétisés dans le foie. Ineptie technique, nous direz-vous, mais elle a un grand avantage pour votre tour de taille. Comme le sucre est transformé dans le foie, il ne fait pas flamber votre taux d'insuline, ce qui veut dire que vous avez moins tendance à stocker cette énergie sous forme de graisse. Choisissez l'un de vos fruits préférés – frais ou surgelé – et consommez-en tous les jours entre les repas principaux, au moment de la collation, ou pour vous procurer de l'énergie avant et après votre séance d'exercice.

VOTRE OBJECTIF : 3 portions de fruits ou plus par jour, frais, surgelés ou séchés. Ce n'est pas très compliqué : céréales et raisins secs, une pomme et quelques morceaux d'ananas, et le tour est joué.

Noix et graines

LES POINTS FORTS

Elles contiennent des fibres qui diminuent l'appétit, des protéines qui favorisent le développement musculaire, des vitamines qui protègent des maladies et des graisses mono-insaturées qui sont bonnes pour le cœur et l'estomac. Quelles variétés choisir ? Essayez de trouver le juste équilibre : les noix contiennent un taux plus élevé d'acides gras oméga-3 que le saumon ; les noisettes sont riches en arginine, un acide aminé qui favorise la prise de muscle ; les noix de pécan contiennent le taux le plus élevé d'antioxydants de toutes les variétés de noix, et les amandes sont en quelque sorte la version naturelle des compléments de vitamine E. Quant aux graines, celles du potiron et du tournesol sont riches en vitamine E et en graisses saines.

CONSEIL N° 93

Voyez la vie en couleurs.
Les variétés anciennes de carottes, de couleur rouge, violette et jaune, contiennent plus de nutriments indispensables pour conserver une bonne vue que la variété orange traditionnelle.

CE QU'EN DIT LA SCIENCE

Dans le cadre d'une étude, des chercheurs de l'Université Purdue ont demandé à leurs participants de consommer 60 g d'amandes (environ 48) par jour pendant 23 semaines. Les résultats ont révélé qu'ils n'avaient non seulement pas pris de poids, mais qu'ils avaient aussi diminué leur apport en calories issues d'aliments mauvais pour la santé, tout en améliorant le métabolisme des lipides et le taux de bon cholestérol, qui font diminuer le risque de maladie cardiovasculaire. Par ailleurs, selon des chercheurs de la Georgia Southern University, en prenant une collation riche en protéines et en matières grasses, comme des amandes, on prolonge la dépense de calories au repos jusqu'à 3 h 30. Dans le cadre d'une autre étude, les participants ayant consommé des pistaches pendant 3 mois ont perdu en moyenne entre 4,5 et 5,5 kg. Enfin, selon une étude publiée dans le *Journal of Nutrition*, le fait de manger des noix au moment des collations, entre les repas, ne fait pas prendre de kilos, car l'organisme n'absorbe pas toutes les matières grasses contenues dans les noix.

VOTRE OBJECTIF : consommez au moins une portion par jour des aliments de cette catégorie.

Le programme nutritionnel de *Women's Health* en pratique

Voici un rapide aperçu de votre régime alimentaire quotidien.

PETIT DÉJEUNER ET BRUNCH

PRIVILÉGIEZ : produits laitiers, œufs, céréales complètes, fibres, et veillez à un bon pourcentage de calories.

Si vous consommez plus de calories le matin, vous perdrez du poids sans le reprendre, alors faites en sorte de consommer de 30 à 35 % du total journalier. Si vous sautez régulièrement le petit déjeuner, prenez petit à petit l'habitude de consommer un peu de fromage ou un verre de lait avec une tranche de pain complet. Essayez de commencer la journée avec quelques protéines et quelques glucides. Ceux que contiennent les produits laitiers ralentissent la pénurie de protéines du muscle, ce qui favorise le développement musculaire et l'élimination de la graisse, et diminue le risque de lésion musculaire et d'inflammation. Qui plus est, selon certains scientifiques australiens, boire du lait au petit déjeuner freine les fringales de l'après-midi et de la soirée. Vous constaterez par vous-même que vous consommerez moins de calories dans la journée si vous faites le plein le matin, et vous perdrez plus de poids en prenant tout simplement deux petits-déjeuners par jour.

Mais pourquoi deux petits déjeuners ? Si vous n'avez pas le temps ni suffisamment d'appétit pour manger beaucoup au réveil, il faut cependant que vous consommiez le plus de calories possible au cours des 6 premières heures de la journée. Alors si vous ne pouvez avaler qu'un verre de lait quand vous vous levez, donnez un coup de fouet au cerveau et au corps une heure plus tard en prenant un repas riche en protéines, comprenant des légumes ou des fruits qui agissent sur l'humeur. Optez pour un mélange noix/graines de lin/flocons d'avoine, avec un yaourt et des myrtilles pour faire le plein d'oméga-3 et d'antioxydants, qui stimulent l'activité cérébrale. Si vous allez à la salle de gym, l'idéal est de prendre un smoothie de fruits riche en protéines, saupoudré d'une cuillerée de lactosérum (petit-lait) en poudre.

CONSEIL N° 94

Montez sur la balance.
Faites-le tous les vendredis, par exemple, juste après être allée aux toilettes mais avant de prendre votre petit déjeuner. Les personnes qui se pèsent régulièrement ont tendance à moins prendre de poids.

DÉJEUNER

PRIVILÉGIEZ : légumes, haricots, fruits, noix, céréales complètes et tout ce qui est nourrissant.

Le déjeuner est le moment déterminant de votre apport nutritionnel. Au petit déjeuner, il s'agit de manger le plus possible, au dîner, les dés sont jetés. C'est donc au déjeuner que tout se joue. C'est

La liste de courses *Women's Health*

CÉRÉALES RICHES EN FIBRES

Pâtes fraîches ou sèches, gruau (porridge) instantané (sans sel ni sucre ajoutés), avoine, céréales complètes, pain complet, tortillas à base de farine complète, muffins anglais complets, pitas complets, riz long grain (brun, sauvage), quinoa.

AVOCATS, HUILES ET AUTRES BONNES GRAISSES

Avocat, olives, huile d'olive, huile de pépin de raisin, huile de sésame, huile de colza, huile de carthame.

ÉPINARDS, LÉGUMES VERTS À FEUILLES ET AUTRES LÉGUMES

Frais : échalotes, choux de Bruxelles, betteraves, chou frisé, bettes, chou vert, ail, poivrons, laitue romaine, laitue, céleri, épinards, artichauts, asperges, *bok choy*, brocoli, chou, carottes, chou-fleur, concombre, haricots verts, poireaux, champignons, oignons, radis.
Surgelés : brocoli, petits pois.

DINDE ET AUTRES VIANDES MAIGRES

Poulet, bœuf haché (de préférence 15 % de matières grasses ou moins), aloyau, gîte, porc, dinde, thon, saumon, bar, perche, limande, truite, cabillaud, plie, flétan, mérou, mahi-mahi, empereur, crevettes, pétoncles, homard, crabe, tilapia.

LÉGUMINEUSES (LÉGUMES SECS)

Haricots noirs, rouges, blancs, haricots pinto, doliques à œil noir, haricots secs, lentilles corail, edamame (fève de soja).
À étaler : beurre de cacahuètes, purée de haricots noirs, houmous.

ŒUFS ET PRODUITS LAITIERS

Lait entier ou écrémé, lait chocolaté, yaourts au lait entier, cheddar, mozzarella, feta, fromage de chèvre, crème glacée, fromage blanc, œufs de poules élevées en plein air.

POMMES ET AUTRES FRUITS

Frais : bananes, melon, raisin, citrons (jaunes et verts), mangues, pastèques, oranges, pêches, poires, ananas, myrtilles, framboises et fraises.
Séchés : abricots, pruneaux et raisins secs.

NOIX ET GRAINES

Amandes, noix de cajou, graines de lin moulues, graines de sésame, graines de tournesol, noix.
À tartiner : beurre d'amande, beurre de noix de cajou (sans sel ni sucres ajoutés).

ASSAISONNEMENTS

Utilisez-les pour parfumer vos plats : basilic, poivre de Cayenne, piments séchés en flocons ou en poudre, vinaigre de cidre, coriandre, cannelle, cumin, curry, sauce de soja à faible teneur en sodium, menthe, persil, paprika, vinaigre de vin rouge, vinaigre de vin blanc.

aussi, hélas, le repas où l'on a le moins de contrôle sur ce que l'on mange, notamment au travail. Alors soyez judicieux et veillez à ce qu'il contienne au moins 3 représentants de la catégorie des légumes, des fruits ou des légumineuses ; ils possèdent pour l'essentiel de l'eau, des fibres et des vitamines – vous serez donc suffisamment hydratée et vous ferez le plein de calories saines par la même occasion. Pour faire au plus simple, optez pour une soupe ou une salade. Ajoutez ensuite un assortiment de protéines de qualité, des graisses saines, des produits laitiers, des noix et des céréales complètes.

CONSEIL N° 95

Manger pour deux ?

Dans une étude réalisée auprès de couples suivant des traitements contre la stérilité, il a été noté que les femmes dont les repas étaient composés de poisson, de légumineuses et d'huiles végétales avaient 40 % de chances en plus de tomber enceintes.

LE DÎNER

PRIVILÉGIEZ : légumes-feuilles et autres légumes, viandes maigres, poisson, haricots et légumes secs, en réduisant les portions.

Certaines études ont montré que si vous démarrez le dîner par une petite salade assaisonnée avec de l'huile d'olive et du vinaigre, ou avec des légumes riches en acide folique cuits à la vapeur, tels que le chou frisé, les épinards, le chou vert ou les bettes, vous réduirez votre consommation de calories d'environ 12 % tout en emmagasinant des fibres qui favorisent la sensation de satiété et des nutriments qui vous protègent de certaines maladies. Qui plus est, les légumes verts riches en acide folique amélioreront votre humeur. Vous avez bien compris ? Vous optez pour une salade juste avant le dîner ou vous garnissez votre assiette de légumes, et vous commencez par eux. Vous pouvez passer ensuite au plat suivant avec de la viande maigre, des céréales complètes, etc. Deux fois par semaine, mangez du poisson, car il est riche en oméga-3. Il fait diminuer le risque de maladie cardiaque, protège des lésions cellulaires et augmente la quantité de nutriments essentiels que votre organisme peut absorber par le biais d'autres aliments.

LES COLLATIONS

PRIVILÉGIEZ : laitages, protéines, céréales complètes, fruits, noix, haricots et légumes secs.

Il n'est pas possible de perdre du poids sans le reprendre si vous ne prenez pas de collation ! En effet, des études ont montré que les personnes qui évitent de manger entre les repas finissent par consommer, dans l'ensemble, plus de calories, surtout parce qu'elles ont faim et qu'elles ne choisissent pas les bons aliments. Pensez protéines, pensez matières grasses, pensez calcium – c'est aussi le moment d'intégrer quelques produits laitiers supplémentaires. Optez pour un yaourt nature et des myrtilles, des tranches de poivron rouge et du fromage blanc, des céréales complètes et du lait, des pommes et du fromage, du guacamole et des chips de tortilla, ou encore des noix et des framboises.

LA NOURRITURE AVANT ET APRÈS L'EXERCICE

PRIVILÉGIEZ : laitages, viandes maigres, céréales et noix (mangez avant et juste après votre entraînement).

Devez-vous vous entraîner ? Non. Devez-vous épargner pour votre retraite ? Non. Devez-vous vérifier les pneus de votre voiture pour votre sécurité ? Non. Devez-vous passer du temps avec vos beaux-parents ? Non plus. Vous n'êtes pas obligée de faire quoi que ce soit si vous n'en avez pas envie. Allongez-vous sur votre canapé, commandez une pizza et continuez de manger n'importe quoi si cela vous fait plaisir. Mais vous êtes grande. Vous savez que ces choix ne sont pas gratuits. Vous comprenez qu'investir aujourd'hui – dans votre corps, votre avenir financier, votre famille – paiera plus tard. Alors nous avons conçu un programme d'entraînement qui vous aidera à en retirer des bénéfices sur le long terme et commencera à payer immédiatement, et certainement plus que votre plan d'épargne ne le fait. Nous en reparlerons plus loin.

Ceci dit, aller à votre salle de sport ne constitue qu'une partie de la stratégie. Si vous voulez voir les changements les plus étonnants au niveau de votre corps, il est important que vous planifiez vos repas et vos collations par rapport à vos séances d'exercice. En suivant ce petit conseil, vous consommerez plus de calories qui vous aideront à vous muscler sans prendre de graisse supplémentaire.

> **CONSEIL N° 96**
>
> **Prenez un fruit vigoureux.**
> Les litchis sont remplis de magnésium qui améliore la circulation dans la région pelvienne.

Avant l'entraînement : lorsque vous mangez avant un entraînement, les calories nourrissent votre corps pour qu'il travaille de façon optimale pendant que vous êtes à la salle de sport – vous serez également de meilleure humeur et vous vous donnerez l'énergie dont vous avez besoin pour vous motiver. Des chercheurs hollandais et britanniques ont découvert que manger avant les exercices accélère la croissance musculaire en émoussant la réceptivité de votre corps au cortisol, l'hormone du stress qui favorise le stockage de la graisse. Cela accélère la perte de graisse pendant l'exercice et pendant les 24 heures qui suivent, d'après des scientifiques de l'Université de Syracuse. Veillez cependant à ce que ce repas ou cette collation contienne un mélange équilibré de protéines et de glucides. Mangez une ou deux portions de glucides et une portion de protéines environ 30 minutes avant le début de votre séance. Et si vous n'avez pas envie d'en faire trop, préparez-vous un cocktail de protéines. Les personnes qui prennent un repas riche en protéines et en hydrates de carbone avant et après l'exercice développent 2 fois plus de masse musculaire que celles qui attendent au moins 5 heures pour manger.

APRÈS L'ENTRAÎNEMENT : consommez des protéines juste après vos exercices pour aider le corps à récupérer, grâce à une infusion fraîche d'acides aminés pour réparer et développer les muscles. Les glucides augmentent le niveau d'insuline, ce qui ralentit la synthèse des protéines et accélère le développement musculaire après l'entraînement. Mangez une ou 2 portions de glucides et une portion de protéines 30 minutes après votre séance.

En prime : après une séance de musculation, les matières grasses ne peuvent se frayer un chemin tant que les mécanismes d'élimination de la graisse sont en action. Alors si vous êtes du genre cookie ou pâtisserie, c'est le moment idéal pour vous faire plaisir. Vous n'utiliserez pas les protéines que vous avez stockées comme source d'énergie, ce sont les glucides qui prendront le relais pour vous reconstituer. Et ce que vous mangerez vous aidera à vous sculpter de beaux abdos et à fabriquer du muscle sec. Ne le faites pas tous les jours, tout de même. Ajouter du sucre n'est jamais une bonne habitude à prendre.

Si votre entraînement a lieu à l'heure du déjeuner, comme c'est le cas pour beaucoup de femmes, prenez une ou deux collations environ 30 minutes avant de commencer, puis rendez-vous directement de la salle de gym à votre salle à manger. Vous vous entraînez plutôt après le travail ? Emmenez une collation en quittant le bureau et dînez ensuite juste après votre entraînement. Vous êtes du matin ? Prenez un petit déjeuner léger dès votre lever, puis avalez quelque chose après votre entraînement. Une souplesse maximum pour des résultats maximum – voilà ce dont il est question dans ce programme.

Essayez le régime en 5 jours de *Women's Health*

L'idéal serait que vous vous entraîniez 3 fois par semaine, de préférence à l'heure du déjeuner. Vous devez peut-être vous lever tôt pour vous entraîner ou vous ne pouvez vous rendre à la salle de gym qu'après le travail, ou les circonstances font que vous devez parfois sauter l'entraînement plusieurs jours de suite. Peu importe ce qui vous empêche de faire comme vous le voulez, ce n'est pas un problème : le programme nutritionnel de *Women's Health* repose sur un maximum de flexibilité pour gagner un maximum de muscle (et brûler un maximum de graisse). Souvenez-vous simplement de ces 3 règles :

- Prenez toujours un petit déjeuner.
- Mangez toujours un petit quelque chose avant l'entrainement.
- Mangez toujours un gros quelque chose après l'entraînement.

Jour 1 (journée d'entraînement)

PETIT DÉJEUNER : cocktail noix/graines de lin/flocons d'avoine et lait

De l'avoine avec des noisettes hachées, des graines de lin moulues, des bananes et un soupçon de cannelle. Le lait fournit un apport immédiat en protéines et l'avoine régule votre taux de sucre dans le sang pour vous permettre de mieux gérer les futures fringales. La cannelle réduit le risque d'inflammation, les noisettes et les graines de lin apportent des oméga-3 et des graisses saines qui freinent l'appétit, et les bananes apportent du potassium bon pour le cœur. Choisissez des flocons d'avoine complète et rien d'autre.

COLLATION : un smoothie riche en protéines

Protéines de petit-lait (lactosérum) en poudre au chocolat, lait, fraises et bananes – le meilleur cocktail pour attaquer une séance d'exercices. Le petit-lait, ou lactosérum, contient d'une protéine qui se digère rapidement et vous évitera d'éventuels maux d'estomac pendant vos exercices. Le lait, les fraises et les bananes fournissent l'apport en électrolytes nécessaire pour que vous restiez parfaitement hydratée, mais aussi pour faciliter le développement musculaire et la récupération.

(ENTRAÎNEMENT)

DÉJEUNER : sandwich aux haricots noirs (pâte de haricots noirs, olives, oignons nouveaux, choux de Bruxelles, tomates et laitue sur du pain complet)

La pâte de haricots noirs fournit des fibres qui régulent l'humeur, des graisses bonnes pour le cœur et des protéines de qualité. Les légumes apportent des antioxydants qui protègent de certains cancers, de la vitamine K qui facilite le développement de la masse osseuse, du sélénium qui fait diminuer le cholestérol, de la vitamine C qui lutte contre les radicaux libres et, enfin, du potassium qui fait diminuer la pression artérielle.

COLLATION : œufs cuits durs (1-2) et une pomme

Il n'y a rien de plus pratique que les œufs durs, mais vous pouvez aussi vous préparer quelques œufs brouillés dans l'après-midi et les placer dans un récipient allant au micro-ondes. N'éliminez pas les matières grasses : elles sont saines et apaisent la sensation de faim. La pomme vous fournira les hydrates de carbone dont vous avez besoin pour retrouver de l'énergie après l'exercice.

LE DÎNER : sauté de bœuf aux amandes sur lit de riz brun et chou frisé cuit à la vapeur

Faites revenir un assortiment de légumes surgelés de votre choix dans un peu d'huile de colza. Ajoutez ensuite le bœuf (élevé en plein air) finement émincé, un soupçon de sauce soja à teneur réduite en sel et les amandes effilées. Servez le plat accompagné de riz brun et de chou frisé cuit à la vapeur. En commençant le repas par des légumes pauvres en calories et riches en fibres, vous diminuez votre apport total en calories d'environ 12 %. Le bœuf fournit des protéines maigres de bonne qualité et des oméga-3 bons pour le cœur. Le riz brun apporte des fibres qui vous éviteront les fringales de fin de soirée.

Jour 2

PETIT DÉJEUNER : œufs brouillés à la mexicaine

Préparez des œufs brouillés dans un peu d'huile d'olive avec des tomates, des oignons, des épinards et des poivrons hachés, puis disposez la préparation dans une tortilla au blé complet. Garnissez le tout d'un peu de cheddar râpé.

COLLATION : pain complet tartiné de beurre d'amande, et pomme

DÉJEUNER : salade de thon

Mélangez de la laitue rouge, des épinards, du thon blanc, des tomates, des haricots blancs, du cheddar, des carottes, du brocoli, des poivrons rouges, des graines de lin moulues et des graines de sésame. Assaisonnez la salade avec de l'huile d'olive et du vinaigre balsamique.

COLLATION : yaourt grec

Le yaourt grec est un rêve pour les sportives : il est facile à emporter et riche en protéines. Ne choisissez pas des yaourts sucrés aux fruits ; pour apporter un peu de saveur, glissez quelques fruits rouges ou des noix dans votre pot.

LE DÎNER : burritos aux lentilles corail

Faites revenir des oignons, du brocoli, des carottes, de la sauce tomate, du curry en poudre, du cumin et du piment en poudre. Ajoutez les lentilles corail cuites et quelques tomates séchées. Servez la préparation dans des tortillas au blé complet avec du cheddar, du yaourt et de la coriandre hachée. Accompagnez le plat d'une salade de pousses d'épinard assaisonnée avec de l'huile d'olive et du pecorino (fromage de brebis italien) râpé.

Jour 3 (journée d'entraînement)

PETIT DÉJEUNER : céréales complètes, toast avec du beurre d'amande, et abricots séchés coupés en petits morceaux + 1 verre de lait

COLLATION : fromage blanc, flocons d'avoine et pomme

Le fromage blanc contient tous les bienfaits d'un cocktail de protéines. Cette source de protéines de choix vous aidera à perdre du poids grâce à son apport élevé en calcium. L'avoine et la pomme vous donneront l'énergie suffisante pour soulever des poids plus lourds et éviter la sensation de faim pendant la séance.

(ENTRAÎNEMENT)

DÉJEUNER : sandwich au poulet à l'indonésienne et à la salade

Mélangez le beurre d'arachide, un filet d'eau, du vinaigre de vin blanc, de l'ail haché et des morceaux de poivron rouge avec des lamelles de poulet bio, du chou frisé et de l'oignon. Étalez la préparation sur du pain complet.

COLLATION : 1 ou 2 tasses (jusqu'à 50 cl) de lait chocolaté

Rafraîchit et reconstruit en même temps. Selon les résultats d'une étude publiée dans le *Journal of the American College of Nutrition*, le lait chocolaté serait la boisson idéale après une séance de musculation.

DÎNER : saumon sauvage au chutney de mangue avec des aubergines et des bettes

Faites mariner le saumon dans un mélange de jus de citron, de paprika, de sel et de poivre et saisissez-le dans un peu d'huile d'olive. Ajoutez un mélange de mangue, de poivron rouge, d'oignon finement hachés, du jus de citron vert, de la menthe et du piment jalapeño. Servez le plat avec des aubergines et des bettes grillées. (Remarque : nous vous recommandons vivement d'acheter du saumon sauvage plutôt que d'élevage, lequel contient davantage de bons oméga-3 et beaucoup moins de pesticides qui favorisent l'obésité.)

Jour 4

PETIT DÉJEUNER : smoothie à la banane et aux fruits rouges

Mélangez des myrtilles, des framboises et de la banane (fraîche ou surgelée) dans un blender avec du yaourt. Ajoutez un peu de lait sans matières grasses et du beurre d'arachide. Mixez jusqu'à ce que vous obteniez un mélange onctueux. Accompagnez votre smoothie d'une tranche de pain complet nappé de confiture de cassis.

COLLATION : œufs sur le plat et sandwich au fromage

Les œufs fournissent une protéine de satiété qui donne de l'énergie pour la journée.

DÉJEUNER : salade de poulet fermier

Mélangez du poulet fermier cuit, des épinards, des pommes et des amandes avec un peu de yaourt, de la moutarde de Dijon et du céleri.

COLLATION : banane et beurre d'arachide

DÎNER : steack haché accompagné d'une purée de patate douce, d'oignons sautés et de poivrons rouges rôtis. Servez ce plat avec des épinards cuits à la vapeur.

Jour 5 (journée d'entraînement)

PETIT DÉJEUNER : omelette aux épinards, yaourt et myrtilles.

Hachez des épinards, réservez une poignée, puis faites-les revenir dans un peu d'huile d'olive. Mélangez un œuf et le reste des épinards hachés, versez sur les épinards sautés et laissez cuire jusqu'à ce que l'omelette soit prise. Le yaourt fournit des probiotiques qui favorisent la perte de poids, la digestion et le bon fonctionnement du système immunitaire. Les myrtilles fournissent des antioxydants qui, d'après certaines études, protégeraient contre certains cancers, contre le diabète et contre la perte de mémoire inhérente à l'âge.

COLLATION : Smoothie aux fruits rouges avec des protéines de lactosérum (petit-lait).

Ce produit dérivé du lait continue de régner dans les salles de gym. Mélangez-le de préférence avec du lait et non de l'eau si vous souhaitez avoir un apport plus important en protéines. Les fruits apportent à la fois un peu de saveur et de l'énergie pour la journée.

(ENTRAÎNEMENT)

DÉJEUNER : soupe de pois cassés et salade de jeunes pousses d'épinard

COLLATION : wrap au poulet, à la dinde ou au thon

Disposez l'ingrédient choisi dans une tortilla au blé complet, puis ajoutez de la laitue et des tomates : vous avez là un repas idéal après l'entraînement. En dessert prenez quelques cuillerées de crème glacée pour obtenir une petite dose de sucre qui favorisera le développement musculaire.

DÎNER : truite arc-en-ciel aux amandes, avec chou vert et cresson

Faites revenir la truite dans de l'huile d'amande avec quelques amandes crues émincées. Mouillez avec du vinaigre de cidre et ajoutez le cresson. Servez le poisson avec du chou vert sauté dans de l'huile d'olive et de l'ail.

24 SOLUTIONS ALIMENTAIRES INTELLIGENTES

Prenez les choses en main, qu'il s'agisse du trac qui précède une grande réunion ou bien de l'angoisse à la veille d'un grand jour.

Vous êtes intelligente, vous avez votre propre opinion des grands et des petits événements de la vie. Tant mieux. Néanmoins, même les personnes qui semblent gérer au mieux tout cela ont besoin parfois d'un peu de soutien.

Pourquoi n'auriez-vous jamais besoin d'aide ? Surtout lorsque vous êtes en terrain miné. Comme lorsque vos menstruations menacent de gâcher votre journée ou que vous devez faire face tout d'un coup à un moment de votre carrière professionnelle qui va bien se passer ou, au contraire, tout casser. Ou encore lorsque vous prévoyez au dernier moment des vacances au bord de la mer et que vous voulez perdre quelques kilos avant votre départ.

Certes, aujourd'hui, il existe des applications informatiques pour vous sortir de presque n'importe quelle situation difficile. Mais parfois, la meilleure solution n'est pas celle que vous téléchargez. C'en est une que vous avalez tout simplement. En effet, même si vous considérez que certains aliments sont vos ennemis (nous sommes en train de parler des frites !!), si vous les utilisez correctement, ils peuvent devenir ponctuellement vos alliés les plus efficaces.

Laissez ces aliments vous aider à vous sortir du pétrin lorsque...

CONSEIL N° 97

Réveillez-vous avec de l'eau. Buvez 50 cl d'eau froide dès que vous vous levez. Des scientifiques allemands ont découvert que cela augmente le métabolisme de 24 % pendant les 90 minutes qui suivent. Une plus petite quantité d'eau n'a aucun effet. Règle générale : avalez au moins un litre et demi d'eau par jour.

VOUS AVEZ EU UNE DURE JOURNÉE AU BUREAU

BACON OU JAMBON ET ŒUFS SUR LE PLAT

Grâce aux protéines de ce repas copieux, vous serez repue pour toute la matinée. D'après les travaux de chercheurs de l'Université de l'Illinois, les personnes qui consomment plus de protéines et moins de glucides à chaque repas trouvent plus facile de suivre un régime que celles qui mangent davantage de glucides et moins de protéines. Les protéines ont un haut pouvoir rassasiant, vous donnent de l'énergie pour toute la journée et, en outre, elles favoriseraient la dépense de calories, selon les auteurs de l'étude. Qui plus est, quand vous digérez les œufs, les fragments de protéines produits empêcheraient les vaisseaux sanguins de rétrécir et, par conséquent, votre tension artérielle d'augmenter. Des scientifiques canadiens ont découvert dans le cadre d'une étude que plus les œufs sont chauds, plus les protéines sont puissantes : lorsque vous les faites cuire au plat, vous faites grimper leur température.

VOUS AVEZ OUBLIÉ VOTRE BROSSE À DENTS

Des chercheurs ont découvert qu'en consommant jusqu'à 7 g de cheddar, de gouda ou de mozzarella, le taux de pH de votre salive augmente pour protéger vos perles nacrées des caries.

VOUS ÊTES COINCÉE DANS UN EMBOUTEILLAGE

CHEWING-GUM SANS SUCRE

Selon une étude britannique, les personnes qui mâchent du chewing-gum en réalisant des tests de calcul, de mémoire et de concentration, présentent en moyenne une baisse du stress de 13 %. Les auteurs de cette étude affirment que le fait de mâcher du chewing-gum pourrait évoquer inconsciemment des contextes sociaux positifs (comme le repas) et réduire la tension. Le chewing-gum sans sucre a le double avantage de vous débarrasser des bactéries buccales qui prolifèrent quand vous êtes stressée ou déshydratée.

VOUS VOUS DÉCOUVREZ UNE NOUVELLE RIDE, CE QUI DÉCLENCHE UNE VÉRITABLE CRISE EXISTENTIELLE

GUACAMOLE

D'après une étude publiée dans le *Journal of the American College of Nutrition,* les personnes qui consomment beaucoup d'huile d'olive ont moins de rides que celles qui consomment beaucoup de beurre. La raison ? Les graisses mono-insaturées que l'on trouve en grande quantité dans l'huile d'olive. Alors arrosez-en généreusement vos salades. Si ce n'est pas pratique pour vous, optez pour un peu de guacamole (l'équivalent d'une moitié d'avocat) – les avocats contiennent les mêmes graisses mono-insaturées que l'huile d'olive, ainsi qu'une importante quantité de fibres et de vitamine B bonnes pour la santé.

VOUS DEVEZ VOUS CONCENTRER !

THÉ À LA MENTHE POIVRÉE

Des chercheurs de Cincinatti ont découvert que quelques effluves de thé à la menthe poivrée de temps à autre suffisent pour améliorer la concentration et l'exécution de tâches qui requièrent une attention soutenue. Pensez-y comme à un progrès scientifique par rapport à cette autre possibilité : des chercheurs britanniques ont découvert que les personnes somnolentes qui consomment une boisson sucrée et riche en caféine, comme le soda, pour remédier à un coup de barre ont un temps de réaction plus lent et des troubles de l'attention plus importants au bout de 1 h 20 que celles qui consomment une boisson sans sucre.

CONSEIL N° 98

Zappez les publicités à la télévision. Les aliments qui sont présentés à la télévision sont généralement pleins de sucre et de graisse. Une recherche menée dans le *Journal of the American Dietetic Association* révèle que ce genre de nourriture dépasserait l'apport journalier recommandé en sucre de 25 fois et celui en graisse de 20 fois. Consommez plutôt du chocolat noir.

VOUS ALLEZ DEVOIR ASSISTER À UNE LONGUE RÉUNION CET APRÈS-MIDI

SAUMON GRILLÉ AVEC ÉPINARDS ET CAROTTES

Il est prouvé d'un point de vue scientifique que ce plat empêche à la fois de griffonner et de saliver – les deux effets secondaires potentiels des réunions soporifiques qui peuvent ruiner une carrière. Restez éveillée sans le moindre effort grâce à un bon produit de la mer. Le saumon contient de la tyrosine, un acide aminé que le cerveau utilise pour fabriquer de la dopamine et de la noradrénaline – des neurotransmetteurs qui permettent de rester alerte. Les oméga-3 du saumon, qui agissent comme un baume pour le cerveau, peuvent aussi vous aider à dompter vos tendances à la névrose. Optez pour le saumon sauvage lorsque vous pouvez en trouver. Il contient moins de polluants organiques persistants et davantage d'oméga-3. Le flétan et la truite sont également des alternatives intéressantes. Les légumes à feuilles fournissent de l'acide folique, vitamine B que le cerveau utilise pour fabriquer de la sérotonine, de la dopamine et de la noradrénaline, ces hormones qui ont un effet positif sur l'humeur. Ajoutez, enfin, des carottes : le bêta-carotène peut réduire les effets du stress oxydatif sur la mémoire.

VOUS SENTEZ LE RHUME ARRIVER

GINSENG

Dans le cadre d'une étude réalisée au Canada, les participants ayant pris 400 mg d'extrait de ginseng par jour ont vu le risque de rhume chronique réduire de 56 % par rapport à ceux à qui l'on avait donné des placebos. Ces études semblent montrer que le ginseng stimule l'action des cellules immunitaires clés. Autre bienfait : il stimulerait l'intelligence. Des chercheurs britanniques ont, en effet, découvert que les personnes qui avalent 200 mg d'extrait de ginseng une heure avant de réaliser un test d'intelligence obtiennent un score bien plus élevé.

POUR ALLER PLUS LOIN

KIWIS, ORANGES ET POIVRONS ROUGES

Mangez des kiwis, des oranges et des poivrons rouges : tous 3 regorgent de vitamine C. Des études montrent que 200 mg par jour suffisent à réduire la durée des symptômes du rhume. Un poivron rouge de taille moyenne en contient 152 mg, un kiwi, une orange, une mangue ou une portion de brocoli cuit à la vapeur en ont chacun plus de 50 mg.

VOUS AVEZ UNE MAUVAISE TOUX

MIEL

Des scientifiques de l'État de Pennsylvanie ont découvert que le miel était bien meilleur pour diminuer la fréquence et la sévérité d'une toux que le dextrométhorphane, le principe actif le plus couramment utilisé dans les traitements contre la toux.

VOUS AVEZ UN HOQUET TENACE

SUCRE

Dans le cadre d'une étude publiée dans la revue *New England Journal of Medicine,* une cuillerée à café de sucre en poudre, avalée d'un trait, a pu stopper un hoquet dans 95 % des cas, alors que certaines personnes en souffraient depuis 6 semaines.

IL NE VOUS RESTE QUE 3 SEMAINES AVANT VOTRE DÉPART POUR LES PLAGES DE BELIZE

LE THÉ VERT

Dans le cadre d'une étude réalisée par des scientifiques de l'*American Society for Nutrition,* les personnes pratiquant la musculation et ayant bu du thé vert ont perdu 2 fois plus de poids et un plus gros volume de graisse abdominale.

VOUS AVEZ UN 5K À COURIR ET LE TAUX DE POLLEN MONTE EN FLÈCHE

PAMPLEMOUSSE ROSE

Le pamplemousse rose est riche en deux composants : le lycopène, reconnu pour atténuer les symptômes de la respiration sifflante, de l'asthme et de l'essoufflement chez les personnes qui pratiquent une activité sportive ; et la bêta-cryptoxanthine qui exerce une action favorable sur les inflammations des articulations et qui pourrait améliorer les fonctions du système respiratoire.

VOUS VENEZ DE TERMINER UN ENTRAÎNEMENT INTENSE

CAFÉ

Des scientifiques de l'Université de Géorgie affirment que la prise d'un complément de caféine (l'équivalent de 2 tasses de café) après une séance d'exercice soulage mieux les douleurs musculaires que les antalgiques classiques. La caféine bloque, en effet, une substance chimique qui déclenche les récepteurs de la douleur.

VOUS VENEZ DE TERMINER UN ENTRAÎNEMENT INTENSE : UNE RÉCOMPENSE NE SERAIT PAS DE TROP

LE LAIT CHOCOLATÉ

D'après des chercheurs de l'Université de l'Indiana, le ratio glucides/protéines dans le lait froid chocolaté est idéal pour la récupération et la croissance musculaire.

TANTE ROSALIE VOUS ENTRAÎNE VERS UN BUFFET À VOLONTÉ

UNE POMME

Ce n'est pas simple de se discipliner quand la deuxième portion est gratuite. Mais selon une étude réalisée par des chercheurs de l'Université d'État de Pennsylvanie, les participants ayant mangé une pomme 15 minutes avant le déjeuner ont consommé 15 % de calories en moins que ceux qui avaient bu un jus de pomme, mangé une compote de pommes ou rien mangé du tout.

CONSEIL N° 99

Prenez un verre de...
vitamine D. Une déficience en vitamine D peut compliquer les choses si vous voulez perdre du poids. C'est ce que révèle une étude réalisée par l'Université du Minnesota. Le lait est la meilleure source alimentaire de vitamine D. Dans le cadre d'une autre étude, les participants suivant un régime à qui l'on avait demandé de prendre 5 produits laitiers par jour ont perdu plus de graisse abdominale que ceux qui n'en consommaient que 3.

VOTRE SYNDROME PRÉMENSTRUEL MENACE CEUX QUI VOUS ENTOURENT

LE SAFRAN

Une pincée de cette épice exotique peut contribuer à améliorer les désagréments mensuels en augmentant le niveau de la sérotonine chimique, qui peut chuter de manière significative avant vos menstruations. Une étude récente publiée dans *BJOG*, un journal du *British Royal College of Obstetricians and Gynaecologists* (Collège royal britannique des obstétriciens et gynécologues), déclarait que les femmes qui absorbaient 15 mg d'extrait de safran matin et soir observaient une baisse significative de l'irritabilité, de la fatigue et de la dépression.

VOUS ÊTES COMPLÈTEMENT DÉPRIMÉE

LES GRAINES DE LIN

Le lin est la source la plus connue de l'acide alpha-linolénique, une graisse saine qui améliore le fonctionnement du cortex cérébral – la zone du cerveau qui traite l'information sensorielle, notamment le plaisir. Pour atteindre votre quota, saupoudrez-en sur vos smoothies ou bien dans vos salades, ou encore faites-en l'ingrédient secret de vos sandwichs.

VOTRE DÉJEUNER MEXICAIN CONTINUE DE SE RAPPELER À VOTRE BON SOUVENIR

LA CHOUCROUTE

Selon une étude publiée dans l'*European Journal of Gastroenterology and Hepatalogy*, la bactérie (*Lactobacillus plantarum 229V*), utilisée pour faire fermenter les aliments comme la choucroute, soulagerait les gaz – résultat constaté chez 33 personnes sur les 40 qui étaient soumises à l'étude.

VOUS AVEZ UN RENDEZ-VOUS GALANT

DES SUSHIS POUR LE DÎNER ET DU CHOCOLAT NOIR POUR LE DESSERT

Le saumon et le maquereau sont riches en acides gras oméga-3 qui maintiennent la production de l'hormone sexuelle. Le gingembre fluidifie naturellement le sang, il favorise donc la circulation générale en augmentant le flux sanguin vers vos points chauds. Comme le chocolat, d'après le *Journal of the American Dietetic Association*, il contient des phényléthylamines qui augmentent, paraît-il, l'attirance entre deux personnes. Le chocolat fait aussi augmenter le rythme cardiaque, mais il détend aussi, si l'on croit les résultats d'un électroencéphalogramme. Attention : le chocolat blanc ne fera pas l'affaire. Comme il ne contient pas de cacao sec, il est très pauvre en méthylxanthines (caféine et théobromine) que l'on trouve dans le chocolat noir et dans le chocolat au lait. Ces stimulants fournissent de l'énergie et nous rendent plus éveillés. Le cacao sec contient, par ailleurs, des antioxydants bénéfiques pour le cœur, ce qui rend le chocolat noir si séduisant aux yeux des cardiologues.

CONSEIL N° 100

Soyez ponctuelle ! N'attendez pas d'avoir très faim pour aller déjeuner. Vous risquez de manger trop et trop vite. La digestion n'en sera que plus difficile et l'apport de calories plus élevé.

VOUS ÊTES ATTENDUE À UNE FÊTE ET VOUS AVEZ UNE HALEINE D'AIL

LE LAIT

Selon une étude menée dans l'Ohio et publiée dans le *Journal of Food Science*, le mélange d'eau, de matières grasses et de caséinate de sodium contenu dans le lait pourrait réduire la concentration des composés volatils responsables de la mauvaise haleine due à l'ail.

VOUS ALLEZ RENCONTRER UNE PERSONNE IMPORTANTE ET VOUS VOULEZ À TOUT PRIX L'IMPRESSIONNER

LES MYRTILLES

Des chercheurs de l'Université Tufts ont découvert que les anthocyanes que contiennent les myrtilles aident les cellules du cerveau à mieux répondre aux messages entrants et pourraient même stimuler la croissance de nouvelles cellules nerveuses. Cela dit, atteindre les résultats escomptés risque d'être plus long que le temps de savourer un dessert.

VOUS VOULEZ FAIRE UN BÉBÉ

DU LAIT (ENCORE !)

Mais ne prenez pas de lait pauvre en matières grasses. Si vous ajoutez chaque jour une portion de produits laitiers riches en matières grasses à votre régime, comme du lait entier sur vos céréales au lieu de lait écrémé, vous pouvez augmenter vos chances de tomber enceinte, d'après une étude sanitaire réalisée à Harvard. Et parce que le calcium des produits laitiers lutte contre la prise de poids, vous recevez un autre coup de pouce pour concevoir : maintenir un poids sain augmente aussi vos chances de tomber enceinte.

VOTRE JOURNÉE A ÉTÉ FORMIDABLE AU POINT QUE VOUS NE PARVENEZ PAS À VOUS ENDORMIR

FLOCONS D'AVOINE AVEC BANANES ET NOIX

Le sommeil est induit par une hormone appelée mélatonine, mais le stress ou l'excitation peuvent perturber la libération de cette hormone. Revenez doucement sur terre en vous préparant un bol de flocons d'avoine, auquel vous ajouterez quelques rondelles de banane et des noix pilées, toutes deux riches en mélatonine. Attention, vous n'aurez aucun résultat avec du lait chaud. Contrairement à ce qu'on pourrait croire, il n'a pas ce prétendu pouvoir soporifique – c'est la faute aux protéines du lait qui peuvent réduire le taux de sérotonine et retarder l'endormissement.

VOUS VOULEZ ÉVITER LA GUEULE DE BOIS

UN COCKTAIL À BASE DE JUS D'ORANGE ET DE VODKA

En guise de dernier verre, optez pour une boisson régénérante. Le fructose, l'un des sucres que contient le jus d'orange, peut accélérer le métabolisme de l'alcool jusqu'à 25 %. La vitamine C peut également aider à lutter contre les dommages cellulaires consécutifs à une soirée trop arrosée.

EN VOUS RÉVEILLANT, VOUS RÉALISEZ QUE VOUS AVEZ OUBLIÉ DE PRENDRE LE REMÈDE CONTRE LA GUEULE DE BOIS LA VEILLE

UNE BOISSON SUCRÉE OU ÉNERGÉTIQUE ET DU PAIN GRILLÉ AVEC DE LA CONFITURE

La priorité consiste à remplacer les liquides et les électrolytes perdus en transpirant, en urinant ou en pleurant la soirée précédente. Une boisson énergétique vous aidera à les remplacer rapidement, tandis que le fructose de la confiture accélérera la métabolisation de l'alcool et que le pain se chargera de rétablir un peu votre estomac. Vous pouvez affronter votre journée avec le sourire.

Le chocolat noir libère les mêmes endorphines que l'activité sexuelle et il vous fait vous sentir énergique et alerte.

PROGRAMME ACCÉLÉRÉ DE REMISE EN FORME *WOMEN'S HEALTH*

Le meilleur entraînement qui soit, en salle ou à l'extérieur

Entrer dans un centre de fitness en espérant y pratiquer un super entraînement, c'est un peu comme entrer dans un supermarché en espérant y trouver un festin. Les ingrédients de base sont là, mais le résultat final dépend de ce que nous en faisons : ce sont nos efforts, notre créativité et nos connaissances en la matière qui font toute la différence.

En réalité, on peut très bien suivre un entraînement efficace sans entrer forcément dans une salle de gym. Pourquoi ? Parce que les clubs de fitness classiques peuvent présenter 3 inconvénients.

Inconvénient 1 : des conseils vraiment sur mesure ?

Il existe de nombreux coachs de fitness qui connaissent bien leur métier, et avoir son entraîneur personnel présente un avantage de poids : vous payez quelqu'un pour vous aider, et rien que cela peut vous encourager. Si vous préférez travailler avec un coéquipier dans votre quête de remise en forme, faites-lui quand même subir un interrogatoire serré, comme vous le feriez pour n'importe quel employé potentiel (voir notre liste de questions p. 200).

Mais tout le monde ne peut pas s'offrir un coach personnel ; et dans une salle de sport, vous n'aurez pas d'entraîneur attitré. Si la législation française encadre plutôt bien la formation du personnel travaillant dans les salles de musculation ou de fitness, on ne peut pas leur demander de connaître tous les pratiquants sur le bout des doigts. Dans certains lieux, vous pouvez même vous retrouver devant du matériel de musculation sans encadrement. L'appellation « salle de remise en forme » recouvre, en effet, des activités très diversifiées, proposées par des organismes de statut différent qui ne répondent pas aux mêmes exigences en matière de sécurité, de surveillance et d'encadrement des activités. Dans tous les cas, cela soulève un problème : vous risquez de réaliser des exercices inadaptés à votre condition physique et à vos besoins.

Attention : avoir un coach personnel ne remplace pas une consultation auprès d'un médecin, même si un entraîneur compétent a nécessairement des connaissances en matière de santé physique. Consultez votre médecin traitant pour faire un bilan de santé, voire un test d'effort, avant de vous lancer dans une pratique intensive de la musculation, du fitness ou du cardio-training, d'autant plus si vous êtes sujette à l'asthme, par exemple, ou si vous avez déjà eu quelques alertes au niveau cardiaque.

Inconvénient 2 : l'équipement

La plupart des salles de gym disposent d'innombrables rangées d'appareils de musculation ultramodernes qui reproduisent les mouvements des exercices que l'on peut faire avec des haltères : presses à pectoraux et épaules (musculation des biceps, deltoïdes, pectoraux et épaules), Smith machine (appareil de musculation complet articulé autour d'une barre guidée, qui permet un travail de tous les muscles), chaise romaine (utilisée pour les abdos)... Quel type d'exercice devez-vous effectuer sur ce genre de machine ? La volte-face. Comment ? Vous regardez l'appareil et vous rebroussez chemin.

Deux raisons à cela. Premièrement, des études ont montré que l'on travaille plus efficacement avec des poids libres. Prenons l'exemple de l'appareil qui travaille l'extension des jambes. Des chercheurs de l'Université du Kentucky ont mené une étude sur 23 patients se pleignant de douleurs au genou. Pour remuscler leurs jambes et ainsi atténuer leurs souffrances, deux méthodes leur ont été proposées : utiliser ladite machine ou monter les marches d'un escalier. Les conclusions ont révélé que les marches donnaient de meilleurs résultats. L'appareil n'a amélioré les patients que dans un domaine : l'utilisation de la machine ! Dans le cadre d'une autre étude publiée dans le *Journal of Strength and Conditioning Research,* les hommes effectuant des flexions avec des poids libres ont fait fonctionner 43 % de muscles en plus que ceux qui ont utilisé une Smith machine.

Deuxièmement, ces appareils ont beau sembler sûrs, ils peuvent provoquer des blessures dans la mesure où ils enferment le corps dans des mouvements qui ne sont pas naturels. Par exemple, lorsque vous grimpez les escaliers en marchant ou en courant ou que vous vous accroupissez en portant des haltères, le fémur effectue un mouvement de rotation autour de la rotule – c'est le mouvement naturel du bas du corps. Mais avec l'appareil à extension des jambes, c'est la rotule qui effectue ce mouvement de rotation, ce qui exerce une forte pression sur les ligaments du genou et la rotule.

Mais si ces appareils sont inefficaces et dangereux, pourquoi en trouve-t-on autant dans les centres de fitness ? La réponse est simple : parce qu'on veut vous faire croire que vous ne pouvez pas bénéficier d'un entraînement de qualité sans tout cet équipement sophistiqué, et que vous devez absolument revenir. Avec notre programme de remise en forme *Women's Health*, il est inutile de fréquenter un centre de fitness. Vous pouvez travailler avec des haltères, dans votre salon, au sous-sol, dans l'amphithéâtre de votre fac, votre dressing...

Rien ne vous empêche bien entendu de vous entraîner aussi dans le centre de remise en forme de votre ville (et si vous choisissez cette option, commencez par vous familiariser avec la liste des appareils de musculation qu'il ne faut en aucun cas utiliser, p. 196).

Inconvénient 3 : la foule

Chaque moment que vous passez à attendre que tel ou tel appareil se libère signifie moins de temps passé à faire travailler vos muscles et votre métabolisme. En restant assise à ne rien faire, vous risquez de compromettre les efforts réalisés en perdant du temps dans la salle de gym, alors que vous avez besoin d'obtenir des résultats rapidement.

C'est pourquoi *Women's Health* a conçu ce programme pour brûler les graisses et tonifier le corps en utilisant le minimum de matériel pour une efficacité maximale : il s'agit d'un entraînement intense de 10 exercices qui font travailler tous les muscles du corps.

Ce programme n'a cependant rien à voir avec les éternels enchaînements de 3 séries de 10 répétitions. Ces objectifs étaient arbitraires et fixés par un professeur de sport au collège. Notre programme s'appuie sur le temps – une motivation à long terme – ce qui vous permet de stimuler votre corps et de viser toujours plus haut. Au lieu de vous fixer comme objectif un nombre de répétitions, chaque série est chronométrée, de sorte que vous puissiez vous donner à fond pour atteindre un nouveau record à chaque entraînement. Cette méthode vous permet de choisir d'effectuer plus de répétitions ou d'ajouter plus de poids, et, finalement, de garder la maîtrise de vos objectifs. Vous transformerez votre corps, vous renforcerez votre cœur et vous ferez tout ce dont vous avez besoin pour dynamiser votre métabolisme et être en forme comme jamais.

LE PROGRAMME ACCÉLÉRÉ DE REMISE EN FORME DE *WOMEN'S HEALTH : LE RÉGIME*

Instructions : effectuez cet enchaînement d'exercices 3 jours par semaine. Réalisez les séries d'exercices les unes à la suite des autres. Pour chaque série, il s'agit d'effectuer l'exercice le plus de fois possible en 30 secondes et de la manière la plus parfaite possible – ça ne compte pas si vous trichez. Au bout des 30 secondes, accordez-vous 15 secondes de récupération avant de passer à la série d'exercices suivante. Faites une pause de 2 minutes après avoir terminé toute la séquence, puis répétez-la encore 2 fois de façon à effectuer 3 enchaînements par séance d'entraînement.

Si vous vous sentez fatiguée et que vous ne parvenez pas à réaliser les exercices pendant les 30 secondes, arrêtez-vous quelques instants, puis reprenez la série jusqu'à ce que le temps soit écoulé.

Pour chaque exercice, il est préférable de commencer avec un haltère avec lequel vous pouvez enchaîner 12 répétitions parfaites.

Soulevé de terre jambes tendues avec haltères

Choisissez une paire d'haltères qui permettent de placer les paumes vers l'arrière (prise en pronation) et placez-les devant les cuisses, les bras tendus vers le sol. Écartez les pieds au niveau de la largeur du bassin et pliez légèrement les genoux (A). En gardant les genoux légèrement fléchis, penchez-vous en avant et baissez le torse jusqu'à ce qu'il soit presque parallèle au sol (B). Marquez une pause, puis remontez le torse dans sa position de départ.

A

B

Planche et rowing avec haltères

Tenez une paire d'haltères hexagonaux en prise pronation et placez-vous dans la position des pompes, les bras tendus (A). Le corps bien droit, faites basculer le poids du corps sur le bras gauche et ramenez l'haltère de la main droite vers le côté de la poitrine. Repliez bien le bras quand vous tirez l'haltère vers le haut (B). Marquez une pause, puis faites descendre rapidement l'haltère. Faites la même chose avec le bras gauche.

A B

Squat (flexion) avec haltères

Debout, faites reposer des haltères à la verticale sur la partie la plus charnue de l'épaule (A). Tenez-vous la plus droite possible pendant toute la durée de l'exercice. Contractez les abdos et faites descendre le corps le plus bas possible en poussant les hanches vers l'arrière et en fléchissant les genoux (B). Ne laissez pas retomber les coudes quand vous vous accroupissez. Marquez une pause puis revenez dans la position de départ.

Poussé-développé avec haltères

Debout, faites reposer des haltères à la verticale sur la partie la plus charnue de l'épaule (A) ou maintenez-les juste au-dessus. Tenez-vous bien droite et fléchissez légèrement les genoux (B), puis poussez énergiquement vers le haut avec les jambes en repoussant les haltères au-dessus de la tête (C). Marquez une pause puis ramenez les haltères dans la position de départ.

Tirage vertical avec haltères

Placez les haltères juste sous les genoux, les paumes de main tournées vers les jambes, les hanches vers l'arrière et les genoux légèrement fléchis (A). Le dos bien droit et les bras tendus, tirez les haltères vers le haut le plus vite possible en ramenant les hanches vers l'avant et en vous redressant énergiquement. Conservez les haltères le plus près possible du corps et faites-les remonter à hauteur des épaules (B). À la toute fin du mouvement, les coudes doivent être dirigés vers l'extérieur comme si vous imitiez le battement d'ailes d'une poule. Reprenez la position de départ.

Grimpeur croisé

Prenez la position des pompes, les bras parfaitement tendus. Votre corps doit former une ligne droite depuis la tête jusqu'à vos chevilles (A). Soulevez le pied gauche du sol, puis pliez le genou gauche et ramenez-le sous le corps, vers le coude droit, sans arrondir le bas du dos (B). Ramenez la jambe dans la position de départ, puis décollez le pied droit du sol et amenez le genou droit vers le coude gauche. Alternez les mouvements jusqu'à ce que le temps soit écoulé.

Fentes sautées

Placez le pied gauche devant le droit, pour faire un pas de 70 à 90 cm. Le torse bien droit, pliez les jambes et faites descendre le corps en position de fente (A). En fin de mouvement, la cuisse gauche doit être parallèle au sol. À partir de cette position, sautez avec suffisamment de force pour que les pieds décollent du sol (B). Une fois en l'air, formez un ciseau avec les jambes de façon que la jambe droite retombe vers l'avant et la jambe gauche derrière vous (C). Recommencez l'exercice en alternant jambe gauche/jambe droite devant pendant la durée de la série.

A

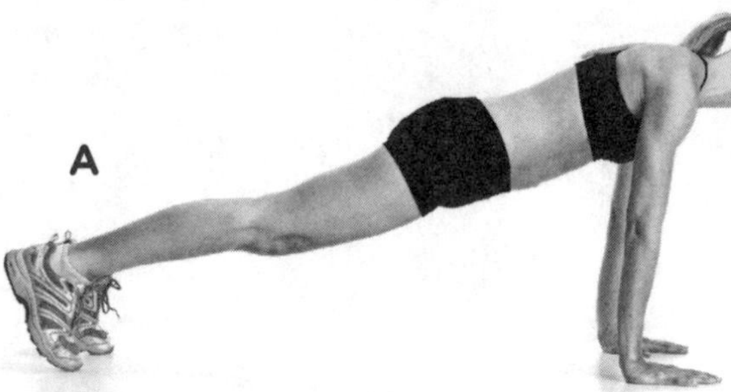

B

Pompe en T (ou en rotation)

Mettez-vous dans la position des pompes. Votre corps doit former une ligne droite depuis votre tête jusqu'aux chevilles (A). Gardez les bras tendus et le corps ferme, basculez votre poids sur le bras gauche et tournez le buste du côté droit jusqu'à ce que vous soyez de côté (B). Maintenez la position pendant 3 secondes puis revenez à la position de départ. Tournez-vous à gauche. Alternez le mouvement pendant 30 secondes.

PLUS DIFFICILE : faites le mouvement avec un haltère dans chaque main et/ou faites une pompe chaque fois que vous retournez à la position de départ.

Fente avec rotation

Prenez un haltère et tenez-le par les deux extrémités en dessous de votre menton (A). Faites un mouvement de fente vers l'avant. Dans le même temps, tournez les épaules du côté de la jambe avant (B). Revenez à la position de départ et répétez de l'autre côté. Faites des rotations de chaque côté pendant la durée de la série.

Rowing (mouvement de rameur) avec haltères

Munie d'une paire d'haltères, les jambes légèrement fléchies, penchez-vous en avant en partant des hanches (sans cambrer le bas du dos) et faites descendre le torse jusqu'à ce qu'il soit pratiquement parallèle au sol. Tendez complètement les bras pour faire descendre les haltères, paumes vers l'intérieur (A). Sans bouger le buste, faites remonter les haltères en adoptant le mouvement d'un rameur : écartez le haut des bras, en pliant les coudes et en ramenant les omoplates l'un contre l'autre (B). Maintenez les haltères le long du corps en fin de mouvement. Marquez une pause, faites descendre les haltères et recommencez.

Les 10 appareils que vous devez éviter

Certains appareils parmi les plus populaires des salles de sport non seulement entraînent mal vos muscles, mais exercent également une pression sur vos articulations et peuvent provoquer des blessures. En outre, ces machines ne s'adaptent pas à toutes les morphologies : si vous ne les réglez pas correctement, vous risquez de vous faire très mal. Pour établir cette liste d'exercices que vous ne devez en aucun cas effectuer sur les machines, nous avons consulté au préalable un nombre important d'experts.

1 LES EXTENSIONS EN POSITION ASSISE

OBJECTIF DE L'EXERCICE : renforcement des quadriceps

CE QU'IL FAIT EN RÉALITÉ : il renforce un mouvement que vos jambes ne sont pas conçues pour effectuer et qui peut générer une tension excessive des ligaments et des tendons qui entourent la rotule.

EXERCICE DE REMPLACEMENT : le squat avec poids du corps sur une jambe. Tenez-vous debout, les pieds écartés de la largeur des épaules. Levez une jambe, fléchissez le genou de l'autre jambe et faites descendre le corps le plus bas possible en contrôlant votre descente et en fléchissant au niveau de la hanche, du genou et de la cheville. Aidez-vous d'une barre ou d'un support pour garder l'équilibre jusqu'à ce que vous parveniez à développer la force de vos jambes et votre équilibre. Effectuez de 5 à 10 répétitions sur chaque jambe. (Si vous êtes sujette à des douleurs au genou, réalisez plutôt le « split squat bulgare », en faisant reposer le cou-de-pied sur un banc placé à environ 80 cm derrière vous. Descendez jusqu'à ce que la cuisse soit parallèle au sol puis revenez en position de départ. Effectuez de 5 à 10 répétitions par jambe.)

2 DEVELOPPÉ MILITAIRE ASSIS

OBJECTIF DE L'EXERCICE : travailler les épaules et les triceps

CE QU'IL FAIT EN RÉALITÉ : la pression exercée au-dessus de la tête risque de mettre les articulations des épaules dans une position biomécanique vulnérable. Il exerce une tension excessive sur les épaules et le mouvement ne vous permet pas d'utiliser les hanches pour aider les épaules, ce qui est pourtant le geste naturel pour pousser quelque chose au-dessus de la tête.

EXERCICE DE REMPLACEMENT : le lancer de medecine ball. Tenez-vous debout à environ 1 m d'un mur. Faites rebondir la balle sur le mur en visant un point situé à 1,20 m au-dessus de votre tête, en vous accroupissant pour rattraper la balle et en vous redressant pour la lancer de nouveau, dans un mouvement continu. Réalisez de 15 à 20 répétitions. Alternative : le développé avec haltères alternés. Debout, les pieds écartés de la largeur des épaules, les coudes repliés et un haltère dans chaque main, à hauteur d'épaule, les paumes de la main vers l'extérieur. Au moment où vous poussez l'haltère droit au-dessus de la tête, avancez la hanche droite. Baissez le poids puis déplacez-vous vers la gauche.

3 TIRAGE VERTICAL NUQUE

OBJECTIF DE L'EXERCICE : travailler les grands dorsaux, le haut du dos et les biceps

CE QU'IL FAIT EN RÉALITÉ : à moins d'avoir des épaules très souples, il est difficile de réaliser cet exercice correctement. Il risque donc de provoquer un pincement des articulations de l'épaule et d'endommager la coiffe des rotateurs.

EXERCICE DE REMPLACEMENT : les tractions inclinées. Placez une barre sur le rack à hauteur de la taille, prenez la barre des deux mains et laissez-vous pendre, les jambes tendues devant vous. Gardez le torse bien droit et ramenez-le vers la barre de 10 à 15 fois. Pour augmenter la difficulté, baissez la barre ; pour faciliter l'exercice, relevez-la.

4
PEC-DECK OU DÉVELOPPÉ ASSIS

OBJECTIF DE L'EXERCICE : travailler les pectoraux et les épaules

CE QU'IL FAIT EN RÉALITÉ : il peut placer l'épaule dans une position instable et exercer une pression excessive sur l'articulation et ses tissus conjonctifs.

EXERCICE DE REMPLACEMENT : les pompes inclinées. Inspirez-vous de l'exercice 3 mais utilisez la barre pour faire des pompes et non des tractions. Effectuez de 10 à 15 répétitions. Si cela s'avère trop facile, passez aux pompes classiques et fixez-vous un objectif de 5 à 8 répétitions.

5
ABDUCTEURS À LA MACHINE

OBJECTIF DE L'EXERCICE : faire travailler la face externe des cuisses

CE QU'IL FAIT EN RÉALITÉ : comme vous êtes assise, il entraîne un mouvement qui n'a aucune utilité. Si vous l'effectuez avec un poids excessif et une technique saccadée, il risque d'exercer une pression excessive sur la colonne vertébrale.

EXERCICE DE REMPLACEMENT : enveloppez les jambes d'une bande de résistance courte et lourde (au niveau des chevilles). Faites 20 pas de côté vers l'extérieur puis revenez en contrôlant votre mouvement. Cet exercice est beaucoup plus difficile qu'il n'y paraît.

6
ROTATION À LA MACHINE

OBJECTIF DE L'EXERCICE : travailler les abdominaux et les obliques

CE QU'IL FAIT EN RÉALITÉ : comme le bassin ne bouge pas avec le torse, cet exercice peut exercer une torsion excessive de la colonne vertébrale.

EXERCICE DE REMPLACEMENT : imaginez que vous coupez du bois. Tenez-vous debout à gauche d'une machine à poulie haute. Tenez la poignée avec les deux mains et tendez les bras. Tirez la poignée le long de votre corps en suivant un mouvement en diagonale, jusqu'à ce qu'elle parvienne sur le côté extérieur de votre genou gauche. Laissez vos pieds tourner librement en même temps que votre buste. Visez un objectif de 10 à 12 mouvements.

7
DÉVELOPPÉ DES JAMBES ASSIS

OBJECTIF DE L'EXERCICE : travailler les quadriceps, les fessiers et les ischio-jambiers

CE QU'IL FAIT EN RÉALITÉ : il contraint souvent la colonne vertébrale à fléchir sans solliciter aucun des muscles de stabilisation des hanches, des fessiers, des épaules et du bas du dos.

EXERCICE DE REMPLACEMENT : le squat (flexion). Tenez-vous debout, les pieds écartés à la largeur des épaules, les bras tendus à hauteur d'épaules. Baissez-vous en poussant vos hanches vers l'arrière et pliez les genoux jusqu'à ce que vos cuisses soient au moins parallèles au sol. Gardez le poids sur les talons et essayez de descendre le plus possible sans arrondir le bas du dos ou laisser les genoux rentrer vers l'intérieur. Effectuez 15 à 20 squats par série, puis augmentez graduellement le nombre de séries.

8
SQUAT À LA SMITH MACHINE

OBJECTIF DE L'EXERCICE : travailler les pectoraux, les biceps et les jambes

CE QU'IL FAIT EN RÉALITÉ : l'alignement de la machine oblige à faire des mouvements linéaires et non des mouvements naturels arqués, ce qui exerce une pression sur les genoux, les épaules et le bas du dos.

EXERCICE DE REMPLACEMENT : le squat (flexion). Voir « développé des jambes assis ».

9
EXTENSION DU DOS À LA CHAISE ROMAINE

OBJECTIF DE L'EXERCICE : travailler les érecteurs spinaux

CE QU'IL FAIT EN RÉALITÉ : fléchir le dos à répétition pendant qu'il supporte du poids exerce une pression sur la colonne vertébrale et risque d'endommager les disques.

EXERCICE DE REMPLACEMENT : chien de chasse : mettez-vous à 4 pattes, allongez le bras droit vers l'avant et la jambe gauche vers l'arrière. Restez dans cette position pendant 7 secondes. Effectuez 10 répétitions puis changez de côté.

10
RELEVÉ DU BUSTE À LA CHAISE ROMAINE

OBJECTIF DE L'EXERCICE : travailler les abdominaux et les muscles fléchisseurs de la hanche

CE QU'IL FAIT EN RÉALITÉ : le redressement du torse exerce une trop forte pression sur le bas du dos quand il est en position arrondie.

EXERCICE DE REMPLACEMENT : la planche. Allongez-vous par terre sur le ventre. Redressez-vous sur les avant-bras, la paume des mains vers le bas. Appuyez-vous sur les orteils. Gardez le dos bien droit et contractez les fessiers, les abdos et les grands dorsaux pour empêcher les fesses de se relever. Maintenez cette position de 20 à 60 secondes.

BONUS : **trouver son coach personnel**

Même si vous adorez notre programme accéléré de remise en forme – nous sommes certains qu'il vous plaît ! –, faire appel à un entraîneur peut vous aider à vous mettre sur les rails et à rester assidue dans vos exercices. Si vous voulez être sûre d'engager un entraîneur qui vous convienne, conviez-le à un entretien. Voici les questions que vous devriez soulever...

1) COMMENCE-T-IL PAR VOUS ÉVALUER ?

Un entraîneur ne peut pas vous emmener là où vous voulez aller sans savoir quel est votre niveau de départ. Un coach peut évaluer votre corps de diverses façons, à condition que vous fassiez preuve de dynamisme pendant l'évaluation. Aucun coach ne devrait vous établir un programme sans vous avoir vue bouger et sans avoir indentifié vos points faibles au préalable. N'oubliez pas que le but en l'engageant est de recevoir des conseils parfaitement adaptés à votre personne.

2) SON PROGRAMME D'ENTRAÎNEMENT EST-IL DE QUALITÉ ?

Vous n'avez pas besoin d'être bardée de diplômes pour le deviner. Voici 3 indices qui montrent si un programme est bon :

1) LA DURÉE. Un programme doit prendre en compte vos objectifs à court terme, mais aussi à long terme. Les coachs dignes de ce nom doivent élaborer une stratégie pour améliorer vos points faibles et vous concocter un programme qui s'étende sur une durée convenable. Cela ne signifie pas que les résultats tarderont à arriver – au contraire, vous devriez pouvoir les constater dès les premières semaines – ; mais votre coach doit vous établir un programme qui aille au-delà de ces premières transformations et vous aide à rester en pleine forme pour toujours.

2) LA RÉGULARITÉ. Un coach qui modifie sans arrêt votre entraînement ne vous permet pas de vous adapter et de progresser. Comme vous le constaterez avec notre programme accéléré de remise en forme, vous avez besoin d'un entraînement régulier et bien établi qui permette à votre corps de s'adapter à mesure que vous devenez plus résistante et que votre corps s'affine. Changer d'exercices tous les jours peut sembler bénéfique, mais vous ne verrez pas votre silhouette se transformer en une seule séance, et vous ne saurez donc pas ce qui fonctionne le mieux.

3) LA PROGRESSION.

Ce n'est pas parce que votre programme ne change pas tous les jours que votre coach ne doit pas lancer de nouveaux défis à votre corps. Un bon entraînement suppose un peu de diversité toutes les 4 à 6 semaines. Plus tôt, c'est que votre coach doute et ne dispose pas d'une vision bien définie sur la manière dont vous pouvez progresser.

3) CONSIGNE-T-IL TOUT PAR ÉCRIT ?

Les meilleurs coachs tirent les leçons de leurs expériences. Tout exercice ayant été effectué sur ses instructions doit donc être archivé. Votre progression s'appuiera - en partie - sur le point de départ de votre travail, les progrès que vous aurez réalisés et sur ce qui a fonctionné ou non. Et vous serez aidée dans cette aventure par les expériences d'autres personnes dont la situation était semblable à la vôtre. Si votre coach ne conserve pas de données sur son travail avec vous ou tout autre client -, trouvez quelqu'un de plus investi.

4) RESSEMBLE-T-IL À CE QUE VOUS AIMERIEZ ÊTRE ?

Ceci peut vous paraître un peu superficiel, mais son physique revêt une certaine importance. Si vous souhaitez obtenir des résultats optimaux, vous devez trouver un coach dont le physique est proche du vôtre, en mieux. Cela ne veut pas dire qu'il doit être *exactement* comme vous, mais un bodybuilder est un bodybuilder et vous entraînera comme si vous en étiez un.

5) CONTINUE-T-IL À SE FORMER ?

Le coaching à domicile est une activité récente. Par conséquent, entre les toutes dernières découvertes et les leçons apprises sur le terrain, tout ce qui est communément admis peut évoluer d'une année sur l'autre. Les meilleurs coachs sont donc ceux qui continuent de se former. Pour savoir si votre coach est à la page, demandez-lui s'il a participé récemment à des séminaires sur le fitness. Si cette participation remonte à plus de 3 mois, considérez sa réponse comme un signal d'alarme.

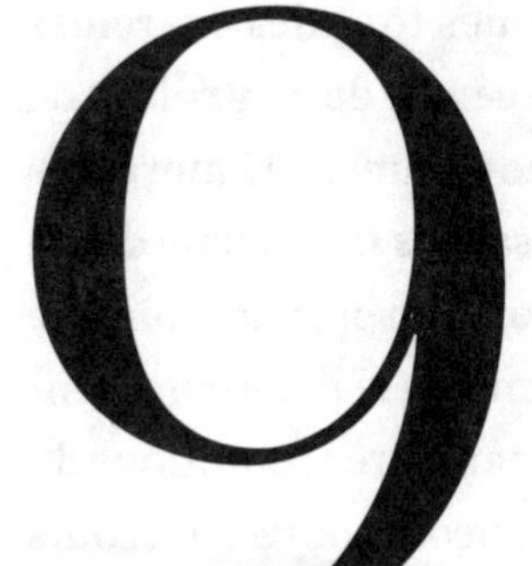

SI VOUS NE VOUS AMUSEZ PAS, VOUS N'Y ARRIVEREZ PAS !

Comment adapter le programme accéléré de remise en forme à vos propres besoins et vous assurer que vous ne vous ferez jamais mal, que vous ne serez jamais fatiguée et que vous ne vous ennuierez jamais

Se mettre au sport n'est pas si difficile que cela ; en revanche l'assiduité laisse souvent à désirer. Plus de 80 % des femmes font des exercices moins de deux fois par semaine, d'après le centre de contrôle et de prévention des maladies. Pourtant nous ne sommes ni ignorantes ni paresseuses. Bien au contraire, nous en savons sans aucun doute beaucoup plus sur notre corps et sur la façon d'en prendre soin que nos homologues masculins. Et pourtant, même si nous commençons un programme d'exercices avec les meilleures intentions du monde, nous renonçons souvent en cours de route. En voici les trois raisons les plus courantes :

CONSEIL N° 101

Soyez plus coco ! Au lieu de boire la traditionnelle boisson énergétique, optez pour de l'eau de coco pour vous rebooster après une séance d'exercices. Elle contient moins de calories et elle est riche en électrolytes et en potassium.

1. Le manque de progrès

Beaucoup de travail pour peu de résultats. On cite souvent le manque de progression dans les études, et voici entre autres pourquoi : les programmes de fitness fourre-tout et approximatifs pullulent, et bon nombre d'entre eux ne prennent pas en compte l'aspect nutritionnel (qui est pourtant la clé de tout programme de remise en forme). Heureusement, notre programme accéléré de remise en forme est une formule prouvée avec des résultats avérés ; il a été conçu par nos experts en remise en forme et testé par des personnes comme vous et moi. Et nous avons attendu de trouver l'association alimentation/exercice parfaite pour en publier les détails dans cet ouvrage.

2. Le manque de temps

Vous n'avez pas un temps infini devant vous pour vous rendre à la salle de gym. Vous avez un travail, des amis, une famille. Vous n'avez pas le temps de passer vos journées dans un centre de fitness. Vous avez donc besoin d'un programme efficace qui vous fasse travailler dur, qui vous donne des résultats concrets, et surtout qui vous apporte du plaisir. Nous vous proposons tout cela. Vous bougerez plus vite que jamais et vous perdrez de la graisse comme jamais jusqu'alors.

3. Le manque de motivation

C'est un argument de poids. À moins de mettre au point une stratégie pour l'éviter, il risque de détruire vos projets les mieux préparés. Et voici ce qui est vraiment fâcheux : plus vous avez besoin de retrouver la ligne, plus l'ennui fait rage pour vous décourager. Des chercheurs ont, en effet, affirmé dans le *Journal of Nutrition Education and Behaviour* que les personnes qui ne sont pas en forme ont davantage de difficultés à profiter des exercices et à conserver une attitude positive pour perdre du poids. Cela crée de la frustration qui les conduit inévitablement à abandonner ce dont elles ont justement le plus besoin.

L'autre problème avec l'ennui, c'est que, même si vous parvenez à rester constante dans la pratique de vos exercices, vous finirez toujours par trouver que votre programme de remise en forme ne fonctionne plus aussi bien qu'au début. Si vous vous ennuyez, vous perdrez le bénéfice de vos séances d'entraînement, et ce même si vous êtes assidues ! Les scientifiques ont effectivement découvert que si vous effectuez les mêmes exercices sur une trop longue période, la dépense de calories peut chuter de près de 25 %. Cela ne veut pas dire que ces exercices n'ont plus d'effet, mais simplement que vous trouverez vos exercices répétitifs et que vous travaillez par conséquent avec moins d'intensité.

Alors comment une fille démotivée et fatiguée des salles de sport est-elle supposée réagir ?

L'entraînement dont on ne se lasse jamais

Le programme accéléré de remise en forme présenté dans le chapitre précédent ne ressemble en rien aux programmes de remise en forme que vous avez déjà pu essayer. En vous débarrassant de ces exercices classiques et ennuyeux à mourir, comme effectuer un nombre programmé de répétitions et, attendre entre les séries, vous ferez bouger votre corps et vous le verrez évoluer plus vite que jamais. Et, si vous cherchez encore plus de diversité, ce chapitre vous propose une liste complète d'exercices que vous pouvez effectuer quand et où bon vous semble.

Qu'on se le dise pourtant, les exercices répétés, les plus intenses, les plus efficaces ou les plus révolutionnaires soient-ils, finissent par devenir routiniers. C'est pourquoi le meilleur moyen de continuer de les faire avec le même punch est d'arrêter de penser qu'il s'agit justement d'un exercice/travail physique.

Alors plus tôt vous ferez entrer la notion de plaisir dans vos exercices, plus vite vous brûlerez de la graisse et développerez votre masse musculaire de manière efficace. En effet, selon une étude publiée dans la revue *Sports Medicine*, le fait d'intégrer dans votre programme une grande variété d'activités plus ou moins difficiles – y compris des exercices que vous aimez faire – diminue l'ennui et augmente le plaisir de l'exercice. Et quand on aime travailler, on a plus de chances de suivre son programme à la lettre et d'atteindre ses objectifs.

De plus, il ne s'agit pas seulement d'aventures intenses et physiquement éprouvantes, comme escalader le versant d'une montagne ou surfer en plein tsunami. Des scientifiques de Baylor University ont découvert que si vous alternez différents types d'exercice, par exemple un effort de faible intensité et un autre de grande intensité, vous vous musclez et perdez du poids plus rapidement que si vous vous donnez toujours à fond. En d'autres termes, si le lendemain de votre séance d'entraînement vous optez pour une promenade en forêt, vous en tirerez les mêmes bénéfices que si vous aviez décidé d'abattre à la hache tous les arbres de cette même forêt. Qu'il s'agisse d'assembler un nouveau meuble Ikea (30 minutes de travail pour brûler plus de 140 calories !) ou que vous vous dépensiez avec vos enfants pendant 15 minutes (soit encore 120 calories brûlées), vous comprendrez vite que vous adonner à vos activités quotidiennes préférées constitue le meilleur moyen d'éviter l'ennui quand vous faites vos exercices – et de transformer votre silhouette.

Votre programme d'entraînement hebdomadaire

Voici ce que vous devez retenir à propos du programme accéléré de remise en forme : entraînez-vous seulement 3 jours par semaine, à raison d'une séance de 45 minutes ou moins. Mais attention, un bon entraînement ne se termine pas quand vous reposez les haltères, car c'est justement le moment où les mécanismes qui font brûler les calories et fabriquent du muscle passent à la vitesse supérieure.

N'oubliez pas, après votre séance de musculation, votre métabolisme reste élevé pendant 48 heures et c'est dans ce laps de temps que les micro-lésions musculaires se regénèrent et se renforcent. C'est ce qui explique pourquoi vos muscles sont tendus et douloureux quand vous avez fait une séance intense. Vous ne pouvez plus étendre les bras, vous avez mal aux abdos quand vous éclatez de rire et vous avez l'impression que vos jambes sont enfoncées dans du béton. Ce phénomène est appelé « douleurs musculaires d'apparition retardée » (ou courbatures). En principe, quand vous ressentez ces courbatures, votre première idée est de tout arrêter pendant 1 ou 2 jours. En plus, vous avez travaillé dur à la salle de sport – vous pensez donc mériter un peu de repos, non ?

Pourtant, s'arrêter est en réalité la pire des choses à faire, même si cela peut sembler logique. Selon une étude publiée dans le *Journal of Sports Medicine*, pratiquer une activité sportive de faible intensité le « jour de repos » est le meilleur moyen d'accélérer la récupération et de renforcer la masse musculaire sèche.

C'est au cours de ce jour de repos que l'idée d'amusement présente de nombreux avantages. Votre loisir préféré contribue au processus de guérison en accélérant l'acheminement des nutriments vers les muscles, ce qui permet la réparation des tissus musculaires. C'est pourquoi on appelle ce mécanisme « récupération active » ou « repos actif ». Il apaise la douleur et prépare le corps pour votre prochaine séance de musculation. Selon une autre étude publiée dans l'*International Journal of Sports Medicine*, les cyclistes qui pratiquaient des stratégies de récupération active avaient de meilleurs résultats sur les séances d'entraînement qui suivaient que ceux qui avaient pris un « jour de repos » et n'avaient pratiqué aucune activité. Qui plus est, une autre étude publiée dans la revue *Medicine and Science in Sports and Exercise* démontre que les stratégies de récupération active aident aussi le métabolisme à suivre son cours pour que le corps continue de brûler des calories. Si les avantages physiques

Trois étapes pour obtenir des résultats rapides

Ne vous inquiétez pas, c'est plus facile que vous ne le pensez !

1. Pratiquez notre programme accéléré de remise en forme trois fois par semaine.
2. Ajoutez 2 ou 3 jours de récupération active par semaine, en pratiquant une activité qui vous plaît pendant au moins 20 minutes.
3 Accordez-vous au moins 1 journée entière de repos pour vous détendre complètement. Si vous vous sentez épuisée, vous pouvez aller jusqu'à 2 jours de repos complet. Si vous sollicitez trop votre corps, vous risquez de ralentir et de limiter les résultats escomptés.

sont indéniables, la récupération active est également essentielle d'un point de vue mental pour prendre plaisir à pratiquer une activité sportive. Selon une étude publiée dans le *British Journal of Sports Medicine*, la pratique d'une activité sportive de faible intensité le jour de repos a un effet positif sur la récupération psychologique : elle rompt la monotonie des programmes d'exercices habituels et favorise la relaxation.

Qu'il s'agisse d'un hobby ou d'une activité que vous n'avez encore jamais pratiquée, intégrez chaque semaine ces activités supplémentaires dans votre programme d'entraînement. Ne dépassez cependant pas 60 à 70 % de votre fréquence cardiaque maximale et ne pensez pas que vous avez besoin de faire une excursion d'une journée pour en recueillir les bénéfices : 30 minutes suffiront. Vous vous sentirez rapidement plus dynamique et plus jeune, et vous serez par ailleurs plus disponible psychologiquement et plus enthousiaste pour faire vos exercices. Enfin, ces activités vous permettront d'assurer une régularité dans vos efforts et d'atteindre vos objectifs.

Voici à quoi pourrait ressembler une semaine typique d'entraînement :

1er JOUR : programme accéléré de remise en forme
2e JOUR : récupération active : 20 minutes
3e JOUR : programme accéléré de remise en forme
4e JOUR : repos
5e JOUR : programme accéléré de remise en forme
6e JOUR : récupération active : 20 minutes
7e JOUR : repos

Qu'entendons-nous par activité de « récupération active » ? Presque tout mouvement qui fait circuler votre sang : une promenade, passer le balai ou bien courir avec vos enfants ou avec votre chien. L'intensité peut varier, mais tant que vous ne mettez pas vos muscles à rude épreuve avec une résistance ajoutée (comme vous le faites avec les séances d'entraînement), votre corps en tirera profit.

Pour vos journées de récupération active, voici une liste d'activités qui comptent comme exercice !

Sports

Badminton	Patinage sur glace	Surf
Basket	Saut à la corde	Football
Billard	Kayak/aviron	Softball
Bowling	Jeux de balle	Natation
Capoeira	Kickboxing	Tennis
Vélo	Arts martiaux	Volleyball
Danse	Squash	Marche
Frisbee	Escalade	Ski nautique
Golf	Rollers	Jeux sur Wii
Randonnée	Course	Yoga
Équitation	Ski	Zumba

Tâches ménagères

Nettoyer	Passer l'aspirateur	Pelleter
Tondre la pelouse	Jardiner	Déplacer des meubles
Balayer	Ratisser	Peindre

À la maison

Avoir des relations sexuelles	Jouer avec vos enfants	Promener le chien

Tout cela veut-il dire que vous pouvez jouer au golf, faire du ski nautique, jouer au ballon, essayer le yoga, apprendre à jongler, faire une randonnée en montagne, vous mettre au tir à l'arc, faire du VTT sur une route de campagne ou vous battre avec un alligator seulement les « jours de repos » ? Non. Tant que vous vous accordez au moins une journée de vrai repos, vous pouvez pratiquer ces activités tous les jours si vous en avez envie. Ce que nous préconisons en revanche, c'est de les pratiquer au moins deux fois par semaine pour favoriser votre développement musculaire, redynamiser votre métabolisme et tenir le spectre de l'ennui à distance.

Marché conclu ? Alors venez vous amuser avec nous !

Trois manières de personnaliser le programme accéléré de remise en forme *Women's Health*

Les exercices de notre programme de remise en forme ont été soigneusement sélectionnés par nos conseillers et conçus pour optimiser les résultats le plus rapidement possible. L'entraînement fait également preuve de souplesse et vise à vous aider à vous sentir bien dans votre corps pour le restant de vos jours. Utilisez les conseils qui suivent pour aborder le programme sous un angle nouveau afin que vos séances d'entraînement ne vous paraissent jamais insipides et que vous continuiez à voir votre corps se transformer.

1. Boostez votre métabolisme

Prête à passer à la vitesse supérieure dans le cadre de votre programme de remise en forme ? Augmentez le niveau de difficulté en effectuant chaque exercice pendant 60 secondes (au lieu de 30). Vous sentirez pleinement les bienfaits de ce programme de pointe et vous pourrez atteindre le niveau suivant.

2. Dopez vos muscles

Si vous vous en sentez capable, vous pouvez effectuer tous les exercices prévus pour une durée de 30 secondes en augmentant au maximum le poids que vous soulevez. Au lieu d'utiliser une même paire d'haltères pendant toute la séance, variez le poids pour chaque exercice afin de faire travailler vos muscles de manière plus intense. Pour chaque exercice, choisissez un poids qui vous permette d'effectuer 8 à 10 répétitions.

3. Alternez les exercices

Les exercices que nous vous proposons font travailler en profondeur les principaux groupes de muscles tout en intégrant des mouvements de la vie de tous les jours. Vos entraînements ne doivent cependant pas se limiter à 10 exercices. Suivez le programme initial pendant au moins 6 semaines, puis choisissez l'un des mouvements proposés dans la liste

ci-dessous et intégrez-le dans vos séances. Vous effectuerez toujours 10 exercices en tout, mais ces variantes vous permettront de diversifier un peu vos séances, en effectuant, par exemple, 9 exercices du programme initial et un nouveau. Ou bien vous pourrez les changer tous les 10. Grâce à ces nouveaux mouvements, vous pourrez créer des centaines d'entraînements différents qui vous permettront de voir des résultats au bout de quelques semaines seulement et de continuer de vous améliorer un an plus tard. Vous ne devez pas changer d'exercice à chaque entraînement de musculation, bien au contraire. Il est important de reproduire un même exercice pendant plusieurs séances, pour que le corps puisse apprendre le mouvement et en retirer tous les bénéfices possibles. C'est pourquoi, dans ce que nous vous proposons, le schéma des mouvements reste le même, mais les nouveaux exercices mettront votre corps à l'épreuve d'une façon légèrement différente, ce qui vous évitera les paliers.
Voici dix nouveaux exercices que vous pouvez utiliser pour vous améliorer.

L'EXERCICE STANDARD :
SOULEVÉ DE TERRE JAMBES TENDUES AVEC HALTÈRES
L'AMÉLIORATION :
ISCHIO-JAMBIERS INVERSÉS
LES MUSCLES CIBLÉS :
ISCHIO-JAMBIERS, FESSIERS
COMMENT PROCÉDER : tenez-vous debout sur votre jambe gauche, le genou légèrement fléchi, et décollez légèrement la jambe droite du sol. Tendez les bras sur le côté, les pouces pointés vers le haut de sorte que le corps forme un T. Le genou gauche toujours légèrement fléchi, penchez le torse vers l'avant en gardant le dos bien droit jusqu'à ce qu'il soit parallèle au sol. Quand vous vous penchez, gardez bien les bras dans la même position, les pouces pointés vers le haut. Votre jambe droite doit s'élever vers l'arrière et rester alignée par rapport au corps quand vous penchez le torse. Marquez une pause de 15 secondes, puis relevez le torse et ramenez la jambe droite dans la position initiale. Terminez les répétitions, puis changez de jambe.

L'EXERCICE STANDARD :
PLANCHE ET ROWING AVEC HALTÈRES
L'AMÉLIORATION :
POMPES ET ROWING AVEC HALTÈRES
LES MUSCLES CIBLÉS :
ABDOS, DOS, BICEPS, ÉPAULES, PECTORAUX

COMMENT PROCÉDER : tenez une paire d'haltères hexagonaux en pronation (prise par le dessus) et placez-vous dans la position des pompes, les bras tendus. Faites descendre le corps vers le sol, marquez une pause, puis ramenez-le vers le haut en poussant avec les bras. Une fois en position de départ, ramenez l'haltère de la main droite contre la poitrine en le tirant vers le haut et en fléchissant le bras. Marquez une pause, puis faites redescendre l'haltère et répétez le même mouvement avec le bras gauche.

BONUS - EXERCICE POUR TOUT LE CORPS : PLANCHE OU POMPES BRAS TENDUS

COMMENT PROCÉDER : tenez une paire d'haltères hexagonaux en pronation et prenez la position des pompes, les bras tendus. Le buste bien droit, tendez le bras droit vers l'avant. Veillez à ne pas faire pivoter le corps. Maintenez la position pendant quelques secondes, redescendez puis répétez le mouvement avec le bras gauche. Si l'exercice vous semble trop difficile, vous pouvez le faire sans haltères. Pour le compliquer, faites une pompe entre les mouvements des bras.

L'EXERCICE STANDARD :

SQUAT AVEC HALTÈRES

L'AMÉLIORATION :

OVERHEAD SQUAT (FLEXION, BRAS TENDUS, LES HALTÈRES MAINTENUS AU-DESSUS DE LA TÊTE)

LES MUSCLES CIBLÉS :

QUADRICEPS, ISCHIO-JAMBIERS, FESSIERS, ÉPAULES, ABDOMINAUX

COMMENT PROCÉDER : debout, l'écartement des pieds légèrement supérieur à la largeur du bassin, tenez une paire d'haltères juste au-dessus des épaules, les bras parfaitement tendus, et contractez vos abdos. Faites descendre le corps jusqu'à ce que les cuisses soient presque parallèles au sol. Le bas du dos doit être légèrement arrondi pendant tout le mouvement. Veillez à ne pas faire tomber les haltères vers l'avant en vous accroupissant. Marquez une pause puis poussez sur les talons pour revenir dans la position de départ.

L'EXERCICE STANDARD :

POUSSÉ-DÉVELOPPÉ AVEC HALTÈRES

L'AMÉLIORATION :

SQUAT SAUTÉ AVEC HALTÈRES

LES MUSCLES CIBLÉS :

QUADRICEPS, ISCHIO-JAMBIERS, FESSIERS, ÉPAULES, MOLLETS

COMMENT PROCÉDER : tenez un haltère dans chaque main. Placez les bras le long du corps, la paume tournée vers l'intérieur, puis poussez les hanches vers l'arrière, fléchissez les genoux et faites descendre le corps jusqu'à ce que le haut des cuisses soit parallèle au sol. Marquez une pause puis sautez le plus haut possible. En sautant en l'air, poussez les mains au-dessus de la tête le plus haut possible pour que les bras soient parfaitement tendus. Une fois de nouveau au sol, accroupissez-vous immédiatement et recommencez.

L'EXERCICE STANDARD :
TIRAGE VERTICAL AVEC HALTÈRES
L'AMÉLIORATION :
HAUSSEMENT D'ÉPAULES AUX HALTÈRES AVEC SAUT
LES MUSCLES CIBLÉS :
QUADRICEPS, ISCHIO-JAMBIERS, FESSIERS, ÉPAULES, TRAPÈZES, MOLLETS
COMMENT PROCÉDER : prenez vos haltères au bout des bras, les paumes tournées vers le corps. Pliez les jambes, penchez le torse et les bras vers l'avant jusqu'à ce que les haltères arrivent au niveau des genoux. Poussez le bassin vers l'avant, haussez énergiquement les épaules et sautez le plus haut possible. Retombez sur le sol le plus doucement possible, reprenez la position initiale et recommencez.

L'EXERCICE STANDARD :
GRIMPEUR CROISÉ
L'AMÉLIORATION :
GRIMPEUR
LES MUSCLES CIBLÉS :
ABDOMINAUX, OBLIQUES
COMMENT PROCÉDER : prenez la position des pompes – en appui sur la pointe des pieds, bras parfaitement tendus au niveau des pectoraux avec un écartement supérieur à la largeur des épaules. Soulevez le pied droit et ramenez doucement le genou le plus près possible du torse. Posez le pied droit sur le sol comme si vous grimpiez une côte. Revenez en position de départ. Recommencez avec la jambe gauche et alternez énergiquement les deux jambes jusqu'à ce que le temps soit écoulé.
EXERCICE BONUS POUR LES ABDOS : chien de chasse et rotation
COMMENT PROCÉDER : mettez-vous à 4 pattes et placez la main droite derrière la tête. Étendez la jambe gauche derrière vous. Amenez le coude droit et le genou gauche sous le corps de façon qu'ils se touchent. Ramenez-les dans la position de départ et, ce faisant, regardez par-dessus votre épaule droite pour tenter de voir le battement de votre jambe gauche. Recommencez de l'autre côté.

Veillez à bien contracter les abdos et les fessiers pour que le corps reste stable.

L'EXERCICE STANDARD :
FENTES SAUTÉES
L'AMÉLIORATION :
FENTES AVEC HALTÈRES
LES MUSCLES CIBLÉS :
QUADRICEPS, FESSIERS, ISCHIO-JAMBIERS
COMMENT PROCÉDER : munissez-vous d'une paire d'haltères et tenez-les à bout de bras de chaque côté de votre corps, les paumes de main se faisant face. Avancez d'un pas avec la jambe gauche et faites descendre doucement le corps jusqu'à ce que le genou avant soit plié à 90 degrés. Marquez une pause, puis poussez sur les talons pour revenir dans la position de départ le plus vite possible. Recommencez avec la jambe droite.

L'EXERCICE STANDARD :
POMPE EN T
L'AMÉLIORATION :
PLANCHE LATÉRALE ALTERNÉE
LES MUSCLES CIBLÉS :
ABDOS, OBLIQUES
COMMENT PROCÉDER : allongez-vous sur le côté, les genoux tendus. Faites reposer le haut du corps sur l'avant-bras gauche. Contractez les abdos comme si vous alliez recevoir un coup de poing dans le ventre. Soulevez le bassin jusqu'à ce que le corps forme une ligne droite des chevilles aux épaules. Cette position s'appelle la planche latérale. Maintenez la position quelques instants, puis faites pivoter le corps de façon à retrouver la position d'une planche avant, en laissant reposer tout le poids du corps sur les coudes et en veillant à ce que le corps forme toujours une ligne droite des épaules aux chevilles. Maintenez de nouveau cette position quelques instants, puis faites pivoter le corps sur l'avant-bras droit et effectuez une autre planche latérale. Alternez les trois planches jusqu'à ce que le temps soit écoulé. (Comptez 2 minutes pour cet exercice.)

L'EXERCICE STANDARD :

FENTE AVEC ROTATION

L'AMÉLIORATION :

FENTE INVERSÉE AVEC ROTATION

LES MUSCLES CIBLÉS :

QUADRICEPS, FESSIERS, ISCHIO-JAMBIERS, OBLIQUES, ÉPAULES

COMMENT PROCÉDER : Prenez un haltère dans la main gauche et placez-le près de votre épaule gauche, la paume de main vers l'intérieur. Faites un pas en arrière avec la jambe gauche et faites descendre le corps de façon à effectuer une fente inversée tout en portant l'haltère au-dessus de l'épaule gauche. Au moment où l'haltère est au-dessus de la tête, faites pivoter le corps vers la droite. Revenez dans la position de départ, prenez l'haltère dans la main droite et recommencez.

L'EXERCICE STANDARD :

ROWING (MOUVEMENT DE RAMEUR) AVEC HALTÈRES

L'AMÉLIORATION :

ROWING ALTERNÉ AVEC HALTÈRES

LES MUSCLES CIBLÉS :

DOS, BICEPS

COMMENT PROCÉDER : munissez-vous d'une paire d'haltères, penchez le torse et les genoux vers l'avant et faites descendre le torse jusqu'à ce qu'il soit presque parallèle au sol. Tenez les haltères en gardant les bras le long du corps, les paumes tournées vers vous. Au lieu de faire remonter les haltères en même temps, soulevez-les l'un après l'autre. Quand vous en soulevez un, baissez l'autre, sans arrondir le dos.

100 façons de brûler 100 calories

Voici quelques-unes des manières les plus créatives et surprenantes que nous avons trouvées pour dépenser des calories. Qui se serait douté que lutter contre les graisses pouvait être aussi amusant ? (Certaines propositions ne sont pas forcément à votre portée, mais vous trouverez certainement de quoi vous amuser !)

1. Barbouillez-vous de baume à lèvres 765 fois
2. Interprétez votre tube préféré 16 fois de suite en karaoké
3. Enregistrez un épisode de votre série comique préférée et regardez-le sans publicité (rire pendant 10 minutes d'affilée peut brûler 40 calories, ça n'est pas une plaisanterie)
4. Regardez un documentaire (les trucs sérieux ne brûlent pas autant de calories)
5. Déhanchez-vous pendant 40 minutes en regardant la télévision : les personnes qui bougent tout le temps brûlent jusqu'à 350 calories supplémentaires par rapport à celles qui restent affalées sur un divan
6. Levez-vous 33 fois pour changer de chaîne
7. Utilisez la télécommande pour zapper pendant 68 minutes
8. Faire du surf pendant 34 minutes
9. Faites voler un cerf-volant pendant 20 minutes
10. Jouez au beach-volley pendant 13 minutes
11. Faites rebondir un ballon de volley sur vos genoux 600 fois de suite
12. Passez 17 minutes à prendre un ballon des mains de votre fiancé
13. Portez une glacière pendant 22 minutes dans laquelle vous aurez mis 3 bouteilles d'eau, un pack de bière, 4 sandwichs, 2 oranges, un paquet de tortillas et 12 doses de sauce.
14. Trouvez le parfait petit bikini : essayez-en 16 (soit un toutes les 3 minutes)
15. Dansez énergiquement pendant 23 minutes

16. Dansez à l'horizontale pendant 1 heure et 7 minutes
17. Faites monter la température avec 35 minutes de préliminaires et 45 minutes de sexe dans différentes positions
18. Prendre la position de la cowgirl pendant 26 minutes (vos jambes travailleront plus si vous êtes au-dessus)
19. Faites tourner un lasso au-dessus de votre tête 375 fois
20. Trayez une vache pendant 34 minutes
21. Tondez trois moutons (6 minutes par mouton)
22. Allez à la pêche pendant 41 minutes
23. Nagez tranquillement, comme un poisson dans l'eau pendant 17 minutes
24. Faites 250 mouvements de brasse (environ 10 minutes)
25. Faites plaisir à l'enfant qui est en vous et faites 27 fois le poirier sous l'eau
26. Nagez comme un chien pendant 17 minutes
27. Promenez un caniche nain pendant 41 minutes (3 kilomètres à l'heure)
28. Laissez-vous promener par un dogue allemand pendant 13 minutes (8 kilomètres à l'heure)
29. Faites 25 minutes de yoga
30. Alternez les postures de yoga (le chat, la tête de vache et le chien tête en bas) 13 fois, en maintenant chaque posture 30 secondes
31. Prenez l'escalier et montez 33 étages
32. Mettez des talons aiguilles de 10 cm et 25 étages suffiront
33. Faites 11 minutes de stepper
34. Poussez un chariot de courses pendant 45 minutes
35. Mettez un enfant de quatre ans (environ 19 kg), dans le siège pour enfant du chariot et poussez-le pendant une demi-heure
36. Optez pour les caisses automatiques : faites la queue pendant 7 minutes, passez les produits devant le lecteur de codes-barres pendant 10 minutes, mettez vos achats dans des sacs et chargez la voiture

37. Portez cinq sacs de courses de la voiture à la cuisine, rangez la nourriture, sortez les poubelles, lavez la vaisselle et nettoyez le plan de travail
38. Mangez des piments pendant quelques jours : des recherches ont montré que les piments augmentent votre taux métabolique, brûlant 50 calories supplémentaires par jour
39. Mâchez du chewing-gum sans sucre pendant 9 heures
40. Lavez, coupez en deux et épépinez deux courges, et regardez-les cuire pendant 30 minutes
41. Jouez au squash pendant 8 minutes
42. Jouez *Au clair de la lune* au piano sans vous arrêter pendant 41 minutes
43. Prenez vos quatre repas en utilisant des baguettes plutôt qu'une fourchette : manger lentement peut vous aider à consommer 25 calories en moins par repas
44. Levez et baissez une bouteille de sauce au soja 170 fois avec votre main droite, et un wok 170 fois avec votre main gauche
45. Promenez-vous au parc pendant 51 minutes
46. Marchez à reculons dans le parc pendant 43 minutes
47. Marchez avec des bâtons de randonnée pendant 22 minutes (vous brûlerez 20 % de calories supplémentaires)
48. Faites du saut à la perche pendant 17 minutes
49. Chantez la bande originale de *Grease* du début à la fin
50. Faites un gommage sous la douche pendant 15 minutes, puis passez 7 minutes à vous raser les jambes, 3 minutes à vous essuyer, 4 minutes à étaler votre crème hydratante et 20 minutes à faire votre brushing
51. Faites vos courses pendant l'heure du déjeuner en portant votre sac cabas de trois kilos (et, bien sûr, quelques nouveaux achats)
52. Amusez-vous quand vous rentrez au bureau : pivotez 123 fois dans votre fauteuil de bureau (essayez de ne pas vomir)
53. Envoyez des courriels pendant 68 minutes

54. Portez des vêtements décontractés pendant 4 jours : une étude montre que l'on peut faire jusqu'à 491 pas de plus et brûler 25 calories supplémentaires par jour quand on porte un jean pour aller travailler
55. Faites de la randonnée pendant 15 minutes
56. Sautez en parachute au-dessus des volcans du parc national de Tongariro en Nouvelle-Zélande pendant 30 minutes
57. Atterrissez dans la zone volcanique du Taupo et grimpez les 26 % de côte en 18 minutes
58. Rafraîchissez-vous 20 minutes en faisant du rafting en eau vive dans la rivière Tongariro
59. Faites corps avec la nature : asseyez-vous en position du lotus et respirez profondément pendant une heure et 42 minutes
60. Buvez 3 tasses de thé vert en 24 heures : les chercheurs affirment qu'il peut augmenter la dépense énergétique de 106 calories
61. Avalez 12 verres de 25 cl d'eau glacée par jour (elle a le même effet sur votre métabolisme que le thé vert)
62. Faites du 30 km/h sur votre bicyclette pendant 6 minutes et demie
63. Faites du monocycle pendant 20 minutes
64. Faites du tandem pendant 12 minutes
65. Demandez à votre compagnon de vous masser pendant 1 heure et 50 minutes
66. Récompensez-le avec un massage de 25 minutes
67. Jouez au Twister pendant une heure et 8 minutes
68. Jouez à la Nintendo pendant 41 minutes
69. Encore mieux, bougez sur *Just Dance* pendant 24 minutes. Activez le compteur de calories pour savoir combien vous en avez brûlé
70. Si vous êtes plus attirée par le sport que par le cha-cha, jouez une partie de tennis sur la Wii pendant 13 minutes
71. Pas besoin de jeux : faites 780 sauts
72. Sautez à la corde aussi vite que possible pendant 8 minutes

73. Sautez sur un trampoline pendant 29 minutes
74. Faites du jogging sur le tapis de course à 6 km/h pendant 25 minutes ou à 11 km/h pendant 9 minutes
75. Courez 5 % d'un marathon à 10 km/h
76. Attendez dans une file pour les contrôles de sécurité dans un aéroport pendant 15 minutes, passez par le détecteur une fois, soulevez et reposez deux fois une valise de 18 kg, puis courez pendant 3 minutes pour attraper votre vol (ah, ces files d'attente !)
77. Étiquettez 86 fois vos bagages
78. Faites vous un ami facteur et accompagnez-le sur 6 % de son trajet (les facteurs font environ 18 904 pas par jour, soit quatre fois plus qu'un individu moyen)
79. Accompagnez une infirmière pendant ses rondes sur une demi-heure (elle fait environ 8 648 pas)
80. Allaitez votre nouveau-né pendant 30 minutes
81. Soignez une gueule de bois : dormez pendant une heure et 53 minutes
82. Lisez *Petit déjeuner chez Tiffany* de Truman Capote du début à la fin
83. Dansez sur les quatre premières chansons de la bande originale de *Footloose*
84. Passez la serpillère pendant 29 minutes pour enlever les traces de pas sur le carrelage
85. Changez vos meubles de place pendant 17 minutes
86. Balayez pendant 15 minutes puis passez l'aspirateur pendant 15 minutes
87. Aspirez vos tapis de voiture pendant 5 minutes, et passez du polish sur la carrosserie pendant 20 minutes
88. Lorsque vous faites le plein, allez payer 23 fois en liquide à la caisse
89. Tondez votre pelouse avec une tondeuse manuelle pendant 17 minutes

90. Mettez une tondeuse électrique hors tension et poussez-la pendant 23 minutes
91. Brossez vos dents pendant 2 minutes, 25 fois
92. Utilisez un fil dentaire et gargarisez-vous après chaque brossage, et vous brûlerez 100 calories supplémentaires
93. Souriez pour la photo : prenez des photos pendant 35 minutes
94. Faites du hula-hoop pendant 22 minutes
95. Prenez votre lecteur MP3 et marchez à 5 km/h pendant 23 minutes (des études montrent qu'écouter de la musique vous fait dépenser davantage de calories)
96. Soyez rétro : faites du patin à roulettes pendant 15 minutes
97. Montrez vos talents au bowling en jouant pendant 34 minutes
98. Passez 53 minutes à apprendre l'alphabet russe
99. Lisez ensuite 30 pages des *Crime et châtiment* de Dostoïevski
100. Relisez cette liste encore 9 fois

L'ENTRAÎNEMENT ET LE PROGRAMME ALIMENTAIRE POUR PROFITER D'UNE VIE SEXUELLE ENRICHISSANTE

Des aliments bien choisis, des entraînements adaptés et de bons conseils pour se sentir bien dans sa tête, dans son corps et dans son lit !

Imaginez que vous vous promenez sur une plage, les vagues arrivent puis se retirent devant vous. Vous marchez sur le sable froid et les empreintes de pas derrière vous sont effacées lorsqu'une nouvelle vague arrive. Le sable est solide et chaud, l'eau est froide. Ce sont deux choses différentes. Mais à la limite de la houle, elles interagissent l'une sur l'autre, elles se mélangent en se heurtant à nouveau. Il est impossible de déterminer la ligne exacte où la terre se termine et où la mer commence.

C'est la même chose avec votre santé et votre vie sexuelle. Elles sont distinctes mais elles sont liées. Vous ne pouvez pas les séparer. C'est pour cette raison que, si vous suivez le programme santé de *Women's Health* pour perdre du poids et retrouvez ainsi une forme éblouissante, cela fera plus qu'améliorer votre façon d'être pour le restant de vos jours. Ce programme santé peut aussi améliorer les éléments physiques et émotionnels de votre vie sexuelle.

Bien sûr, vous savez déjà qu'être bien dans sa peau et en bonne santé rend plus séduisante vis-à-vis de partenaires potentiels : il n'y a qu'à voir la vie amoureuse bien remplie de certaines stars du grand écran... Ce bien-être permet aussi de gagner cette confiance que les autres – hommes et femmes – trouvent tellement remarquable et séduisante. Le fait de vous sentir plus en forme facilitera aussi votre relation. En résumé, une bonne santé équivaut à une vie sexuelle meilleure. Point.

Et, par un détour ingénieux de la nature, avoir des relations sexuelles plus fréquentes et stimulantes aura un impact positif sur votre santé et votre forme. Perte de poids et vie sexuelle sont étroitement liées.

PLUS VOUS FEREZ L'AMOUR, PLUS VOUS SEREZ MINCE ET EN FORME... ET PLUS VOUS FEREZ L'AMOUR ! Vous ne serez pas surprise d'apprendre que, dès lors qu'il s'agit d'évaluer les membres du sexe opposé, hommes et femmes trouvent que les personnes obèses ont 43 % de chances en moins de séduire que les personnes au physique identique, mais plus minces. Dans la jungle de la survie génétique, nous sommes naturellement attirées par des partenaires qui donnent l'impression qu'ils seront là pour très longtemps – pour aider à élever les enfants, participer aux tâches quotidiennes, rester longtemps en bonne santé pour nous voir vieillir. Un corps en réel surpoids attire davantage l'attention sur une éventuelle défaillance, et la personne elle-même en est souvent embarrassée. Une étude menée par des chercheurs de l'Université Duke sur 1 200 participants a montré que les personnes obèses se plaignaient 25 fois plus d'avoir une sexualité peu épanouie que les personnes ayant un poids normal. Et si le fait d'être en forme permet d'avoir une sexualité plus remplie, cela induit également un effet retour : une vie sexuelle active permet de rester en forme. Plusieurs études ont montré que les personnes ont une sexualité beaucoup plus épanouie après avoir perdu ne serait-ce que 10 % de leur poids. Et même une brève séance coquine brûle deux fois plus de calories que de dormir, soit environ 150 calories par tranche de 20 minutes. En faisant l'amour seulement deux fois de plus par semaine que vous ne le faites actuellement, vous pèseriez 2 kg de moins en un an, ce qui représente 20 kg de bourrelets en moins sur 10 ans !

PLUS VOUS FEREZ L'AMOUR, PLUS VOUS AUREZ UN CŒUR TONIQUE... ET PLUS VOUS FEREZ L'AMOUR ! Ce qui compte réellement au niveau de la santé, comme dans le sexe, c'est le flux sanguin. Lorsque le sang circule librement, le cœur bat, les vaisseaux sont en bonne santé, le teint est éblouissant, hydratation et lubrification sont bonnes, les orgasmes sont intenses et tout le monde est content. Lorsque des

CONSEIL BONUS

Éloignez les téléphones portables. Le fait de vérifier constamment votre téléphone mobile peut nuire : au-delà de la fatigue que cela exerce sur les yeux et de l'ennui que cela provoque sur vos convives, cela peut également entraîner un vieillissement prématuré. C'est en tout cas ce qu'affirme Brian S. Glatt, un chirurgien esthétique du New Jersey. Les minuscules appareils qui tiennent dans la main incitent à plisser les yeux et provoquent ainsi pattes d'oie et rides entre les sourcils. Pour éviter l'apparition précoce des rides, augmentez la taille des caractères et réduisez la luminosité de l'écran.

obstructions se produisent au niveau du système circulatoire et freinent ce flux sanguin, cela n'augure rien de bon – au lit ou ailleurs. L'hypertension et le cholestérol constituent les deux raisons principales pour lesquelles les veines et les artères – notamment les minuscules réseaux de capillaires qui contrôlent la réponse sexuelle – peuvent être bloquées. Cela augmente le risque de crise cardiaque et d'accident vasculaire cérébral, en même temps que cela réduit la lubrification et entraîne des difficultés à atteindre l'orgasme. L'alimentation et l'exercice sont essentiels à la santé cardiaque et sexuelle tout autant que le sexe est utile à la santé cardiaque. Les experts considèrent l'activité sexuelle comme étant comparable à un entraînement modeste sur un tapis de course, selon une étude publiée dans l'*American Journal of Cardiology*.

CONSEIL BONUS

Laissez-le lorgner.
La plupart des hommes ont du mal à garder leurs œillères lorsqu'une femme séduisante passe près d'eux, mais une étude récente révèle que ces œillades pourraient être une bonne chose. Des chercheurs des universités de Floride et du Kentucky ont montré à 42 personnes des photographies d'individus du sexe opposé, certaines d'entre elles ne pouvant pas regarder les plus séduisants. Celles qui ne pouvaient pas lorgner à volonté exprimaient moins de satisfaction au niveau de leur relation et une perception plus positive de l'infidélité que celles qui avaient accès à toutes les photographies.

PLUS VOUS FEREZ L'AMOUR, PLUS VOUS SEREZ HEUREUSE... ET PLUS VOUS FEREZ L'AMOUR ! Selon les résultats d'une recherche menée dans une université écossaise, le sexe réduit l'anxiété, diminue les hormones du stress et aide à mieux gérer les pressions inhérentes à la vie moderne. Dans le cadre d'une étude, 46 hommes et femmes ont été exposés à une situation de stress où ils devaient parler et résoudre des problèmes de mathématique devant un public difficile. Les participants au test devaient également noter la fréquence de leur activité sexuelle pendant les 2 semaines précédant le test. Les personnes ayant eu le plus de relations sexuelles se sont senties le moins stressées et leur tension artérielle est redescendue à un niveau normal plus rapidement après avoir pris la parole en public. Cela s'explique en partie par le fait que les endorphines et l'ocytocine, deux molécules liées au bien-être, sont libérées pendant le rapport sexuel et activent les zones de plaisir dans le cerveau, qui génèrent les sentiments d'intimité et de détente et aident à conjurer l'anxiété et la dépression. C'est l'explication que donne le Dr Laura Berman, consultante chez *Women's Health*, assistante clinique en gynécologie-obstétrique et en psychiatrie à l'école de médecine Feinberg de l'Université Northwestern. Vous n'avez pas besoin d'atteindre des sommets pour ressentir des effets de haut vol, mais plus vous finirez en beauté et plus vous en ressentirez les bienfaits. La prolactine est une autre hormone qui est libérée pendant l'orgasme. Elle contribue à favoriser le sommeil, comme vous l'aurez sans nul doute déjà remarqué chez votre partenaire.

PLUS VOUS FEREZ L'AMOUR, PLUS VOUS AUREZ L'AIR JEUNE… ET PLUS VOUS FEREZ L'AMOUR ! Au cours d'une étude menée sur 10 ans, un neuropsychologue britannique a interrogé 3 500 adultes et découvert que les personnes qui déclaraient avoir des rapports sexuels 4 fois par semaine paraissaient environ 10 ans plus jeune que leur âge véritable. Dans une autre étude, un comité de juges a observé des participants par l'intermédiaire d'un miroir sans tain et avait pour mission de deviner leur âge. Les personnes qui avaient de nombreux rapports sexuels avec un partenaire régulier – en moyenne 4 fois par semaine – ont été perçues comme ayant 7 à 12 ans de moins que leur âge réel. La raison à cela ? L'activité sexuelle favorise la libération de l'hormone de croissance – oui, la même qu'utilisent les athlètes (illégalement) pour accélérer la récupération et prolonger leur carrière. Il renforce également les niveaux de testostérone et d'œstrogène, hormones connues pour rendre la peau douce et faire briller les cheveux.

PLUS VOUS FEREZ L'AMOUR, MOINS VOS RÈGLES SERONT DOULOUREUSES... ET PLUS VOUS FEREZ L'AMOUR ! Lorsqu'une femme a un orgasme, son utérus se contracte et dans le même temps débarrasse le corps des composés qui provoquent les crampes menstruelles, explique le Dr Cindy M. Meston, directrice du laboratoire de psychophysiologie sexuelle de l'Université du Texas à Austin. Des rapports sexuels fréquents peuvent aussi raccourcir la durée des règles, ajoute-t-elle. Un autre effet secondaire, étrange mais providentiel, des rapports sexuels lorsqu'ils ont lieu pendant les règles : ils contribuent à diminuer le risque d'endométriose, une affection fréquente dans laquelle le tissu utérin se développe en dehors de l'utérus. Elle provoque une douleur pelvienne et des rapports sexuels douloureux, d'après des chercheurs de Yale.

CONSEIL BONUS

Profitez-en !
Ce sont les hommes et non les femmes qui disent généralement « je t'aime » les premiers, d'après une étude parue dans le *Journal of Personality and Social Psychology*, qui a révélé que les hommes pensent à se déclarer 6 semaines avant les femmes. Mis à part le fait qu'ils sont en partie plus pressés de faire évoluer la relation, la déclaration est habituellement faite d'abord par les hommes qui pensent que le sentiment est légitime, déclare l'auteur de l'étude.

PLUS VOUS FEREZ L'AMOUR, PLUS LES DOULEURS DIMINUERONT... ET PLUS VOUS FEREZ L'AMOUR ! La poussée d'hormones libérées par l'orgasme peut aider à soulager n'importe quelle douleur gênante, qu'il s'agisse de vos douleurs menstruelles ou d'un mal de tête. Une étude menée à la clinique des céphalées de l'Université de l'Illinois du Sud a révélé que la moitié des femmes souffrant de migraines ressentaient un soulagement après l'orgasme. « Les endorphines qui sont libérées pendant un orgasme ressemblent beaucoup à la morphine et elles soulagent effectivement », déclare le Dr Meston.

En réalité, les bénéfices du sexe sur la santé et la forme physique sont si bien connus – des études ont montré qu'il combat à peu près tous les maux, depuis les insomnies jusqu'aux douleurs dans le dos en passant par le rhume – que les médecins devraient le prescrire !

La bonne nouvelle, c'est qu'en suivant simplement les secrets minceur de *Women's Health* – et 80 % du temps est amplement suffisant, comme nous vous l'avons déjà indiqué – vous améliorerez sensiblement et rapidement votre sex-appeal et vos fonctions sexuelles. Lancez-vous dans le programme accéléré de remise en forme et vous y trouverez même un avantage encore plus grand au niveau de votre vie sexuelle. Dans le cadre d'une étude menée à Harvard, 160 nageurs hommes et femmes ayant de 40 à 60 ans ont montré une relation positive entre une activité physique régulière et la fréquence et le plaisir des relations sexuelles. Les nageurs sexagénaires ont révélé qu'ils avaient une vie sexuelle comparable à des personnes qui avaient 20 ans de moins.

Si cependant vous souhaitez aller au-delà de l'aisance que vous procureront les règles d'une alimentation saine et le programme de remise en forme, voici quelques conseils pour ajuster ces programmes et faire en sorte que vous soyez au sommet de votre forme quand et où vous en avez vraiment besoin.

10 aliments pour vivre mieux sa sexualité

LES ÉPINARDS ET AUTRES LÉGUMES VERTS. Manger davantage de salade verte est l'un de nos secrets minceur. Les légumes verts vous procurent quantité de fibres et complètent votre réserve de vitamine B (acide folique, notamment), qui améliorent l'humeur et augmentent de façon exponentielle vos chances de perdre du poids. (Souvenez-vous que selon une étude, les personnes ayant consommé le plus d'aliments riches en acide folique ont perdu 8,5 fois plus de poids que celles qui en ont mangé le moins.) Qui plus est, l'acide folique fait équipe avec le magnésium – un autre nutriment que l'on retrouve dans les légumes verts à feuilles – pour aider à maintenir les vaisseaux sanguins en bon état, ce qui signifie une meilleure activité sexuelle.

LE THÉ VERT NATURE. Le « thé vert », car il est riche en catéchine, un antioxydant qui favorise la circulation sanguine et renforce l'intelligence et la concentration. « Nature », car des études montrent qu'une trop grosse quantité de sucre réduit la capacité du corps à fabriquer des endorphines, et un faible taux de ces hormones conduit à la dépression et à un affaiblissement de la réponse sexuelle.

LA SALADE D'ANANAS ET DE PASTÈQUE. Vous avez certainement déjà entendu cette légende qui affirme que l'ananas améliore le goût de certains fluides corporels. Si les scientifiques ne l'ont toujours pas vraiment corroborée, ils ont en revanche démontré que ceux et celles qui ont un taux élevé de vitamine C sont de meilleure humeur et ont une vie amoureuse plus active. Hachez grossièrement des morceaux d'ananas riches en vitamine C et ajoutez quelques morceaux de pastèque : elle contient quantité d'un phytonutriment appelé citrulline, que l'organisme transforme en arginine. « L'arginine fabrique de l'oxyde nitrique qui dilate les vaisseaux sanguins, le même effet qu'a le Viagra® », explique le Dr Bhimu Patil, directeur de recherche à l'Université Texas A&M. Chez la femme, cela signifie l'augmentation du flux sanguin, une sensibilité accrue et une meilleure lubrification.

UN STEAK ET UN VERRE DE VIN ROUGE. Le steak fournit à lui seul des protéines qui favorisent le développement musculaire et l'élimination de la graisse, et la viande rouge est particulièrement riche en zinc, un minéral qui freine la production d'une hormone appelée prolactine qui, à un taux élevé, peut provoquer des troubles sexuels. Accompagnez ce steak d'un verre de vin rouge : les antioxydants qu'il contient déclenchent la production d'oxyde nitrique dans le sang, lequel contribue à la dilatation des parois artérielles. Autre bienfait caché : cela peut vous aider à vous détendre davantage qu'une autre boisson. Les femmes qui boivent du vin rouge se sentent souvent plus excitées que celles qui préfèrent d'autres alcools, selon une étude publiée dans le *Journal of Sexual Medicine*. Après avoir suivi près de 800 femmes, des chercheurs ont découvert que celles qui consommaient jusqu'à 2 verres de vin rouge par jour avaient en général un métabolisme sexuel plus élevé que les autres femmes.

CONSEIL BONUS

Gardez vos seins à l'ombre.
Les scientifiques ont remarqué une augmentation significative du cancer du sein chez les femmes qui travaillent de nuit et sont donc exposées à beaucoup de lumière artificielle la nuit. Même la faible lueur bleue ou verte d'un réveil peut freiner la production naturelle de la mélatonine, l'hormone du sommeil, qui joue également un rôle en retardant la croissance des cellules cancéreuses, explique le Dr David E. Blask, cancérologue à l'École de Médecine de l'Université Tulane.

LES ŒUFS. D'accord, ils n'ont pas le sex-appeal d'un steak avec un verre de vin, mais ils peuvent pourtant vous aider à sortir de votre coquille. Les œufs sont les aliments les plus riches en éléments nutritifs : cela signifie un maximum de nutriments pour un minimum de calories. Parmi ces nutriments, les vitamines B qui aident à réguler l'humeur et la libido, le fer, le phosphore et le sélénium – des minéraux qui sont connus pour maintenir la santé des tissus épithéliaux qui tapissent le vagin et l'utérus.

LES GRAINES DE TOURNESOL. Aucun aliment au monde n'est aussi riche en vitamine E que ces petites pépites et aucun antioxydant connu à ce jour n'est aussi efficace pour combattre les effets du vieillissement, explique le Dr Barry Swanson, professeur de sciences de l'alimentation à l'Université d'État de Washington. Cela dit, n'importe quelle noix ou graine contient une bonne quantité de vitamine E, tout comme un certain nombre de vitamines et de minéraux essentiels.

LE THON. Les poissons gras d'eau froide, tels que le thon, le saumon, la sardine et le maquereau, fournissent des acides gras oméga-3 essentiels EPA et DHA qui permettent d'augmenter le taux de dopamine dans le cerveau, qui elle-même déclenche l'excitation.

LE CHOCOLAT NOIR. Nous ne parlons pas de l'aliment bon marché que l'on achète sans réfléchir au magasin du coin ; nous parlons de vrai bon chocolat noir – celui qui contient au moins 70 % de cacao ou de fève de cacao pure. Riche en antioxydants bons pour le cœur, le chocolat noir renferme de la phényléthylamine, un composant qui libère les mêmes endorphines que le plaisir et qui renforce littéralement l'attirance entre deux personnes, selon le *Journal of the American Dietetic Association*. En effet, dans le cadre d'une étude britannique, des scanners du cerveau ont montré que le fait de manger du chocolat provoque un épisode de stimulation cérébrale plus intense et plus long que le baiser. Les chercheurs ont contrôlé l'activité cérébrale et la fréquence cardiaque de couples pendant qu'ils s'embrassaient passionnément puis quand ils mangeaient du chocolat. Le cerveau des hommes comme celui des femmes a montré une plus grande stimulation pendant que le chocolat fondait sur la langue que lors de l'échange de baiser.

CONSEIL BONUS

Alimentez votre détermination. Quelle que soit la tentation que vous essayez d'éviter – l'appel du distributeur automatique, l'envie de sauter une séance d'entraînement, un rendez-vous avec un ex –, vous aurez davantage de volonté si vous vous en tenez à un régime de petits repas riches en protéines. Cela vient de ce que le sucre dans le sang alimente l'activité du cerveau. Lorsqu'il chute, il se passe la même chose pour votre self-control, d'après un article paru dans le *Journal of Personality and Social Psychology*.

LES ASPERGES. Oui, elles ont une forme phallique, et la nature veut peut-être nous dire quelque chose. Les asperges sont riches en vitamine B qui augmente le niveau d'histamine, un neurotransmetteur qui aide à atteindre l'orgasme. Et les pointes, en particulier, contiennent un taux élevé de protodioscine, une substance chimique connue pour stimuler l'excitation, explique Lynn Edlen-Nezin, l'auteur de *Great Food, Great Sex*.

LES GRAINES DE LIN. Ces plantes minuscules aux pouvoirs nutritionnels considérables sont remplies d'acides gras oméga-3 et oméga-6, les piliers de toutes les hormones sexuelles. Une cuillère à soupe de cette graine au goût de noisette favorise l'augmentation du taux de testostérone, l'hormone ayant le plus d'effets directs sur la libido, d'après le Dr Helen Fischer, chercheuse en sexualité. (Choisissez des graines moulues, l'organisme ne digérant pas bien les graines entières.) Les noix sont également une excellente source d'oméga-3 et 6.

Se préparer à une vie sexuelle meilleure

En suivant le programme de remise en forme 3 fois par semaine, vous donnez déjà un coup de fouet à votre vie sexuelle. Des études montrent que la musculation et les exercices aérobies ont un impact très bénéfique sur la forme physique de la femme, ses capacités sexuelles et sa confiance en elle. Et si vous souhaitez travailler un tout petit peu plus, les dividendes seront particulièrement importants.

Les exercices d'échauffement aident à améliorer les résultats à l'entraînement tout en réduisant le risque de blessure. Tandis que la plupart des gens s'échauffent pendant quelques minutes en marchant lourdement sur le tapis de course, vous pouvez utiliser ce laps de temps pour améliorer votre réaction sexuelle et préparer votre corps pour un excellent entraînement en apportant quelques petites modifications à votre échauffement habituel. Adapté d'un programme de Jim Bell, propriétaire de la Bell Fitness Company à New York, cet échauffement est conçu pour allonger et renforcer les muscles qui sont généralement mis en action pendant le rapport sexuel. Tout pour tonifier, affiner et être éblouissante.

FENTE LATÉRALE. Ce mouvement simple améliore à la fois la force et la flexibilité dans le bas du corps, surtout au niveau des hanches, des fessiers et de l'aine. Tenez-vous debout, les pieds écartés d'environ deux fois la largeur de vos épaules, en regardant droit devant vous. Abaissez légèrement votre bassin et joignez les mains devant la poitrine. Basculez le poids du corps sur votre jambe droite tandis que vous poussez vos hanches vers l'arrière et baissez le corps en pliant votre genou droit. En gardant les pieds à plat, poussez avec la jambe droite pour retourner à la position de départ. Puis répétez le mouvement, cette fois du côté gauche. Revenez à la position de départ, cela constitue un mouvement entier. Faites-en de 10 à 20.

LE PONT. C'est un très bon exercice qui peut améliorer l'orgasme en renforçant et en dynamisant l'endurance des muscles pelviens. Allongez-vous sur le dos, les bras allongés de chaque côté du corps, les genoux pliés et les pieds posés à plat. Poussez vos hanches vers le haut jusqu'à ce que vos genoux, vos hanches et vos épaules forment une ligne droite. Contractez les fessiers en montant, maintenez la pose pendant une seconde puis revenez à la position de départ. Cela constitue un mouvement, faites-en 20. Pour que le mouvement soit très efficace, enfoncez vos talons et non vos orteils dans le sol lorsque vous vous soulevez.

LA CHARNIÈRE. Cet exercice étire et renforce le cœur, les quadriceps et les fléchisseurs des hanches. Agenouillez-vous par terre, les mains posées de chaque côté. Résistez au besoin de vous asseoir et reportez votre poids sur vos talons. Imaginez une ficelle attachée au sommet de votre tête qui vous tire vers le plafond. Votre dos doit être droit et les genoux pliés à 90 degrés. C'est la position de départ. En gardant la tête et la colonne vertébrale en ligne par rapport à vos cuisses, penchez-vous lentement vers l'arrière. Maintenez la position pendant 3 secondes puis revenez à la position initiale. Faites 5 à 10 mouvements.

LA CHENILLE. Un bon exercice pour renforcer vos muscles abdominaux et assouplir vos cuisses, vos hanches, vos obliques, votre dos et vos épaules. Tenez-vous debout les jambes droites, les pieds écartés à la largeur des hanches. Penchez-vous en avant et posez vos mains à plat par terre. En conservant vos jambes droites, avancez les mains devant vous en conservant vos abdominaux et le bas du dos bien contractés. Allez aussi loin que vous pouvez : idéalement, vous vous retrouvez avec le dos parallèle au sol et les mains loin devant vous. Une fois que vous avez avancé les mains aussi loin que possible, faites de minuscules pas avec les pieds jusqu'à ce que vous soyez de nouveau pliée à la taille, les jambes droites et les mains toujours par terre. C'est un mouvement, essayez d'en faire 6.

LES EXERCICES DE KEGEL. Si vous êtes une adepte de *Women's Health*, vous connaissez déjà les exercices de Kegel. À l'origine, ils ont été conçus pour aider les femmes pendant et après leur grossesse, mais il s'avère qu'ils ont un effet secondaire très intéressant : ils permettent d'augmenter le plaisir sexuel pour vous et votre partenaire. Ces exercices font travailler les muscles pubo-coccygiens, c'est-à-dire ceux que vous devriez contracter si vous essayiez de stopper l'urine lorsque vous allez aux toilettes. Ils se contractent également pendant l'orgasme ; des contractions plus fortes signifient des orgasmes plus intenses. Vous pouvez faire ces exercices pratiquement n'importe où, au lit, sur la plage ou même pendant que vous lisez ce livre, mais pourquoi ne pas les intégrer à votre entraînement quotidien pour qu'ils deviennent automatiques ? Allongez-vous sur le dos les genoux pliés à 90 degrés et les pieds posés bien à plat. Sans serrer les fessiers, contractez vos muscles pubo-coccygiens et maintenez la position pendant 15 secondes puis relâchez. Faites jusqu'à 20 contractions à la fin de chaque entraînement.

10

DES ALIMENTS POUR TOUS LES JOURS

Pour ne faire l'impasse sur aucun groupe d'aliments

Cette liste regroupe des aliments communs, bons pour la santé (et les papilles !), et vous indique leur valeur nutritive. Attention, ces valeurs ne sont que des moyennes *indicatives*. Apprenez à déchiffrer les étiquettes des produits qui vous sont proposés et vous remarquerez des écarts importants. Telle ou telle marque, telle ou telle qualité de produit ne se valent pas. Choisissez toujours le meilleur : des aliments riches en nutriments et à l'apport calorique raisonnable. Et variez votre alimentation !

CÉRÉALES ET FÉCULENTS

Pain et céréales sont les principales sources de glucides complexes. Contrairement aux glucides simples apportés par les aliments sucrés (confiseries, glaces, etc.), ils libèrent une énergie progressive : c'est pourquoi on les appelle souvent « sucres lents ». Les céréales apportent des fibres en quantité.

PAIN

1. **Baguette**

Un grand classique du pain, fabriqué à partir de farine de blé raffiné.

POUR 100 G : 265 calories • 8 g de protides • 56 g de glucides • 1 g de graisses

2. **Pain de campagne**

Pas de recette unique, généralement un mélange de trois farines où le blé reste majoritaire.

POUR 100 G : 262 calories • 9 g de protides • 54 g de glucides • 0,9 g de graisses

3. **Pain complet**

À base de farine de blé complet, c'est-à-dire que les graines sont moulues avec leur son. Riche en fibres et minéraux.

POUR 100 G : 229 calories • 9 g de protides • 44 g de glucides • 1,8 g de graisses

4. **Pain de seigle**

À base de farine de seigle et de farine de blé.

POUR 100 G : 232 calories • 6,7 g de protides • 49 g de glucides • 1 g de graisses

5. **Biscottes**

Plus grasses et plus sucrées que le pain.

POUR 100 G : 400 calories • 10 g de protides • 78 g de glucides • 7 g de graisses

6. **Pain à hamburger**

POUR 100 G : 289 calories • 9,5 g de protides • 50 g de glucides • 5,7 g de graisses

GÂTEAUX ET VIENNOISERIES

Très appréciées, les viennoiseries apportent certes un peu de protéines, mais trop de glucides et de graisses, et ne devraient pas être consommées quotidiennement.

7. **Chausson aux pommes**

POUR 100 G : 300 calories • 2 g de protides • 50 g de glucides • 20 g de graisses

8. **Croissant**

POUR 100 G : 380 calories • 6 g de protides • 48 g de glucides • 18 g de graisses

9. **Éclair**

POUR 100 G : 264 calories • 6 g de protides • 24 g de glucides • 16 g de graisses

10. **Pain aux raisins**

POUR 100 G : 319 calories • 8,2 g de protides • 46 g de glucides • 11,3 g de graisses

11. **Pain d'épice**

Choisir de préférence du pain d'épice « pur miel », sans sucre ajouté.

POUR 100 G : 321 calories • 3,2 g de protides • 70 g de glucides • 1 g de graisses

FÉCULENTS

Riches en glucides complexes, en fibres, en vitamine B.

Attention aux étiquettes des produits ! Secs ou cuits, les féculents et légumineuses n'ont pas les mêmes valeurs caloriques. Gonflés d'eau à la cuisson, ils sont moins caloriques qu'avant cuisson (rapport de 1 à 4, quasiment).

12. **Boulgour (produit sec)**

POUR 100 G : 362 calories • 14 g de protides • 73 g de glucides • 1,7 g de graisses

13. **Flocons d'avoine (produit sec)**

POUR 100 G : 356 calories • 12 g de protides • 60 g de glucides • 8 g de graisses

14. **Haricots rouges (cuits)**

POUR 100 G : 119 calories • 8,1 g de protides • 21,3 g de glucides • 0,5 g de graisses

15. **Haricots blancs (cuits)**

POUR 100 G : 131 calories • 9,2 g de protides • 23,7 g de glucides • 0,3 g de graisses

16. **Lentilles (produit sec)**

POUR 100 G : 320 calories • 24 g de protides • 50 g de glucides • 1,2 g de graisses

17. **Maïs**

POUR 100 G : 97 calories • 2,9 g de protides • 18,8 g de glucides • 1,3 g de graisses

18. **Pâtes (produit sec)**

POUR 100 G : 340 calories • 15 g de protides • 35 g de glucides • 1,4 g de graisses

19. **Polenta (produit sec)**

POUR 100 G : 353 calories • 6,7 g de protéines • 79 g de glucides • 1,2 g de matières grasses

20. **Pomme de terre**

POUR 100 G : 85 calories • 2 g de protides • 19 g de glucides • 0,2 g de graisses

21. **Quinoa (produit sec)**

Le + Women's Health : le quinoa, originaire du Pérou, est une des rares sources végétales de protéines complètes. Il contient tous les acides aminés nécessaires à l'organisme, tout en étant dépourvu de graisses.

POUR 100 G : 300 calories • 5 g de protides • 27,6 g de glucides • 2,3 g de graisses

22. **Riz (produit sec)**

Le riz brun est plus riche en fibres (3 g) que le riz blanc.

PAR TASSE : 230 calories • 5 g de protéines • 50 g de glucides • 0,7 g de graisses

CÉRÉALES DU PETIT DÉJEUNER

Elles sont souvent riches en sucres ajoutés. Préférez les variétés non sucrées.

23. **Muesli**

POUR 100 G : 370 à 450 calories • 7 à 9 g de protides • 60 à 70 g de glucides • 8 à 19 g de graisses

24. **Céréales bio**

POUR 100 G : 320 à 400 calories • 8 à 15 g de protides • 62 à 80 g de glucides • 1 à 8 g de graisses

25. **Pétales soufflés**

POUR 100 G : 370 à 400 calories • 4 à 7 g de protides • 80 à 90 g de glucides • 1 à 4 g de graisses

ŒUFS

Les œufs sont riches en protéines facilement assimilables par l'organisme, en vitamines, minéraux et oligo-éléments.
Le + Women's Health : pour un même apport protéinique, on consomme moins de calories en se nourrissant d'œufs plutôt que d'autres aliments, comme l'explique le Dr Volek, de l'Université du Connecticut. Consommer le jaune est indispensable : il contient de la vitamine B 12 nécessaire à la récupération et au soutien musculaire.

26. Blanc d'œuf

UN ŒUF : 21,7 calories • 4,8 g de protides • 0,4 g de glucides • 0,1 g de graisses

27. Jaune d'œuf

UN ŒUF : 59 calories • 2,7 g de protides • 0,05 g de glucides • 5,3 g de graisses

28. Œuf au plat

UN ŒUF : 92 calories • 6,4 g de protides • 0,6 g de glucides • 7 g de graisses

29. Œuf dur

UN ŒUF : 85,2 calories • 6,9 g de protides • 0,55 g de glucides • 5,8 g de graisses

30. Omelette

UN ŒUF : 95 calories • 6,4 g de protides • 0,63 g de glucides • 7 g de graisses

PRODUITS LAITIERS

Le lait et ses dérivés sont indispensables à la construction du squelette et à son entretien, grâce au calcium qu'ils contiennent. Le beurre et la crème fraîche ne sont pas considérés comme des produits laitiers, mais classés comme matières grasses, même s'ils sont élaborés à partir du lait. Ils ne contiennent pas de calcium.

31. Fromage blanc

Existe en version « maigre » : moins de matière grasse, bien sûr, et de calories, mais souvent davantage de glucides.

POUR 100 G : 114 calories • 7 g de protides • 3,5 g de glucides • 8 g de graisses

32. Lait demi-écrémé

Préférez les laits stérilisés aux laits pasteurisés : ils auront mieux conservé leurs propriétés nutritives essentielles.

POUR 10 CL : 43 calories • 3,2 g de protides • 4,8 g de glucides • 1,5 g de graisses

33. Lait entier

POUR 10 CL : 63 calories • 3,2 g de protides • 4,8 g de glucides • 3,6 g de graisses

34. Petit-suisse

Existe en version « maigre » : moins de matière grasse, bien sûr, et de calories, mais souvent davantage de glucides.

POUR 100 G : 140 calories • 9,4 g de protides • 3,3 g de glucides • 10 g de graisses

35. Yaourt nature

Préférez les yaourts nature aux yaourts aromatisés, qui contiennent souvent des produits chimiques pour la coloration ou l'arôme.
Le + Women's Health : selon le Dr Volek de l'Université du Connecticut, le yaourt est l'un des rares aliments qui contiennent de l'acide linoléique, principal acteur dans la réduction de la masse graisseuse.

POUR 100 G : 50 à 70 calories • 3 à 4 g de protides • 4 à 5 g de glucides • 1 à 3 g de graisses

36. **Yaourt maigre**

POUR 100 G : 50 calories • 5,7 g de protides • 7,6 g de glucides • 0 g de graisses

37. **Yaourt aux fruits**

Le + Women's Health : acheter des yaourts allégés n'est pas forcément intéressant en terme de gain nutritif. Les glucides des yaourts aux fruits pourront même doper votre insuline et favoriser la récupération.

POUR 100 G : 80 calories • 4 g de protides • 13 g de glucides • 1 g de graisses

FROMAGES

Relativement caloriques, les fromages n'en sont pas moins utiles, en petite quantité, pour satisfaire les besoins de l'organisme en protéines et en calcium. Mais tous n'ont pas la même teneur en calcium ou en sel.

38. **Bleu**

POUR 30 G : 120 calories • 7 g de protides • 0 g de glucides • 10 g de graisses • 220 mg de calcium • 1000 mg de sel

39. **Camembert**

POUR 30 G : 95 calories • 7 g de protides • 0 g de glucides • 6,5 g de graisses • 180 mg de calcium • 610 mg de sel

40. **Cantal**

POUR 30 G : 120 calories • 8 g de protides • 1,5 g de glucides • 9 g de graisses • 290 mg de calcium • 720 mg de sel

41. **Chèvre**

POUR 30 G : 90 calories • 7 g de protides • 0,4 g de glucides • 8,5 g de graisses • 250 mg de calcium • 420 mg de sel

42. **Emmental**

POUR 30 G : 120 calories • 9,2 g de protides • 0 g de glucides • 9 g de graisses • 300 mg de calcium • 200 mg de sel

43. **Mozzarella**

POUR 30 G : 80 calories • 6 g de protides • 0,4 g de glucides • 6 g de graisses • 95 mg de calcium • 80 mg de sel

44. **Parmesan**

POUR 30 G : 130 calories • 12 g de protides • 0 g de glucides • 8,5 g de graisses • 400 mg de calcium • 300 mg de sel

45. **Roquefort**

POUR 30 G : 120 calories • 7 g de protides • 0,6 g de glucides • 10 g de graisses • 200 mg de calcium • 600 mg de sel

FRUITS ET LÉGUMES

Fruits et légumes verts, riches en fibres, vitamines et minéraux, peu caloriques, présentent un grand intérêt nutritionnel.

FRUITS

46. **Abricot**

Riche en vitamines A, B, C et en minéraux.

POUR 100 G : 42 calories • 1 g de protides • 10 g de glucides • 0 g de graisses

47. **Ananas**

Riche en vitamines et en fibres.
Le + Women's Health : la broméline, enzyme contenue dans l'ananas, aide à réduire les inflammations des tissus et des muscles après une séance d'entraînement.

POUR 100 G : 52 calories • 0,4 g de protides • 12 g de glucides • 0,2 g de graisses

48. **Banane**

Fortifiante et nourrissante, elle contient beaucoup de minéraux et de vitamines.

POUR 100 G : 90 calories • 1,3 g de protides • 22,7 g de glucides • 0,5 g de graisses

49. **Cassis**

Il se conserve mal, aussi achetez de petites quantités.

POUR 100 G : 54 calories • 1 g de protides • 12 g de glucides • 0 g de graisses

50. **Cerise**

Le plus sucré des fruits rouges est riche en flavonoïdes qui combattent les radicaux libres.

POUR 100 G : 68 calories • 1 g de protides • 15 g de glucides • 0,4 g de graisses

51. **Citron jaune**

Le citron est un des meilleurs antioxydants naturels.

POUR 100 G : 26 calories • 0,7 g de protides • 2,5 g de glucides • 0,3 g de graisses

52. **Datte**

Riche en sucre, c'est un aliment très calorique.

POUR 100 G : 278 calories • 2 g de protides • 75 g de glucides • 0,6 g de graisses

53. **Figue**

Comme elle est riche en sucre, il faut la consommer avec modération.

POUR 100 G : 57 calories • 0,9 g de protides • 13 g de glucides • 0,2 g de graisses

54. **Fraise**

Diurétique et dépurative, la fraise doit être consommée rapidement, car elle se conserve mal.

POUR 100 G : 35 calories • 0,7 g de protides • 7,5 g de glucides • 0,5 g de graisses

55. **Framboise**

Cette baie fragile contient quantité de minéraux et d'oligo-éléments.

100 G : 38 calories • 1 g de protides • 8 g de glucides • 0,5 g de graisses

56. **Groseille**

Peu calorique, cette baie a des propriétés rafraîchissantes et minéralisantes.

POUR 100 G : 33 calories • 1,1 g de protides • 9,5 g de glucides • 0,4 g de graisses

57. **Kiwi**

Très riche en vitamine C, le kiwi combat le vieillissement cellulaire.
Le + Women's Health : la sérotonine contenue dans le kiwi aiderait à réguler le cycle du sommeil. En manger le soir (avec modération, car il y a aussi de la vitamine C !) réduirait le temps d'endormissement.

POUR 100 G : 47 calories • 1,6 g de protides • 11 g de glucides • 0,3 g de graisses

58. **Mandarine**

Moins acide que l'orange, cet agrume est aussi riche en vitamine C.

POUR 100 G : 41 calories • 0,5 g de protides • 9,4 g de glucides • 0,2 g de graisses

59. **Mangue**

Elle est très riche en provitamine A, et excellente pour les femmes enceintes et les jeunes en période de croissance.

POUR 100 G : 56 calories • 0,5 g de protides • 15 g de glucides • 0,2 g de graisses

60. **Melon**

Le melon est très rafraîchissant, et possède des propriétés diurétiques et dépuratives.

POUR 100 G : 48 calories • 0,8 g de protides • 8,4 g de glucides • 0 g de graisses

61. **Mûre**

Cette baie un peu acide contient des tannins, des fibres et des sels minéraux.

POUR 100 G : 54 calories • 1 g de protides • 12,8 g de glucides • 0 g de graisses

62. **Myrtille**

La myrtille possède de nombreuses vertus thérapeutiques.

POUR 100 G : 50 calories • 0,6 g de protides • 11,3 g de glucides • 0,5 g de graisses

63. **Noix**

Très calorique, ce fruit oléagineux est riche en acides gras insaturés et en oméga-3.

Le + Women's Health : les noix et autres fruits à coque sont l'une des meilleures sources de vitamine E facilement absorbable par l'organisme. Leurs antioxydants aident les muscles à mieux récupérer. Une consommation de deux poignées par jour est suffisante. Au-delà, elles pourraient avoir une mauvaise influence sur votre poids.

POUR 100 G : 654 calories • 15 g de protides • 25 g de glucides • 48 g de graisses

64. **Noix de coco**

La chair est très énergétique et doit donc être consommée avec modération, mais l'eau qu'elle contient est peu calorique et désaltérante.

POUR 100 G : 354 calories • 4 g de protides • 10 g de glucides • 34 g de graisses

65. **Orange**

Fuit précieux pour la santé par la quantité de vitamines qu'il contient, son jus doit être consommé rapidement, sinon il perd ses qualités nutritives.

POUR 100 G : 30 calories • 1 g de protides • 8,6 g de glucides • 0,2 g de graisses

66. **Pamplemousse**

Cet agrume est très riche en antioxydants et vitamines.

POUR 100 G : 30 calories • 0,6 g de protides • 8 g de glucides • 0,1 g de graisses

67. **Papaye**

Plus riche en vitamine C que les agrumes, la papaye contient une substance qui peut provoquer des allergies. Mais cette papaïne permet aussi de réduire les protéines en composants facilement assimilables.

POUR 100 G : 39 calories • 0,6 g de protides • 10 g de glucides • 0,1 g de graisses

68. **Pastèque**

Avec plus de 90 % d'eau, la pastèque est un fruit très rafraîchissant, idéal pendant les périodes chaudes.

POUR 100 G : 30 calories • 0,6 g de protides • 7,1 g de glucides • 0,1 g de graisses

69. **Pêche**

Riche en eau et en fibres, la pêche est un fruit typiquement estival.

POUR 100 G : 41 calories • 0,6 g de protides • 9,2 g de glucides • 0 g de graisses

70. **Poire**

Sa chair granuleuse peut irriter certains intestins fragiles, mais la poire est un fruit peu calorique et riche en fibres.

POUR 100 G : 50 calories • 0,4 g de protides • 14 g de glucides • 0,2 g de graisses

71. **Pomme**

Les vitamines et minéraux se concentrent dans la peau : choisissez des pommes que vous pourrez donc croquer avec leur peau.

POUR 100 G : 54 calories • 0,4 g de protides • 19 g de glucides • 0,2 g de graisses

72. **Raisin**

Ce fruit riche en sucre et calorique est pourtant très digeste et plein de qualités nutritives.

POUR 100 G : 72 calories • 0,9 g de protides • 16 g de glucides • 0,7 g de graisses

LÉGUMES

73. **Ail**

Une fois cuit, il perd la plupart de ses propriétés nutritionnelles.

POUR 100 G : 133 calories • 6,4 g de protides • 28 g de glucides • 0,5 g de graisses

74. **Artichaut**

Il stimule la production de la bile et facilite la digestion.

POUR 100 G : 40 calories • 3 g de protides • 1,2 g de glucides • 0,2 g de graisses

75. **Asperge**

Elle a un effet diurétique. Ne pas consommer en grande quantité en cas d'insuffisance rénale.

POUR 100 G : 20 calories • 2,4 g de protides • 1,5 g de glucides • 0,3 g de graisses

76. **Aubergine**

À cuire dans peu de matières grasses, car elle les absorbe comme une éponge !

POUR 100 G : 18 calories • 1,3 g de protides • 3,2 g de glucides • 0,2 g de graisses

77. **Avocat**

Aliment très complet, riche en graisses de bonne qualité.

POUR 100 G : 160 calories • 2 g de protides • 7,5 g de glucides • 15 g de graisses

78. **Betterave rouge**

Elle est riche en minéraux et oligo-éléments.

POUR 100 G : 37 calories • 1,5 g de protides • 8,5 g de glucides • 0,1 g de graisses

79. **Brocoli**

Il aurait des vertus anticancéreuses, mais est à éviter en cas de calculs rénaux.
Le + Women's Health : avant et après les séances d'entraînement, la vitamine C réduit les douleurs musculaires. Or, les brocolis sont bourrés de cette vitamine...

POUR 100 G : 25 calories • 0 g de protides • 5 g de glucides • 0 g de graisses

80. **Carotte**

Si vous voulez profiter au maximum de ses bienfaits, consommez-la crue. C'est la peau qui contient la plupart des vitamines, aussi choisissez des carottes bio et ne les épluchez pas.

POUR 100 G : 31 calories • 0,8 g de protides • 5,1 g de glucides • 0,3 g de graisses

81. **Céleri**

Longtemps employé comme plante médicinale, le céleri est vraiment peu calorique.

POUR 100 G : 12 calories • 1 g de protides • 2 g de glucides • 0 g de graisses

82. **Champignons**

Il en existe de multiples variétés, qu'il est préférable de consommer très fraîches.

POUR 100 G : 15 calories • 2 g de protides • 0,5 g de glucides • 0,5 g de graisses

83. **Châtaigne**

Considérée longtemps comme un « plat du pauvre », elle est très nourrissante et énergétique.

POUR 100 G : 165 calories • 4 g de protides • 42 g de glucides • 3 g de graisses

84. **Chou**

Le chou, quelle que soit sa couleur, perd bon nombre de ses qualités nutritives quand il est cuit.

POUR 100 G : 15 calories • 1,5 g de protides • 5 g de glucides • 0 g de graisses

85. **Chou-fleur**

Il est riche en fibres, mais le soufre qu'il contient peut le rendre difficile à digérer.

POUR 100 G : 24 calories • 2,4 g de protides • 4,5 g de glucides • 0 g de graisses

86. **Choux de Bruxelles**

Parfois difficile à digérer à cause du soufre qu'ils contiennent, il faut éviter de les cuire dans des matières grasses, qu'ils absorbent.

POUR 100 G : 37 calories • 2,6 g de protides • 2,8 g de glucides • 0,4 g de graisses

87. **Concombre**

C'est un des légumes les moins caloriques et il assure une bonne hydratation de l'organisme.

POUR 100 G : 11 calories • 0,7 g de protides • 2 g de glucides • 0,1 g de graisses

88. **Courgette**

Cousine du précédent, elle est plus digeste.

POUR 100 G : 15 calories • 0,6 g de protides • 2,5 g de glucides • 0,1 g de graisses

89. **Échalote**

Comme l'ail, elle contient de la quercétine, qui aide à réduire le taux de mauvais cholestérol.

POUR 100 G : 65 calories • 1,9 g de protides • 13 g de glucides • 1,9 g de graisses

90. **Endive**

Elle est vivement recommandée dans les régimes hypocaloriques.

POUR 100 G : 8 calories • 1 g de protides • 4 g de glucides • 0 g de graisses

91. **Épinards**

Riche en fer, mais moins que le laisse supposer l'image de Popeye, les épinards réduisent fortement à la cuisson et perdent de leurs nutriments.

POUR 100 G : 17 calories • 2 g de protides • 3 g de glucides • 0 g de graisses

92. **Fenouil**

Peu calorique et facile à digérer, le fenouil pourrait être toxique en très grande quantité.

POUR 100 G : 16 calories • 2,4 g de protides • 5 g de glucides • 0,3 g de graisses

93. **Haricots verts**

Le haricot vert est une bonne source de protéines végétales, qu'il faut cuire à la vapeur pour conserver ses qualités nutritionnelles.

POUR 100 G : 30 calories • 1,6 g de protides • 3,2 g de glucides • 0,1 g de graisses

94. **Laitue**

Cette salade extrêmement commune favorise la digestion.

POUR 100 G : 13 calories • 1,3 g de protides • 2,6 g de glucides • 0 g de graisses

95. **Navet**

Peu calorique, le navet contient une bonne quantité de fibres. Un bon allié pour perdre du poids...

POUR 100 G : 17 calories • 1 g de protides • 7 g de glucides • 0,2 g de graisses

96. **Oignon**

Quelle que soit sa variété, l'oignon présente de grandes qualités nutritives.

POUR 100 G : 34 calories • 1,2 g de protides • 6,5 g de glucides • 0,2 g de graisses

97. **Petits pois**

Riches en fibres et glucides, les petits pois sont appréciés pour leur goût délicat.

POUR 100 G : 80 calories • 4,9 g de protides • 10,5 g de glucides • 0,5 g de graisses

98. **Poireau**

La partie verte est plus riche en vitamines que la blanche, mais ses fibres sont moins bien digérées.

POUR 100 G : 28 calories • 1,2 g de protides • 3,8 g de glucides • 0,3 g de graisses

99. **Poivron**

La peau épaisse du poivron le rend parfois difficile à digérer. Épluchez-le !
Le + Women's Health : les poivrons rouges contiennent 60 % de vitamine C en plus que les poivrons verts.

POUR 100 G : 20 calories • 1 g de protides • 4 g de glucides • 0,3 g de graisses

100. **Radis**

Les fanes de ce légume racine peuvent aussi se consommer, en soupe par exemple.

POUR 100 G : 15 calories • 1 g de protides • 3 g de glucides • 0,2 g de graisses

101. **Soja**

Apprécié pour ses qualités nutritionnelles, il est même conseillé par les médecins et diététiciens. Pauvre en graisses, il contient tous les acides aminés essentiels au développement des muscles.

POUR 100 G : 49 calories • 6 g de protides • 5,3 g de glucides • 1,4 g de graisses

102. **Tomate**

Toutes ses variétés possèdent de grandes qualités nutritives, mais sa peau peut irriter les intestins fragiles.

POUR 100 G : 15 calories • 0,8 g de protides • 3,5 g de glucides • 0,3 g de graisses

VIANDES ET CHARCUTERIE

Viandes et charcuterie ne font pas partie des aliments mis en avant dans le cadre des régimes, car elles sont généralement trop riches en cholestérol et en graisses. Mais elles apportent aussi du fer, des protéines et des vitamines B (notamment B 12, absente des végétaux). À condition de les consommer dans des quantités raisonnables, d'alterner viande rouge et viande blanche, et de limiter l'apport de matières grasses pour la cuisson, il n'est pas du tout interdit d'en manger!

VIANDES

103. **Agneau (épaule)**

Riches en fer, l'agneau et le mouton restent tout de même les viandes les plus riches en calories.

POUR 100 G : 289 calories • 16 g de protides • 0 g de glucides • 25 g de graisses

104. **Bœuf**

La viande de bœuf est une des moins caloriques et c'est une bonne source de vitamine B 12. Attention quand même à la dose d'acides gras saturés qu'elle contient. Le + Women's Health : le bœuf est riche en zinc et en fer, minéraux indispensables pour construire la masse musculaire.

POUR 100 G : 150 à 200 calories • 15 à 28 g de protides • 0 g de glucides • 5 à 20 g de graisses

105. **Canard**

La viande de canard, sans la peau, très grasse, est une viande peu calorique et très digeste.

POUR 100 G : 130 à 180 calories • 20 g de protides • 0 g de glucides • 10 g de graisses

106. **Dinde**

Viande maigre, la dinde est riche en fer et magnésium.
Le + Women's Health : la glutamine contenue dans la dinde est un acide aminé qui facilite la synthèse des protéines et accroît la masse musculaire.

POUR 100 G : 100 à 150 calories • 25 à 30 g de protides • 0 g de glucides • 2 à 4 g de graisses

107. **Lapin**

Viande maigre, la chair du lapin est riche en protéines et minéraux.

POUR 100 G : 130 calories • 20 g de protides • 0 g de glucides • 5,5 g de graisses

108. **Oie**

La viande d'oie, riche en acides gras, doit être consommée avec modération en cas de surpoids.

POUR 100 G : 275 calories • 30 g de protides • 0 g de glucides • 17,5 g de graisses

109. **Poulet**

La viande de poulet convient à tout le monde. Elle contient des graisses de bonne qualité (acides gras insaturés), mais sa peau est très grasse.

POUR 100 G : 150 calories • 21 g de protides • 0 g de glucides • 7 g de graisses

110. **Veau**

La viande de veau est maigre, et riche en protéines, minéraux et vitamine B 12.

POUR 100 G : 110 à 150 calories • 20 à 30 g de protides • 0 g de glucides • 3 à 15 g de graisses

111. **Porc**

La viande de porc est riche en protéines et minéraux, et facile à dégraisser.

POUR 100 G : 115 à 200 calories • 20 à 30 g de protides • 0 g de glucides • 5 à 15 g de graisses

CHARCUTERIE

Comme la viande, la charcuterie est riche en calories, et elle l'est davantage en graisses et en sel.

112. **Jambon blanc**

POUR 100 G : 135 calories • 18 g de protides • 0,8 g de glucides • 6,5 g de graisses

113. **Jambon cru**

POUR 100 G : 330 calories • 15 g de protides • 0 g de glucides • 30 g de graisses

114. **Rillettes**

POUR 100 G : 542 calories • 20 g de protides • 3 g de glucides • 50 g de graisses

115. **Saucisse de Francfort**

POUR 100 G : 300 calories • 11 g de protides • 1,4 g de glucides • 28 g de graisses

Herbes et épices
Les herbes aromatiques et les épices, rarement consommées seules, viennent agrémenter nos plats, leur apportant goût, saveur, couleur et odeur, et renforcent notre plaisir à manger. Elles sont pour la plupart des sources précieuses d'antioxydants (que l'on trouve par ailleurs dans les fruits, les légumes et les céréales complètes) qui aident l'organisme à se défendre des attaques des radicaux libres et participent au bon fonctionnement cardio-vasculaire.

POISSONS ET CRUSTACÉS

Les poissons apportent des protéines nécessaires à l'entretien des muscles et à la construction du squelette. Les poissons gras, comme le saumon, la sardine, le maquereau, le hareng... sont riches en acides gras essentiels (les oméga-3 et 6). Fruits de mer, crustacés et poissons contiennent aussi de l'iode qui agit favorablement sur la thyroïde.
Le + Women's Health : les oméga-3 contenus dans le poisson peuvent diminuer la perte de protéines due à l'effort et favoriser la récupération.

116. **Bar, loup**

POUR 100 G : 98 calories • 20 g de protides • 0 g de glucides • 2 g de graisses

117. **Brochet**

POUR 100 G : 93 calories • 21 g de protides • 0 g de glucides • 1 g de graisses

118. **Calamar**

POUR 100 G : 84 calories • 16 g de protides • 3 g de glucides • 1,5 g de graisses

119. **Cabillaud**

POUR 100 G : 74 calories • 16 g de protides • 0 g de glucides • 1 g de graisses

120. **Carpe**

POUR 100 G : 110 calories • 18,5 g de protides • 0 g de glucides • 4 g de graisses

121. **Carrelet**

POUR 100 G : 65 calories • 15 g de protides • 0,5 g de glucides • 0,6 g de graisses

122. **Colin**

POUR 100 G : 91 calories • 17 g de protides • 0 g de glucides • 2,5 g de graisses

123. **Coquille Saint-Jacques**

POUR 100 G : 77 calories • 16 g de protides • 0 g de glucides • 0,1 g de graisses

124. **Crabe**

POUR 100 G : 128 calories • 18,5 g de protides • 0,5 g de glucides • 3,5 g de graisses

125. **Crevettes**
POUR 100 G : 92 calories • 21 g de protides • 1 g de glucides • 0,5 g de graisses

126. **Dorade**
POUR 100 G : 91 calories • 16 g de protides • 0 g de glucides • 3 g de graisses

127. **Hareng**
POUR 100 G : 215 calories • 22 g de protides • 0,5 g de glucides • 14 g de graisses

128. **Huîtres**
POUR 100 G : 73 calories • 9 g de protides • 4,5 g de glucides • 2 g de graisses

129. **Langouste**
POUR 100 G : 92 calories • 17 g de protides • 0,5 g de glucides • 2 g de graisses

130. **Lieu**
POUR 100 G : 85 calories • 19 g de protides • 0 g de glucides • 1 g de graisses

131. **Limande**
POUR 100 G : 76 calories • 16,5 g de protides • 0 g de glucides • 1 g de graisses

132. **Lotte**
POUR 100 G : 86 calories • 18 g de protides • 0 g de glucides • 1,5 g de graisses

133. **Maquereau**
POUR 100 G : 177 calories • 22 g de protides • 0 g de glucides • 12 g de graisses

134. **Moules**
POUR 100 G : 118 calories • 20,2 g de protides • 3,1 g de glucides • 2,8 g de graisses

135. **Raie**
POUR 100 G : 93 calories • 21 g de protides • 0 g de glucides • 1 g de graisses

136. **Sardines**
POUR 100 G : 217 calories • 22,6 g de protides • 0 g de glucides • 10,5 g de graisses

137. **Saumon**
POUR 100 G : 179 calories • 20 g de protides • 0 g de glucides • 11 g de graisses

138. **Sole**
POUR 100 G : 75 calories • 16,5 g de protides • 0 g de glucides • 2 g de graisses

139. **Truite**
POUR 100 G : 86 calories • 22,4 g de protides • 0 g de glucides • 3,6 g de graisses

140. **Truite fumée**
POUR 100 G : 156 calories • 23 g de protides • 0,2 g de glucides • 7 g de graisses

141. **Thon**
POUR 100 G : 137 calories • 25 g de protides • 0 g de glucides • 2 g de graisses

BOISSONS

L'eau est la seule boisson véritablement nécessaire à l'organisme. Les jus de fruits sont moins riches en fibres que les fruits, mais peuvent les remplacer si l'on consomme peu de fruits. Les autres boissons, comme les vins et certains alcools, le thé, le café, ont

toutes des vertus, mais sont à consommer avec modération car, en excès, elles se révèlent toxiques l'organisme.
Le + Women's Health : les muscles contiennent environ 80 % d'eau. La moindre variation peut avoir des conséquences (blessures). Une étude allemande a d'ailleurs montré que des muscles bien hydratés synthétisent mieux les protéines.
Hydratez-vous régulièrement tout au long de la journée et pendant les séances d'entraînement.

142. **Jus d'orange**

POUR 10 CL : 51 calories • 0 g de protides • 12,8 g de glucides • 0 g de graisses

143. **Jus de citron**

POUR 10 CL : 5 calories • 0,06 g de protides • 1,3 g de glucides • 0 g de graisses

144. **Jus de pamplemousse**

POUR 10 CL : 39 calories • 0,5 g de protides • 9,3 g de glucides • 0 g de graisses

145. **Jus de pomme**

POUR 10 CL : 49 calories • 0 g de protides • 12 g de glucides • 0 g de graisses

146. **Jus de raisin**

POUR 10 CL : 66 calories • 0,6 g de protides • 16 g de glucides • 0 g de graisses

147. **Jus de tomate**

POUR 10 CL : 20 calories • 1 g de protides • 4,4 g de glucides • 0,04 g de graisses

148. **Jus de carotte**

POUR 10 CL : 41 calories • 0,9 g de protides • 9,6 g de glucides • 0 g de graisses

149. **Thé**

Il existe deux catégories de thés : le thé vert qui n'a pas subi de fermentation, et le thé noir qui, lui est fermenté après séchage.
Le + Women's Health : une tasse de thé matinale remonte le moral grâce à la présence de flavonoïdes et de L-théanine. Une étude menée sur plus de 2 000 Norvégiens a même démontré que les performances intellectuelles sont supérieures chez ceux qui boivent le plus de thé.

VALEURS NON REPRÉSENTATIVES

150. **Café**

Il existe plusieurs façons de préparer ce produit issu de graines torréfiées. La caféine, en dose variable selon la variété de café, a des propriétés stimulantes.
Le + Women's Health : selon une étude de l'Université de Géorgie, la caféine améliorerait l'endurance en soulageant les douleurs musculaires. Résultat : vous pouvez vous entraîner plus longtemps.

VALEURS NON REPRÉSENTATIVES

151. **Vin**

Le vin, rouge notamment, est riche en tanins et en substances antioxydantes, qui protègent contre les maladies cardiovasculaires. Mais en excès, il est nocif pour bon nombre d'organes.

POUR 10 CL : 57 calories

MATIÈRES GRASSES

À consommer avec modération bien sûr, de par leur teneur en graisses. Néanmoins, les matières grasses sont aussi riches en diverses vitamines : le beurre, par exemple, est riche en vitamine A.

152. **Beurre**

Préparé à partir de la matière grasse du lait, c'est un produit gras, calorique, contenant des acides gras saturés.

POUR 100 G : 741 calories • 0,8 g de protides • 0,5 g de glucides • 82 g de graisses

153. **Crème fraîche**

Existe avec différents pourcentages de matière grasse.

POUR 100 G : 300 calories • 2,5 g de protides • 3,5 g de glucides • 30 g de graisses

154. **Margarine**

POUR 100 G : 744 calories • 0,1 g de protides • 0,4 g de glucides • 82,5 g de graisses

Il est conseillé de varier le type d'huile que l'on utilise : choisissez par exemple, une huile pour la cuisson, et une autre pour l'assaisonnement, afin de profiter de leurs qualités nutritives différentes.

155. **Huile d'olive**

Le + Women's Health : privilégiez toujours une première pression à froid, qui contient davantage de vitamine E.
La graisse monosaturée de l'huile d'olive protège les articulations et maintient le tissu musculaire. Idéal après l'entraînement !

POUR 1 CUIL. À SOUPE : 121 calories • 0 g de protides • 0 g de glucides • 13,5 g de graisses

156. **Huile de colza**

POUR 1 CUIL. À SOUPE : 122 calories • 0 g de protides • 0 g de glucides • 13,6 g de graisses

157. **Huile de tournesol**

POUR 1 CUIL. À SOUPE : 122 calories • 0 g de protides • 0 g de glucides • 13,6 g de graisses

PRODUITS SUCRÉS

À la différence des « sucres lents » (voir céréales et féculents), les sucres simples de ces produits passent rapidement dans le sang. La glycémie s'élève et baisse rapidement, la baisse s'accompagnant de fatigue et de fringale.
Ces aliments n'ont pas tous d'intérêt nutritionnel, mais pourrait-on s'en passer ? Le plaisir ressenti en mangeant est important pour maintenir un bon équilibre alimentaire. Quelles que soient leurs qualités nutritives, tant que leur consommation reste raisonnable, il n'y a pas de raison de s'en priver totalement.

158. **Sucre raffiné**

POUR 30 G : 130 calories • 0 g de protides • 35 g de glucides • 0 g de graisses

159. **Chocolat**

Le chocolat contient des substances qui stimulent le psychisme et diminuent le stress (présence de sérotonine et de magnésium). Le chocolat noir est moins sucré que le chocolat au lait, mais tout aussi calorique.

POUR 30 G : 150 calories • 6 g de protides • 18 g de glucides • 9 g de graisses

160. **Pâte à tartiner**

POUR 30 G : 165 calories • 5 g de protides • 18 g de glucides • 10 g de graisses

161. **Soda**

En consommant des boissons sucrées, vous aurez l'impression d'avaler peu de calories. Pourtant, elles sont extrêmement caloriques !

POUR 30 CL : 120 calories • 0 g de protides • 30 g de glucides • 0 g de graisses

162. **Miel**

Le miel a un pouvoir sucrant plus fort que le sucre et contient quelques minéraux.

POUR 30 G : 93 calories • 0 g de protides • 23 g de glucides • 0 g de graisses

163. **Confiture**

POUR 30 G : 74 calories • 0,1 g de protides • 18 g de glucides • 0,1 g de graisses

164. **Barre chocolatée**

POUR 30 G : 100 à 130 calories • 1 à 3 g de protides • 8 à 21 g de glucides • 1 à 12 g de graisses

165. **Glace**

POUR 100 G : 180 calories • 4 g de protides • 20 g de glucides • 8 g de graisses

50 ALIMENTS
bons pour le moral

Il ne faut pas attendre de la part des aliments qu'ils « réparent » un moral défaillant, un peu à la manière dont les antidépresseurs agissent sur le cerveau. Là où alimentation et médicaments se rejoignent, cependant, c'est que l'alimentation peut améliorer le fonctionnement de notre cerveau et offrir à notre organisme une meilleure résistance à la fatigue et au stress.

Un cerveau vif dans un corps bien portant

Un organisme qui fonctionne bien, c'est celui où les informations vont rapidement des neurones, les cellules du cerveau, jusqu'aux organes. Différentes substances, synthétisées à partir de notre alimentation, jouent le rôle de messagers (les « neurotransmetteurs » – parmi eux l'adrénaline, la sérotonine et la dopamine) et agissent directement sur le bien-être physique, le moral ou le sommeil. Lorsque leur fabrication est perturbée, cela peut induire des troubles du comportement : anxiété, irritabilité, agressivité, ou démotivation, dépression...

Or, notre cerveau est très gourmand. Une quarantaine de substances lui sont indispensables : des vitamines, des minéraux, des oligo-éléments, des protéines, des acides gras... Et comme il est « alimenté » en priorité, lorsqu'il manque il va se servir ailleurs, risquant de fatiguer, d'affaiblir les autres organes. Une mauvaise hygiène alimentaire, et notre corps ne trouve plus le carburant nécessaire et s'épuise.

Une nourriture équilibrée est nécessaire au bon fonctionnement du cerveau et de l'organisme, et il ne faut se priver de rien. Car les aliments agissent ensemble – par exemple des vitamines aident à la transformation des sucres, d'autres à l'absorption d'oligo-éléments – et aucun d'entre eux ne contient toutes les substances utiles à la fois.

Une bonne alimentation permet de lutter contre le stress qui, lui, provoque en retour des déséquilibres : dans le sommeil qui favorise le repos de l'organisme, et dans l'alimentation (repas trop rapides, mal équilibrés, choix d'aliments qui procurent une sensation rapide de bien-être mais sans effet à long terme, etc.)

C'est bon pour le cerveau

Le sucre. Sans son carburant sucré, le cerveau est fatigué, la concentration, faible, et l'humeur, maussade. Un manque de sucre dans le sang retentit sur l'attention, la mémorisation, et peut se traduire par des vertiges ou des sueurs froides. Mais le cerveau n'a pas besoin de n'importe quel sucre. Les sucres complexes, ou lents, des pâtes, qui passent petit à petit dans la circulation sanguine, sont préférables à ceux simples, rapides, du sucre en morceaux, du caramel ou du chocolat, qui ne donneront qu'un petit coup de fouet en allant vite dans le sang.

Les protéines. Elles sont fondamentales pour l'entretien de l'organisme et interviennent dans les connexions des neurones. Un manque de protéines se traduit par de la fatigue et des défenses naturelles défaillantes.

Les vitamines B. Elles sont associées à la transformation des sucres ou des protéines, et augmentent la quantité disponible de neurotransmetteurs pour le cerveau.

Les vitamines B

B1, pour la transformation des glucides en énergie, le fonctionnement des cellules nerveuses, la transmission des influx, l'attention

B2, B3 (PP), B8 pour la transformation des glucides ou des protéines en énergie

B5, vitamine « antistress » qui agit sur le système nerveux

B6, pour la transformation des protéines et l'assimilation du magnésium : elle joue un grand rôle dans l'équilibre psychique et agit sur les neurotransmetteurs. En cas d'insuffisance : irritabilité, dépression, confusion

B9 (acide folique), pour la synthèse des protéines. Elle permet d'éviter la fatigue intellectuelle, intervient dans la mémorisation, participe à la fabrication de toutes les cellules du corps. Elle est indispensable à la femme enceinte pour le développement du bébé.

B12, pour la synthèse des protéines. Elle favorise un développement intellectuel harmonieux, l'entretien des cellules nerveuses, et joue un rôle antidépresseur. En cas d'insuffisance : fatigue, humeur irritable, troubles de la mémoire. On la trouve quasi uniquement dans les aliments d'origine animale.

La vitamine C. Elle stimule la production de neurotransmetteurs, notamment de la dopamine (la « substance du bonheur »), et protège contre les infections. C'est un antioxydant efficace (voir vitamine E). Elle stimule le système immunitaire qu'elle rend plus fort, et permet de lutter contre la fatigue. Elle facilite l'absorption du fer. En cas de carence : fatigue, anémie.

La vitamine E protège la membrane qui entoure les cellules. Elle contribue ainsi au bon fonctionnement du cœur. Et elle est surtout l'**antioxydant** majeur. Le rôle de ces antioxydants est de combattre les radicaux libres, ces substances naturelles produites par l'organisme, mais qui s'attaquent aux tissus et aux cellules et les usent. Les radicaux libres proviennent entre autres d'une alimentation trop riche en graisse animale, et sont favorisés par le stress.

Le fer (surtout combiné avec la vitamine C). Il entretient la mémoire et participe à l'apprentissage. Le manque de fer (en cas de carence grave, on parle d'anémie) est assez fréquent et provoque fatigue et moindre résistance aux infections.

Surtout, le fer transporte l'oxygène via le sang jusqu'au cerveau. Une bonne oxygénation évite une fatigue excessive. Une bonne circulation sanguine est d'ailleurs favorable à tout l'organisme. Pas seulement parce qu'on a moins à se plaindre alors de jambes lourdes. Accessoirement, une bonne circulation sanguine favorise aussi la libido... Qui a dit que c'était mauvais pour le moral ?

Le **magnésium.** Il participe au fonctionnement du système immunitaire, à la production de l'énergie ainsi qu'à la transmission des influx nerveux. Il stimule la mémoire, aide à limiter la fatigue, le stress et l'anxiété.

Le **sélénium**. C'est un oligo-élément très important pour la prévention du stress, et un antioxydant.

Les acides gras insaturés, notamment les **Oméga-3** (dits « poly-insaturés », mais il existe aussi des acides gras « mono-insaturés » oméga-9, par exemple dans l'huile d'olive, l'avocat, les noix). Peu d'aliments contiennent ces acides gras dits « essentiels », indispensables à l'organisme qui ne sait pas les fabriquer. Ils jouent un peu le rôle de lubrifiant pour faciliter la transmission des signaux nerveux. Ils sont nécessaires au fonctionnement de nos neurones et jouent un rôle important sur la mémoire ; ils agissent sur la régulation du sommeil car ils activent la sécrétion de mélatonine (« hormone du sommeil »), et sont réputés chasser la déprime.

Ils sont nécessaires pendant la grossesse, pour le développement des neurones du futur enfant, et ralentiraient le processus de vieillissement, normal ou pathologique, du cerveau.

Et aussi :

D'autres minéraux et oligo-éléments :

• Le **calcium** pour la transformation de l'énergie dans les cellules, le **potassium** et le **phosphore** pour la circulation sanguine et le fonctionnement nerveux

• Le **cuivre** pour la formation des globules rouges et de plusieurs hormones, et son pouvoir antioxydant.

• Le **zinc,** pour ses effets sur le système immunitaire, le fonctionnement du cerveau. Une carence peut être à l'origine de troubles de l'apprentissage, de la pensée, de la mémoire et de l'attention.

• L'**iode** pour son rôle dans les capacités d'apprentissage, lors de la croissance et chez l'adulte.

• Le **manganèse**, pour le fonctionnement du système nerveux, la mémoire, la concentration.

D'autres vitamines :

La **vitamine A** est antioxydante. Dans les végétaux, on ne la trouve pas directement ; on parle le plus souvent de provitamine A ou de **bêta-carotène**, qui sera transformé en vitamine A dans l'organisme.

Pensez aussi à vous exposer à la lumière, surtout l'hiver. Un manque de luminosité, pour peu que l'apport en vitamines B et en magnésium soit un peu faible, et la déprime survient vite. L'exposition au soleil (modérée !) permet de synthétiser la **vitamine D,** rare dans les aliments, qui permet l'utilisation du calcium et du phosphore présents dans le sang. Elle est nécessaire pour une bonne santé générale.

Enfin, la nourriture est un plaisir. En tant que tel, se nourrir d'aliments qu'on aime favorise un bon moral !

AIL *(ALLIUM SATIVUM)*

Pour le moral : toutes les vitamines, nombreux minéraux et oligo-éléments, sélénium

L'ail, originaire de Chine, est cultivé partout et depuis fort longtemps. Réputé protecteur et fortifiant de l'organisme, il est considéré comme un alicament – une sorte de médicament naturel. Il agit notamment sur les fonctions cardiaques et améliore la circulation sanguine. Il réchauffe le corps et le fortifie. Le sélénium agit en outre sur la prévention du stress.
Il vaut mieux le consommer cru, afin qu'il conserve tous ses nutriments bénéfiques.

ALGUES

Pour le moral : iode, protéines, minéraux et oligo-éléments (fer, zinc, magnésium, sélénium...), vitamines B, notamment B12, E, bêta-carotène, oméga-3

Les algues sont largement utilisées comme aliments dans les cuisines asiatiques (dans les sushis, par exemple), moins dans les cultures occidentales. Les algues consommées comme légumes sont de grandes algues marines : en Bretagne par exemple, on récolte ainsi haricots de mer, laitues de mer et dulse. Mais il existe quantité d'autres algues, de mer ou d'eau douce, dont certaines ont des propriétés nutritionnelles exceptionnelles et produisent des compléments alimentaires très intéressants. La spiruline est la plus connue. Elle est dynamisante, augmente l'endurance, elle améliore la résistance de l'organisme aux infections. On la trouve sous forme de comprimés, de brindilles, de poudre... Elle se prend généralement sous forme de « cure ».

AMANDE *(PRUNUS AMYGDALUS)*

Pour le moral : protéines, acides gras insaturés, vitamine E, B2, B3, phosphore, magnésium, manganèse, calcium, cuivre, fer, zinc

Comme les noix et les autres oléagineux, l'amande est riche en matières grasses saines. Elle est très énergétique et accompagne les périodes de récupération après un exercice sportif. Elle apaise facilement la sensation de faim.

Attention aux types d'amandes que vous achetez : rôties à l'huile ou salées, elles se chargent de graisse ou de sodium, peu bénéfiques à la santé.

ANANAS *(ANANAS COMOSUS)*

Pour le moral : vitamine C, B1, B6, B9, manganèse, broméline, cuivre, fer

L'ananas est un fruit originaire d'Amérique du Sud, consommé et commercialisé depuis plusieurs siècles. Il est apprécié pour se revitaliser car, comme la plupart des fruits frais, il contient de la vitamine C. Mais c'est la broméline qui fait sa particularité. Cette enzyme agit sur la circulation sanguine, elle est anti-inflammatoire et facilite la digestion des protéines.
Il est préférable de le consommer frais plutôt qu'en conserve, où il est généralement additionné de sucre.

ASPERGE *(ASPARAGUS OFFICINALIS)*

Pour le moral : vitamines C, B (B9 notamment), antioxydants, provitamine A, potassium, calcium, magnésium, fer, cuivre, manganèse, zinc, sélénium

L'asperge contient des fibres qui la rendent utiles pour régulariser le transit intestinal, et elle possède un effet diurétique. C'est sa richesse en vitamine B9 qui la rend intéressante pour l'organisme, car elle favorise le renouvellement cellulaire. Il existe principalement trois variétés d'asperges : les blanches (les plus consommées), à pointe violette, ou vertes. Ce sont ces dernières qui sont les plus riches en vitamine C.

AVOCAT *(PERSEA GRATISSIMA)*

Pour le moral : acides gras insaturés, vitamine C, E, B6, B9

Originaire du Mexique, l'avocat se décline en une dizaine de variétés différentes, de calibres variés, à la peau verte à noire. Les graisses qu'il contient, si elles inquiètent ceux qui surveillent leur ligne, sont des « bonnes graisses », qui favorisent l'assimilation d'autres substances, et sont en outre bénéfiques à la santé cardio-vasculaire. Il est riche en vitamines, qui sont préservées puisqu'on le consomme cru. Il partage une partie de ses propriétés nutritives avec les fruits oléagineux (noix, amandes...)

BAIES DE GOJI *(LYCIUM BARBARUM* ou *L. CHINENSE)*

Pour le moral : vitamines A, B1, B2, B6, E, C, oligo-éléments et minéraux

Le goji, ou baie de goji, est le fruit du lyciet commun. C'est une petite baie orange allongée qui est consommée depuis des millénaires en Asie et réputée pour ses vertus médicinales.
Riche en vitamines, en minéraux et en oligoéléments, elle est souvent considérée, à l'instar de la canneberge, comme un « super-fruit ». Elle est commercialisée en France principalement sous forme de jus mélangé, ou en fruits secs. Elle est alors moins riche en vitamine C que lorsqu'elle est fraîche.
Elle agit sur l'énergie et la vitalité, combat la fatigue et le stress et élimine les toxines de l'organisme.

BANANE *(MUSA SP.)*

Pour le moral : tryptophane, vitamine B6, B9, C, cuivre, potassium, magnésium, manganèse

La banane est un des fruits les plus consommés. Et c'est bien ! Car outre qu'elle donne une impression de satiété, elle contient du tryptophane, un acide aminé qui agit sur la production de sérotonine, elle-même agissant sur le bien-être physique et le sommeil. Elle apporte énergie et motivation, et la vitamine B6 permet l'assimilation du magnésium à l'intérieur des cellules.

BROCOLI *(BRASSICA OLERACEA VAR. ITALICA)*

Pour le moral : antioxydants, vitamine B9, B2, C, phosphore, calcium, magnésium, fer

Le brocoli est une plante potagère de la famille du chou, originaire du sud de l'Italie. Il est relativement riche en protéines pour un légume et, à poids égal, il est deux fois plus vitaminé (vitamine C) que l'orange et a l'avantage d'être peu calorique. On lui prête, comme aux autres crucifères, des vertus pour la prévention de certains types de cancer.

CAFÉ *(COFFEA ARABICA, C. CANEPHORA)*

Pour le moral : caféine, antioxydants, magnésium, vitamine B3, B2

La graine du caféier est surtout consommée comme boisson, après avoir été torréfiée (rôtie) et moulue. La caféine, substance contenue dans la graine, est un stimulant du système nerveux central et du système cardio-vasculaire. Elle est présente en quantité variable selon les types de café (cela peut aller du simple au double entre un arabica et un robusta, et il y en a même dans le décaféiné).
Le café diminue l'impression de fatigue, donne de l'énergie... mais en excès, il peut provoquer des insomnies et nuire à la récupération nécessaire à l'organisme. La caféine se retrouve aussi, en moindre quantité, dans le cacao et le thé.

CANNEBERGE *(VACCINIUM MACROCARPON)*

Pour le moral : antioxydants, vitamine C

Très présente en Amérique du Nord, où on la consomme fraîche de septembre à la fin de l'année, en France elle est vendue sous forme de jus, de fruits secs, généralement dans des mélanges, ou sous forme de complément alimentaire.

La canneberge (ou « cranberry »), apparentée à la myrtille, était particulièrement destinée à lutter contre les infections urinaires. Elle fait partie de ces « super-fruits », comme l'açaï ou le goji, qui ont des propriétés nutritionnelles supérieures aux autres : ce sont notamment des concentrés d'antioxydants.

CAROTTE *(DAUCUS CAROTA)*

Pour le moral : bêta-carotène, vitamine C, B6, calcium, magnésium, potassium, fer, antioxydants

La carotte est un des légumes les plus consommés en France. Dans son pays d'origine, l'Afghanistan, on en trouve des variétés d'autres couleurs que le orange qu'on lui connaît habituellement. C'est surtout pour sa teneur en bêta-carotène, qui lui donne sa couleur courante, que la carotte est distinguée. Les carottes les plus colorées en contiennent le plus.
Elle se consomme crue ou cuite, ses vitamines étant plus présentes dans le premier cas, surtout la vitamine C. La peau contient beaucoup de ces vitamines, aussi l'épluchage des jeunes carottes n'est-il pas nécessaire.

CASSIS *(RIBES NIGRUM)*

Pour le moral : minéraux, antioxydants, vitamine C

Toutes les baies comestibles sont des mines de vitamines. Le cassis, à poids égal, contient par exemple deux fois plus de vitamine C que le kiwi et trois fois plus que l'orange. Anti-inflammatoire, diurétique, il permet de lutter contre les radicaux libres et améliore la circulation sanguine grâce aux flavonoïdes qu'il contient (antioxydants qui donnent la couleur rouge ou noire des fruits).
On consomme le plus souvent le cassis sous forme de confiture ou de crème, mais il se marie très bien avec d'autres fruits en salade.

CERISE *(PRUNUS AVIUM)*

Pour le moral : antioxydants, provitamine A, C, B9, potassium, cuivre, fer, manganèse

Parmi les fruits rouges, la cerise est le plus sucré et le plus énergétique. Ses sucres sont facilement assimilables, cependant. Elle a la réputation d'être diurétique. Elle favorise également la sécrétion de mélatonine, qui intervient dans la régulation du sommeil, et à ce titre elle est indiquée pour réduire l'insomnie. Les antioxydants seraient plus concentrés dans les variétés acides (griotte, *Prunus cerasus*) que dans les variétés à la saveur plus douce.

CHÂTAIGNE *(CASTANEA VULGARIS)*

Pour le moral : glucides lents, vitamines C et B1, potassium, manganèse, fer, magnésium

La châtaigne – à ne pas confondre avec le marron, toxique, qui donne pourtant son nom à des confiseries – se consomme surtout à l'automne et en hiver, grillée ou cuite à l'eau, confite dans le sucre (« marrons glacés ») ou sous forme de farine. C'est un fruit très énergétique, mais elle fournit des glucides lents qui donnent de l'énergie sur le long terme. C'est pourquoi elle a longtemps été considérée comme un aliment de base, comme les céréales et le pain. Il est conseillé de ne pas en manger plus d'une dizaine par jours, en équilibrant l'alimentation avec des fruits et légumes frais.

CHOCOLAT (produit transformé de la graine du cacaoyer, *THEOBROMA CACAO*)

Pour le moral : magnésium, antioxydants

Le chocolat – noir, riche en cacao (70 %) – contient de la caféine, qui stimule le psychisme, et une substance nommée théobromine

qui agirait sur l'humeur. Le magnésium, en quantité importante, a par ailleurs des effets relaxants. On considère donc le chocolat comme un aliment antistress et antidépresseur.
Au-delà de ses qualités nutritionnelles, et comme on ne doit quand même pas en faire une consommation exagérée – c'est une source de glucides rapides et il est très calorique –, la vertu du chocolat sur le moral résiderait dans son bon goût. Le plaisir de croquer un carré favoriserait la sécrétion de sérotonine, aux vertus apaisantes.

CITRON *(CITRUS LIMON)*

Pour le moral : vitamine C, mais aussi A, B2, B3, antioxydants, cuivre

Il existe diverses variétés de citron, à la couleur plus ou moins jaune ; le « citron vert » est un autre agrume, connu aussi sous le nom de « lime ».
On estime parfois que ses propriétés antioxydantes ou son apport vitaminique sont un peu exagérées ; il est vrai qu'on consomme rarement le citron sous forme de « portion ». Il sert essentiellement à l'assaisonnement, à la confection de boissons, à parfumer des desserts.
Boire le jus d'un citron apporte à l'organisme un tiers des vitamines C nécessaires quotidiennement. Et une infusion de citron aurait des vertus calmantes sur le mal de tête.

COURGES *(CUCURBITA SP.)*

Pour le moral : bêta-carotène, vitamines B2, B6, B9, C, potassium, fer, manganèse, cuivre

Parmi les courges, on distingue celles d'été (courgette et pâtisson), dont la peau est comestible, et celles d'hiver, à la peau dure.
Les courges d'été sont peu caloriques et extrêmement riches en

minéraux ; la quantité de vitamines y est plus modeste. On les cuit de préférence à la vapeur pour garder leurs nutriments.
Les courges d'hiver (courge, citrouille, potiron) sont riches notamment en potassium, et une bonne source de provitamine A. Les graines de courge sont très nourrissantes de par leur teneur en protéines, vitamines et sels minéraux, et sont aussi particulièrement recommandées pour lutter contre les affections urinaires.

CURCUMA *(CURCUMA LONGA)*

Pour le moral : antioxydants, huile essentielle

Originaire du sud de l'Asie, le curcuma, comme le gingembre qui appartient à la même famille, est une plante dont on utilise la racine, réduite en poudre, pour en faire une teinture jaune orangé ou une épice. Utilisé dans la médecine traditionnelle indienne pour le traitement de maladies de peau ou comme anti-inflammatoire, un de ses principes actifs, la curcumine, le rendrait intéressant pour prévenir des maladies comme l'Alzheimer, car c'est un antioxydant puissant. C'est aussi un stimulant de la circulation sanguine.
Utilisez-le pour relever vos plats de légumes, associé au poivre : il sera ainsi mieux absorbé par l'intestin.

ÉPEAUTRE *(TRITICUM SPELTA)*

Pour le moral : glucides complexes, vitamines B1, B2, B9, protéines, sels minéraux, notamment magnésium, fer, zinc

Céréale proche du blé, mais supplantée par la culture des autres céréales, à meilleur rendement, l'épeautre (ou « grand épeautre », différent du « petit épeautre », appelé aussi « engrain ») a un goût particulièrement agréable. Comparé au blé, il est plus riche en protéines, en magnésium, zinc, fer et cuivre. Il est parfois recommandé aux personnes souffrant d'arthrose et d'acide urique, mais c'est surtout sa teneur élevée en magnésium qui le rend intéressant pour les personnes souffrant de stress. Il favoriserait le sommeil et calmerait l'anxiété. On peut le consommer sous forme de pain, ou dans des biscuits, salés ou sucrés, où il remplace le blé.

ÉPINARD *(SPINACIA OLERACEA L.)*

Pour le moral : protéines, bêta-carotène, vitamines B (B6, B9), C, magnésium, manganèse, cuivre, calcium, fer, antioxydants

Contrairement à sa réputation, même s'il est assez riche en fer, il ne donne pas à ses consommateurs une force extraordinaire. Avant que l'image de Popeye s'impose, on l'utilisait plutôt pour soigner les maux d'estomac, parce qu'il contient des fibres qui aident la digestion. Sa richesse en vitamines et antioxydants en fait finalement un aliment utile pour contrecarrer les effets du stress ou de la fatigue.
Mieux vaut le consommer cru que cuit pour profiter de toutes ses vitamines – on choisit alors de jeunes pousses. Si on le consomme cuit, un temps de cuisson assez court permet de conserver l'essentiel de ses nutriments.

FIGUE *(FICUS CARICA)*

Pour le moral : glucides, vitamines B, calcium, fer, potassium, cuivre, antioxydants

On trouve essentiellement trois types de figues : des blanches, des rouges, des violettes. Certaines supportent la cuisson, d'autres se consomment crues ; on les trouve aussi sous forme de fruits séchés. Fruit d'été, riche en sucre, c'est dans sa peau que se trouveraient

la plupart de ses antioxydants, et davantage encore dans les fruits à la pelure foncée. Par rapport aux autres fruits, elle fournit un apport de calcium non négligeable.
Sous sa forme séchée, elle est très énergétique.

FROMAGES FRAIS

Pour le moral : vitamine B12, B1, B2, calcium, phosphore, sélénium, tryptophane

Le fromage frais est un fromage peu affiné, juste issu du lait caillé. Parmi ces fromages frais, on trouve le mascarpone, la ricotta, le brocciu corse, la brousse, la féta. Comme les produits laitiers, ils contiennent du calcium, et, comme les autres produits issus des animaux, ils contiennent aussi de la vitamine B12. Leur intérêt réside également dans l'apport de tryptophane, qui fabrique les neurotransmetteurs et notamment la sérotonine, apaisante.
Les fromages sont tout de même à consommer avec modération, car ils sont riches en graisses.

GELÉE ROYALE

Pour le moral : glucides, vitamines A, C, D, E, toutes les vitamines du groupe B, minéraux et oligo-éléments, antioxydants

Produit de la ruche, la gelée royale y est destinée à nourrir les jeunes larves et la reine. Pour les humains, c'est un complément alimentaire extrêmement complet, qui agit sur l'équilibre physique et moral. Elle est revitalisante, dynamisante, tonifiante pour le corps et l'esprit, équilibrante ; elle renforce les défenses de l'organisme. Elle se prend en très petite quantité, sous forme de « cure » de quelques semaines. On la trouve en gélules, mais son efficacité est supérieure quand elle est fraîche.
Comme le ginseng, on considère que la gelée royale est un « adaptogène », c'est-à-dire qu'elle ne traite pas un type d'affection,

mais qu'elle aide l'organisme à s'adapter aux différentes formes de stress qui l'agressent.

GINGEMBRE *(ZINGIBER OFFICINALE)*

Pour le moral : manganèse, cuivre, magnésium, calcium, sodium, fer, vitamine B3, antioxydants

On parle souvent du gingembre comme d'un aphrodisiaque. Il est vrai qu'il améliore la circulation sanguine, et cette propriété le rend utile en cas de fatigue et de faiblesse physique puisqu'il tonifie l'organisme. Il l'aide aussi à lutter contre le vieillissement des cellules, grâce à ses antioxydants, et soulage les maux de tête.
Originaire de Malaisie et d'Inde, cette plante dont on exploite la racine est depuis toujours employée dans la médecine indienne comme une plante médicinale. On l'utilise comme épice dans l'alimentation occidentale, sous forme de poudre, mais dans la cuisine asiatique on consomme davantage la racine fraîche, plus riche en vitamine C que la plante séchée.

GINSENG *(PANAX GINSENG C. A. MEYER)*

Pour le moral : minéraux, vitamines du groupe B, vitamine C, E

Le ginseng, qui compte une dizaine d'espèces, est originaire de Chine et de Corée. C'est sa racine qui est réputée, en phytothérapie, pour ses propriétés pharmaceutiques. On ne dispose pas encore d'études scientifiques concernant toutes ses vertus, mais on lui en prête énormément ! Vertus antifatigue, plante de la vitalité, stimulant cardiaque, action sur la libido, endurance, équilibre nerveux, amélioration des fonctions cérébrales... Son surnom de « racine de vie » lui sied bien.
Il y a souvent des risques d'interférence entre son action et celle d'autres substances. Et comme c'est un excitant, il faut éviter d'en prendre si on est grand consommateur de café. On peut l'acheter

sous forme de poudre, par racines entières, mais sa consommation doit être limitée en quantité et dans le temps.

GRAINES GERMÉES

Pour le moral : protéines, concentré de vitamines, minéraux

Les graines germées font depuis quelque temps déjà les délices des amateurs de « bio », car les graines subissent beaucoup moins de traitement que les plantes qu'on récolte à maturité.
L'intérêt de la graine, c'est qu'elle contient un concentré de tous les nutriments que l'on retrouvera dans la plante arrivée à maturité. Et pendant la germination, la quantité de vitamines se multiplie.
Les pousses de « soja » (des haricots mungo) sont connues depuis longtemps, mais la consommation de graines ne se limite pas à cette espèce : on peut consommer des graines de céréales, de légumes ou légumineuses, d'aromates... de préférence crues, sinon leurs qualités nutritionnelles ne sont pas préservées. En revanche, on ne consomme pas les graines de tomate, aubergine ou rhubarbe, dont des parties de la plante sont toxiques.

HARICOT BLANC *(PHASEOLUS SP.)*

Pour le moral : protéines, glucides complexes, vitamines C, B1, B3, B9, fer, potassium, calcium, magnésium, zinc, manganèse, cuivre

C'est une légumineuse qui se consomme séchée ou fraîche (en août et septembre, surtout), toujours après cuisson. Elle donne une sensation de satiété qui évite les grignotages par la suite.
Il existe en réalité des milliers de variétés de « haricots », dont l'origine géographique est l'Amérique centrale. Le blanc a une saveur plus douce que le rouge et peut accompagner de nombreux plats. Il a la particularité de prendre les arômes des aliments avec lesquels il mijote.

Comme toutes les légumineuses, son apport protéinique est intéressant pour les végétariens qui ne consomment pas de protéines animales.

HUILE D'OLIVE *(OLEA EUROPEA)*

Pour le moral : vitamine E, antioxydants, oméga-3 et 9

L'huile est extraite des fruits bien mûrs de cet arbre caractéristique du pourtour méditerranéen. L'huile de meilleure qualité est celle produite par une pression à froid, non raffinée (huile vierge, vierge extra) ; c'est celle qui offre le plus de qualités nutritives et notamment d'antioxydants. Elle peut être consommée en assaisonnement, ou chauffée (pas plus de 180 °C).
Assez calorique, sa consommation n'entraîne néanmoins pas de prise de poids quand on l'associe aux légumes typiques de l'alimentation méditerranéenne.
La consommation régulière d'huile d'olive aurait une bonne influence sur la mémorisation verbale.
L'olive elle-même, à poids égal, est plus riche en antioxydants que l'huile qui en est tirée.

HUILE DE LIN *(LINUM USITATISSIMUM)*

Pour le moral : acides gras poly-insaturés oméga-3

L'huile de lin a longtemps été employée pour un usage industriel, technique, mais elle intervient maintenant dans l'alimentation. En France, elle a d'abord été autorisée en mélange, et on peut depuis 2009 la trouver pure. Par rapport à d'autres huiles, elle se conserve mal et ne doit pas être chauffée. Elle se consomme donc uniquement en assaisonnement des crudités et salades.
Les graines de lin sont très prisées également, pour leur richesse en fibres qui facilitent la digestion. Elles contiennent environ 40 % d'huile.

KIWI *(ACTINIDIA CHINENSIS)*

Pour le moral : vitamines C, E, A, B9, potassium, cuivre

Le kiwi est le fruit d'une plante grimpante originaire de Chine, dont la commercialisation n'a véritablement commencé qu'il a y une soixantaine d'années. Plus riche que l'orange en vitamine C, il contient aussi de la vitamine E dans ses graines noires centrales et est à ce titre un des fruits avec la plus grande activité antioxydante. C'est un fruit à haute densité nutritionnelle, c'est-à-dire qu'à lui seul il peut satisfaire davantage nos besoins nutritionnels quotidiens que d'autres fruits. Il est assez peu calorique, mais il est susceptible de provoquer des allergies de type urticaire.

LAURIER *(LAURUS NOBILIS)*

Pour le moral : diverses huiles essentielles, sels minéraux, vitamines, acides gras

Laurus nobilis, à ne pas confondre avec d'autres espèces de lauriers, toutes toxiques, fournit des feuilles que l'on utilise en cuisine pour leur arôme, souvent sous la forme de feuilles séchées associées au thym dans le bouquet garni. Les feuilles fraîches offrent néanmoins davantage d'intérêt et de parfum. On ne mange pas les feuilles, qui peuvent d'ailleurs être irritantes et sont un peu fermes, et la consommation de laurier se fait davantage par le biais des infusions. Le laurier stimule l'appétit et la circulation sanguine.

LAVANDE *(LAVANDULA ANGUSTIFOLIA)*

Pour le moral : diverses huiles essentielles

On emploie davantage cette plante méditerranéenne en aromathérapie que dans l'alimentation. Ses fleurs séchées servent

quand même à la confection de tisane ; on peut aussi se servir de jeunes pousses et de feuilles pour parfumer les plats (salades, poissons) et les desserts, et on la consomme dans le miel de lavande. Employée comme antiseptique depuis fort longtemps, elle agirait aussi sur les maux de tête et dans les troubles comme l'anxiété ou l'insomnie.
Quelques fleurs ou feuilles suffisent généralement pour parfumer les préparations. D'ailleurs, consommée à trop forte dose, elle devient toxique.

LENTILLES *(LENS CULINARIS)*

Pour le moral : glucides lents, protéines, fer, magnésium, vitamines B, antioxydants

La lentille est un légume sec de la famille des féculents, dont il existe différentes variétés (brune dans les conserves, rouge, verte, corail...). Ce sont les petites graines rondes de la plante que l'on consomme. Elle est riche en glucides complexes, et c'est la légumineuse la plus riche en protéines, ce qui en fait un bon aliment de base pour les végétariens.
Les lentilles germées se consomment également, crues, en salade, et sont plus riches en vitamines.

LEVURE ET GERME DE BLÉ *(TRITICUM SP.)*

Pour le moral : vitamines B1, B2, B6, B9, E, magnésium, fer, zinc, phosphore, protéines, antioxydants

Le germe du blé est en quelque sorte son embryon, et tous les nutriments qui font l'intérêt de la plante s'y trouvent de manière concentrée. On le consomme généralement sous forme de flocons à prendre au petit-déjeuner, ou de poudre qui accompagne salades, crudités, potages, laitages...

La levure et les germes de blé peuvent renforcer l'alimentation en éléments nutritionnels précieux pour la forme. Ce sont en effet des aliments très riches en vitamines B et en sélénium. Très naturels, ce sont des compléments qui aident à garder un bon équilibre émotionnel et nerveux, et à mieux réagir au stress.

MIEL

Pour le moral : glucides, antioxydants

Le miel est fabriqué à partir du nectar de fleurs, par les abeilles. C'est un aliment énergétique, riche en glucides vite assimilables par l'organisme, qui a l'avantage d'être peu transformé. On l'utilisait dans la pharmacopée traditionnelle pour ses vertus antibiotiques.
Selon les plantes que les abeilles auront butinées, on trouvera bien sûr diverses variétés de miel. Pour aider à combattre les petites déprimes ou les maux de tête, on peut conseiller le miel de lavande ; et le miel de tilleul pour diminuer les angoisses ou les insomnies. Le miel de bruyère est adapté en cas de fatigue.

MYRTILLE *(VACCINUM SP.)*

Pour le moral : antioxydants, vitamines C, E

La myrtille est connue sous des noms assez variés, notamment celui d'airelle qui désigne pourtant aussi des baies de couleur rouge, et elle possède de nombreuses « cousines » : bleuets, canneberges... Dans la médecine traditionnelle, on lui prêtait des vertus pour améliorer la vision ou faciliter le transit intestinal. La myrtille a l'avantage d'être peu sucrée, notamment dans sa version sauvage, et peu calorique, et offre un apport diversifié de vitamines. Les antioxydants qu'elle contient sont également présents dans les framboises, les mûres et les grenades.

NOISETTE *(CORYLUS AVELLANA)*

Pour le moral : acides gras insaturés, protéines, vitamine E et B, antioxydants, manganèse, potassium, magnésium, calcium, phosphore, fer, zinc

À l'instar de la noix ou de l'amande, la noisette est un fruit à coque, énergétique, riche en bonnes graisses. On la trouve fraîche à l'automne, et sa consommation ne doit pas dépasser une dizaine de fruits par jour.
Comparée à la noix, la noisette est un peu plus calorique, et elle contient davantage d'acides gras oméga-9 qui préviennent les troubles cardiovasculaires.
Sous formes de fruits secs, les noisettes et autres fruits à coque sont plus riches en lipides et plus caloriques. Consommez-les de préférence sans sel ou sucre ajoutés, et plutôt crus que grillés.

NOIX *(JUGLANS SP.)*

Pour le moral : protéines, acides gras insaturés, oméga-3, vitamines E, B1, B6, B9 antioxydants, magnésium, manganèse, phosphore, zinc, fer, cuivre

Il existe plusieurs espèces de noyers, dont les fruits ont des qualités nutritionnelles comparables ; c'est leur chair, le cerneau, qui est plus ou moins abondante.
Pour un fruit, la noix est très riche en lipides, et notamment les fameux oméga-3. On la consomme fraîche surtout à l'automne, période de récolte, mais toujours avec parcimonie (pas plus d'une dizaine par jour), car elle est calorique et peut vous faire prendre du poids.
Les autres « noix » (de cajou, de coco, de muscade, de pécan, du Brésil) proviennent de plantes différentes et n'ont pas toutes les mêmes qualités nutritionnelles. Parmi elles, la « noix du Brésil » (*Bertholletia excelsea*) est à recommander pour combattre la déprime, car elle particulièrement riche en sélénium.

PERSIL *(PETROSELINUM CRISPUM)*

Pour le moral : vitamine C, A et B9, calcium, fer

Le persil fait partie des plantes aromatiques qui viennent agrémenter les plats et il en existe différentes variétés (plat, frisé, tubéreux). Il est beaucoup plus riche en vitamine C que l'orange ou le kiwi, mais bien sûr, comme toutes les fines herbes, la petite quantité que l'on consomme ponctuellement n'est pas suffisante pour l'organisme. C'est donc par une consommation régulière, haché sur les salades, les soupes, les légumes ou les viandes, que l'on profitera de ses bienfaits. Choisissez-le bien vert, avec des feuilles fermes, et ne le faites pas cuire : il perdrait de ses vitamines.

PISSENLIT *(TARAXACUM OFFICINALE)*

Pour le moral : provitamine A, vitamine B9, C, fer, calcium, antioxydants

La médecine ancienne recommandait déjà la consommation de pissenlit pour combattre les affections du foie, et pour ses vertus diurétiques et dépuratives. Cette plante sauvage, qui est aussi cultivée, est trop peu consommée aujourd'hui, peut-être parce que la feuille de pissenlit est relativement amère, et d'autant plus lorsqu'elle vieillit. On consommera donc de préférence les feuilles avant la floraison de la plante. Il est préférable de le manger cru, en salade, car la cuisson lui fait perdre une partie de ses vitamines.

POIS CHICHES *(CICER ARIETINUM)*

Pour le moral : glucides, protéines, manganèse, cuivre, phosphore, fer, zinc, vitamines B1, B9, B6

Originaire du Proche-Orient, cette légumineuse produit une graine que l'on consomme cuite, chaude ou en salade, ou encore sous forme de purée (le houmous) ou de galette (panisse). Ses effets bénéfiques sur la santé intestinale sont connus depuis longtemps ; et parmi les légumes secs, c'est le plus riche en glucides complexes qui permettent de régulariser le taux de glucose dans le sang.

POISSONS GRAS

Pour le moral : protéines, acides gras essentiels (oméga-3 et 6), iode, phosphore, zinc, cuivre, sélénium, fluor, vitamines A, D, E et du groupe B

Les « poissons gras », ce sont des poissons d'eau froide tels le saumon, la sardine, le hareng, le maquereau, le thon. C'est leur nourriture à l'état naturel, des algues, qui leur permet d'assimiler ces acides gras, aussi les poissons d'élevage sont-ils généralement moins riches en oméga-3 que les poissons sauvages. Ces poissons, notamment le thon, sont néanmoins sensibles à la pollution de leur environnement.
On conseille de manger 2 à 3 fois par semaine ces poissons gras, et d'alterner avec des poissons maigres. Les produits en conserve gardent leurs oméga-3, mais sont plus salés et moins riches en vitamines que les poissons frais.

POMME *(MALUS PUMILA)*

Pour le moral : vitamine C, vitamines B, E, potassium, phosphore, zinc, cuivre, manganèse, antioxydants

La pomme est l'un des fruits les plus consommés en France et dans le monde. Il en existe de nombreuses variétés, de poids et de couleurs différents, plus ou moins acidulées ou sucrées. C'est dans la peau du fruit que l'on trouve le plus d'antioxydants et de vitamine C, aussi contentez-vous de laver les pommes avant de les croquer. Les variétés à la pelure rouge, à l'instar de la tomate, contiendraient davantage d'antioxydants.

Si elle est consommée sous la forme de jus vendus dans le commerce, l'apport en sucre sera plus important et celui en antioxydants, moindre. La cuisson de la pomme entraîne une destruction partielle des vitamines.

PRUNEAU (issu de la prune d'Ente, variété de *PRUNUS DOMESTICA*)

Pour le moral : antioxydants, fer, sucres, vitamines E

Le pruneau est un fruit sec, provenant de prunes séchées. Cette « trouvaille » du séchage permettait d'abord la conservation des fruits produits en trop grande quantité, et a perduré depuis.
Il est souvent ajouté en cuisine, à des préparations salées (volaille, lapin, gibier) ou sucrées. Depuis longtemps réputé améliorer le transit intestinal, c'est aussi un aliment énergétique ; et depuis plus récemment, ce sont les antioxydants qu'il contient qui suscitent l'intérêt des nutritionnistes.

RAISIN *(VITIS VINIFERA)*

Pour le moral : glucides, vitamines A, B (B1, B2, B6) et C, antioxydants, potassium, manganèse, cuivre

Ce fruit très sucré mais peu calorique se décline dans des couleurs allant du jaune au noir, en passant par le rouge ou le bleu violet. Les raisins de couleur sombre seraient davantage riches en antioxydants que les raisins plus clairs.
La consommation de raisins secs apporte davantage de calories. Et sous la forme de vin, le raisin garderait ses vertus cardio-protectrices, mais il ne faut pas en abuser... Si vous voulez le boire, préférez-le en jus.

RIZ *(ORYZA SATIVA)*

Pour le moral : glucides lents, vitamines B, protéines, minéraux, fer, zinc

Le riz est une céréale qui fut d'abord cultivée en Asie, et est aujourd'hui la première céréale consommée dans le monde. Son intérêt réside dans son apport glucidique - des glucides lents - et la sensation de satiété qu'il procure.

Le riz blanc est entièrement décortiqué, il contient moins de magnésium, de zinc et de fer que le riz brun ou complet, dont on n'ôte que la fibre extérieure mais pas le germe et le son. C'est donc ce dernier qui est à privilégier pour sa qualité nutritive.

La cuisson pilaf, dans un corps gras avant d'y ajouter de l'eau, permet un apport de lipides complémentaire.

SOJA *(GLYCINE MAX)*

Pour le moral : protéines, acides gras essentiels, antioxydants

On consomme les graines (les « haricots de soja »), cuites, de ce légume sec originaire de Chine, surtout employé comme matière première dans la fabrication d'huile, de lait, de farine, d'aliments fermentés (miso, tempeh, soyu, tofu...). Les extraits du soja y sont généralement mélangés à d'autres composants, le soja étant recherché pour sa richesse protéinique qui permet par exemple aux végétariens de remplacer l'apport protéinique de la viande.

Sous l'appellation « germes » ou « pousses de soja » sont en réalité vendus des germes de haricots mungo (*Vigna radiata*), qui peuvent se consommer crus. C'est un aliment qui, à l'instar d'autres graines germées, aurait des propriétés fortifiantes et revitalisantes.

TOMATE *(LYCOPERSICON ESCULENTUM* ou *SOLANUM LYCOPERSICUM)*

Pour le moral : antioxydants, vitamine C, et aussi bêta-carotène, B3, B5, B9, B6, E, cuivre, manganèse, potassium, phosphore, potassium, fer, zinc

Ce fruit, la « pomme d'amour », que l'on emploie davantage comme un légume, est originaire d'Amérique et a mis du temps à s'imposer dans les assiettes. Peut-être parce que son acidité irrite parfois les intestins sensibles.

C'est un antioxydant qui lui donne sa couleur rouge, la plus commune. Mais il existe de très nombreuses variétés, de formes, de tailles et de couleurs différentes, qui ont toutes des qualités nutritionnelles.

Elle peut être consommée crue ou cuite, mais c'est lorsqu'elle est cuite que les antioxydants sont le plus facilement assimilables par l'organisme. La quantité de vitamine C, en revanche, diminue à la cuisson.

YAOURT

Pour le moral : calcium, protéines, vitamines B2, B5, B12. Petites quantités de vitamines A et D.

C'est un produit issu de la fermentation du lait qui, comme le lait, est bénéfique pour son apport en calcium (près de 30 % de l'apport quotidien recommandé). Sa qualité principale est sa haute teneur en protéines, pour un apport calorique assez faible.

Choisissez-le de préférence nature, plutôt qu'aux fruits ou aromatisé. Il contiendra moins de sucre et d'ingrédients chimiques. Pour plus de goût, mieux vaut lui ajouter des fruits frais ou des noix...

Le « yaourt grec » est égoutté, donc normalement moins gras – mais les fabricants y ajoutent parfois de la crème pour lui donner sa texture – et plus protéiné encore.

Prenez une grande partie de vos calories le matin et vous perdrez du poids sans en reprendre ! En outre, vous n'aurez pas faim de la journée et brûlerez des calories facilement et naturellement, même pendant votre sommeil !

Index

A

B

L

M

N

O

P